북한 핵 문제

IAEA 핵안전조치 협정 체결 3

북한 핵 문제

IAEA 핵안전조치 협정 체결 3

한국학술정보

| 머리말

    1985년 북한은 소련의 요구로 핵확산금지조약(NPT)에 가입한다. 그러나 그로부터 4년 뒤, 60년대 소련이 영변에 조성한 북한의 비밀 핵 연구단지 사진이 공개된다. 냉전이 종속되어 가던 당시 북한은 이로 인한 여러 국제사회의 경고 및 외교 압력을 받았으며, 1990년 국제원자력기구(IAEA)는 북핵 문제에 대해 강력한 사찰을 추진한다. 북한은 영변 핵시설의 사찰 조건으로 남한 내 미군기지 사찰을 요구하는 등 여러 이유를 댔으나 결국 3차에 걸친 남북 핵협상과 남북핵통제공동위원회 합의 등을 통해 이를 수용하였고, 결국 1992년 안전조치협정에도 서명하겠다고 발표한다. 그러나 그로부터 1년 뒤 북한은 한미 합동훈련의 재개에 반대하며 IAEA의 특별사찰을 거부하고 NPT를 탈퇴한다. 이에 UN 안보리는 대북 제재를 실행하면서 1994년 제네바 합의 전까지 남북 관계는 극도로 경직되게 된다.

    본 총서는 외교부에서 작성하여 최근 공개한 1991~1992년 북한 핵 문제 관련 자료를 담고 있다. 북한의 핵안전조치협정의 체결 과정과 북한 핵시설 사찰 과정, 그와 관련된 미국의 동향과 일본, 러시아, 중국 등 우방국 협조와 관련한 자료까지 총 14권으로 구성되었다. 전체 분량은 약 7천여 쪽에 이른다.

2024년 3월

한국학술정보(주)

| 일러두기

· 본 총서에 실린 자료는 2022년 4월과 2023년 4월에 각각 공개한 외교문서 4,827권, 76만여 쪽 가운데 일부를 발췌한 것이다.

· 각 권의 제목과 순서는 공개된 원본을 최대한 반영하였으나, 주제에 따라 일부는 적절히 변경하였다.

· 원본 자료는 A4 판형에 맞게 축소하거나 원본 비율을 유지한 채 A4 페이지 안에 삽입하였다. 또한 현재 시점에선 공개되지 않아 '공란'이란 표기만 있는 페이지 역시 그대로 실었다.

· 외교부가 공개한 문서 각 권의 첫 페이지에는 '정리 보존 문서 목록'이란 이름으로 기록물 종류, 일자, 명칭, 간단한 내용 등의 정보가 수록되어 있으며, 이를 기준으로 0001번부터 번호가 매겨져 있다. 이는 삭제하지 않고 총서에 그대로 수록하였다.

· 보고서 내용에 관한 더 자세한 정보가 필요하다면, 외교부가 온라인상에 제공하는 『대한민국 외교사료요약집』 1991년과 1992년 자료를 참조할 수 있다.

| 차례

머리말 4

일러두기 5

북한.IAEA(국제원자력기구) 간의 핵안전조치협정 체결, 1991-92. 전15권 (V.5
1991.7월) 7

북한.IAEA(국제원자력기구) 간의 핵안전조치협정 체결, 1991-92. 전15권 (V.6
1991.8-9월) 239

북한.IAEA(국제원자력기구) 간의 핵안전조치협정 체결, 1991-92. 전15권 (V.7 유엔을
통한 체결 촉구, 1991.10월) 431

정 리 보 존 문 서 목 록

기록물종류	일반공문서철	등록번호	2020010081	등록일자	2020-01-14
분류번호	726.62	국가코드		보존기간	영구
명 칭	북한.IAEA(국제원자력기구) 간의 핵안전조치협정 체결, 1991-92. 전15권				
생 산 과	국제기구과/국제연합1과	생산년도	1991~1992	담당그룹	
권 차 명	V.5 1991.7월				
내용목차	* 1991.7.12-16 IAEA.북한 문안협의 전문가 회의(Vienna) 핵안전협정(안) 합의				

0001

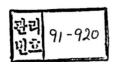

국회의 동의 승인 자료

北韓의 核 安全協定締結 問題

1991. 7. 1.

일반문서로 재분류(19 PI. 12. 11)

外 務 部

0002

1. 背景

  o 北韓, 85.12月 核武器 非擴散條約(NPT)加入不拘 同 條約上 義務인 國際原子力
    機構(IAEA)와의 核安全協定締結 遲延

    ※ NPT 第3條는 加入後 18個月內 協定締結 義務 規定

  o 北韓, 그간 3次에 걸친 IAEA와의 協定締結 交涉과정에서 下記를 前提條件으로
    主張

    - 韓半島로부터 核武器 撤去와 美國의 北韓에 대한 個別的 核先制 不使用
      (NSA)을 保障

  o 지난 6.7 北韓, IAEA에 標準協定文案同意意思를 通報하면서 下記 言及

    - 7月中旬 IAEA와 北韓間 專門家 會談 開催, 協定案 最終 文案交涉

    - 9月 IAEA 理事會에 協定案 上程 承認 獲得

    - 6月 理事會(6.10-14)에서 對北韓 協定締結促求 決議案이 上程될 境遇 協定
      署名意思 再考

0003

2. 그간 我側對策 및 IAEA 6月 理事會

　가. 我側 對策

　　　o IAEA와의 核安全協定締結이 NPT 當事國의 無條件的인 國際義務인 점을 勘案, 北韓이 遲滯없이 安全協定을 締結토록 國際社會의 積極的 努力 誘導

　　　　- 我國은 國際的 努力을 積極 支援

　　　o 濠州,日本,카나다등 友邦國은 國際的 努力의 一環으로 지난 IAEA 6月 理事會에서 北韓의 協定締結을 促求하는 決議案 採擇을 推進

　　　　- 我國은 理事國이 아닌 關係로 이들 國家의 決議案 採擇 交涉을 側面 支援

　나. IAEA 6月 理事會(91.6.10-14) 論議內容

　　　o 北韓代表, 下記要旨 發言

　　　　- 核 安全協定署名 用意 있으며 北韓에 대한 査察 反對치 않음

　　　　- 標準 協定案의 本質 內容 變更없이 最終 자귀 修正위해 7月 專門家派遣, IAEA와 協議後 協定案 9月 理事會 上程

　　　　- 協定의 第26條 (效力持續 條項)問題는 美國과 北韓사이에 解決할 問題

0004

※ 北韓은 "北韓이 NPT 當事國인限 協定이 有效하다."라는 第26條에
　 "韓半島로 부터 核武器가 撤去되지 않고 北韓에 대한 核威脅이 계속될
　 경우 協定의 效力을 停止시킬 수 있다."라는 留保條項 挿入을 그간
　 要求하여왔음

o 多數 理事國들(27個國)은 北韓 代表의 核 安全協定 同意 立場表明에 留意
　 하면서 早速한　協定署名 促求

o 濠州, 日本, 카나다등 友邦理事國은 北韓의 9月 理事會 協定案 提出提議
　 감안, 對北韓 協定締結促求決議案 上程 保留키로 決定

o 理事會 議長(폴란드인)은 同件 論議後 下記 聲明 發表

　- 多數 理事國이 北韓에 대해 遲滯없는 核 安全協定締結 促求 事實 想起

　- 北側 提議대로 7月 協定文案協議, 9月 理事會 提出 및 遲滯없는 署名과
　　 發效에 대한 理事國들의 강력한 期待 表明 事實 摘示

0005

공   란

공　　란

核사찰 수용결정

金日成, 지난 5월 李鵬에 밝혀

【東京=聯】 金日成北韓주석은 지난 5월초순 북한을 방문했던 李鵬 中国총리에게 「국제원자력기구(IAEA)의 보장조치 협정에 조인한다」며 핵사찰 수락의사를 밝혔다고 日산케이(産經)신문이 30일 北京소식통을 인용, 보도했다.

이 핵사찰 수락의사는 지난 5월4일 平壤시내에서 개최된 李鵬총리와의 회담석상에서 전해졌다.

북한은 그 1개월후인 6월초순에 핵사찰 수락문건에 대해 7월중에 IAEA와 보장조치 協定文의 확정교섭을 개시해 9월의 IAEA이사회 승인을 거쳐 동 협정에 조인할 의사를 표명했다고 산케이신문은 설명했다.

개전 7/1

0008

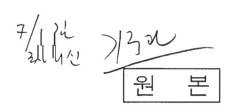

관리 번호	91·664

외 무 부

종 별 :

번 호 : AUW-0493　　　　　　　　　일 시 : 91 0701 1100

수 신 : 장 관(국기, 아동)

발 신 : 주 호주 대사

제 목 : 호주의 IAEA 대책

　　대:WAU-0439

　　연:AUW-0484

　　1. 6.27 호주 외무무역성 COUSINS 군축국 부국장(국장대리)은 양공사와의 오찬석상에서 대호 아측의 RECOGNITION 을 통보받았다고 말하고 이에대해 특히 장관님께 사의를 표하면서, 호주는 자국을 중심으로한 우방국이 마련한 대북한 핵안전협정 서명촉구 결의안에 지지를 표시한 나라들을 내주부터 재접촉하기 시작, 성원에 사의를 표함과 동시에 9 월 IAEA 이사회 대책에 관하여 의견을 교환하기 시작할것이라고 말했음.

　　2. 이어 동부국장은 (동인은 K.JONES 군축국장이 주불 대사로 부임중임에 따라, 동국장 후임에 임명되거나, 또는 상당기간(수개월간)국장 대리직을 맡게될것임) 지난 6 월 IAEA 이사회를 통해 북한이 핵안전협정에 서명토록하는 국제적 정치압력을 행사하는데 까지는 일단 성공했다고 보고, 향후 호주의 전략을 서명촉구에서 실질적인 핵사찰 수락 촉구쪽으로 전환시켜 나가겠다고 말했음. 동부국장은 이를 위해 자신은 북한이 핵안전협정 서명-국내법 절차 완료-비준통보-핵사찰 수락 까지의 각 단계에서 시간을 벌지못하도록 국제적 압력을 지속적으로 가하기 위한 대책 수립 일환으로 북한 국내법상의 국제조약비준절차, 과거 북한의 주요 국제조약 비준통보 및 의무이행사례등을 수집코자 한다고 하면서, 호주외무성에서도 조사해보겠지만, 아측에서 전기사항을 조사, 제공해 줄것을 희망했음.

　　3. 상기 COUSINS 부국장의 요청사항 회보 바라며, 동부국장은 금년에 아국이 유엔가입할경우, 유엔 제 1 위원회(정치.안보)에서 한.호 양국이 상호 긴밀한 협조하에 제 1 위원회에서 활동하자고 제의하는등 향후 국제무대에서의 한-호양국 외교협력에 각별한 관심을 니지고 있음을 첨언함. 끝.

국기국 안기부	장관	차관	1차보	2차보	아주국	외정실	분석관	청와대

　　　　　　　　　　　　　　　　　　　　91.07.01　　11:24

　　　　　　　　　　　　　　　　　　　　외신 2과　통제관 BS

　　　　　　　　　　　　　　　　　　　　　　　　　　　0009

(대사 이창범-국장)
예고:91.12.31. 일반.

PAGE 2

0010

관리번호 91-673

발 신 전 보

번 호 : WAU-0481   910703 1355 FN 종별 :

WAV -0718

수 신 : 주   호주   대사. 총영사 (사본:주오스트리아대사)

발 신 : 장 관 (국기)

제 목 : 북한 핵문제

대 : AUW-0493

대호 2항 관련, 아래와 같이 회보함.

1. 북한 국내법상 국제조약 비준절차

   가. 현 북한헌법상 국제조약의 비준은 주석(김일성)이 하도록 규정되어
   있음

   나. 북한 헌법 제96조 : 조선민주주의 인민공화국 주석(President)은 다른
   나라와 맺은 조약을 비준 및 폐기한다.

2. 북한이 주요 국제조약에 서명후 비준을 지연시키고 있는 사례

   가. 핵사고 조기통보에 관한 협약(Convention on Early Notification of
   a Nuclear Accident)

      1) 채택 : 86.9.26

      2) 발효 : 86.10.26 (발효국 : 52개국, 90.7.31 현재) 52개 당사국

      3) 북한은 86.9.26 서명후 현재까지 비준치 않고 있음

      4) 아국은 90.7.10 동협약 비준. 발효

/계속...

보안통제

	91년 7월 3일	기안자 성명		과 장	국 장		차 관	장 관
앙고재		국기과 김희택			전결			

외신과동제

0011

나. 핵사고시 지원에 관한 협약(Convention on Assistance in the case
of a Nuclear Accident or Radiological Emergency)

   1) 채택 : 86.9.26

   2) 발효 : 87.2.26(발효국 : 46개국, 90.7.31 현재) 46개 당사국

   3) 북한은 86.9.26 서명후 현재까지 비준치 않고 있음

   4) 아국은 90.7.10 동협약 발효 비준.

     3. 상기 2항 외에는 북한은 국제조약에 서명후 비준을 대체로 잘 이행하고
있는것으로 파악되어
있으며, 특별한 조약상 의무 위반 사례는 발견되지 않음 (해양법 조약의 경우, 남.
북한이 모두 서명후 비준치 않고 있으나 동 조약은 82.12 채택후 발효에 필요한
60개국의 비준을 얻지 못해 현재 미발효상태에 있음).   끝.

예고 : 91.12.31 일반

                          (국제기구조약국장   문 동 석)

일반문서로 재분류(19 91 . 12. 기)

외 무 부

원 본

종 별 :

번 호 : SVW-2338
일 시 : 91 0704 1830

수 신 : 장 관(국기,동구일)

발 신 : 주 쏘 대사

제 목 : 북한의 핵안전 협정체결

당관 이원영공사는 금 7.4 MAYORSKY 외무성 국제과학 기술국장과 오찬을 갖고 표제건 관련 의견 교환한바 동 요지 아래보고함.

1. 이공사가 북한의 IAEA 와의 핵안전 협정체결 협상 재개 움직임에관한 쏘측의 평가를 문의한데 대하여 마요르스키 국장은 쏘측은 북한의 의도를 일단 SERIOUS 한 것으로받아드리고 있다고 전제하고 금추 IAEA 총회전 개최될 이사회 기간중 북한이 STANDARD 협정안에 서명토록 하기 위하여 주평양 쏘련대사관으로 하여금 북한 외교부와 긴밀한 협의를 계속하도록 지시하는 등 쏘측으로서도 특별한 관심을 가지고 FOLLOW UP 하고 있다고 말함.

2. 또한 동국장은 작 7.3 에다무라 일본대사및 HOGUE 호주대사가 동국장과 면담, 본건에관해 협의한 바 있다고 밝히고, 동면담에서 일본측은 만일 북한이 협정 서명후 핵사찰 문제를 종래 주장해온바 있는 조건들과 연계시키려할 경우 쏘측은 어떻게 할것인가를 문의해온바 있다 함. 이에대해 동 국장은 북한이 협정 이행을 다른 조건과 결부 시키려한다면 쏘측으로서도 물론이를 용납할 수 없을것이라는 점을 분명히 한바 있다고 말하고 다만 결의한채택(일,호등이 6 월 이사회시 추진한)등 대처 방안에 관해서는 추후 검토, 결정해야 할 것이라고 답한바 있다 함.

3. 한편 동 국장은 6 월 이사회시 BLIX 사무총장이 언급한바와같이 IAEA. 북한간 체결될 핵안전협정에는 비준조항대신 서명 즉시 발효토록 하는 내용을 포함하는 것이 좋을 것으로 생각하나 북한측이 NORMAL PROCESS 를 주장하고 있는 것으로보아 이를 받아들일 가능성이 적을 것으로 본다는 견해를 피력함. 또한 동인은 북한이 지난번 이사회를전후하여 IAEA 측에 핵안전 협정체결 협상 재개의사를 통고하는등 태도를 바꾸게 된데에는 결의안 추진을 통한 주요 이사국들의 대북한 압력행사가 주효한 것으로 본다고 덧붙였음. 끝

국기국	장관	차관	1차보	2차보	구주국	외정실	분석관	청와대
안기부								

(대사공로명-국장)
91.12.31 일반

일반문서로 재분류(19 91 . 12 . 31)

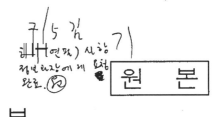
관리 번호	91-675

외 무 부

종 별 :

번 호 : AVW-0854

일 시 : 91 0704 1930

수 신 : 장 관(국기,미안)

발 신 : 주 오스트리아 대사

제 목 : 북한의 핵안전 협정 체결문제

연:AVW-0732,0701

1. 본직은 작 7.3(수) WILMSHURST IAEA 섭외국장(금년말 은퇴하는 그의 후임에는 IAEA 법률고문으로 재직중인 에짚트 국적의 MOHAMED ELBARADEI 가 승계하기로 되어있음)과 오찬을 갖고, 지난 6 월 이사회및 내주에 개최될 예정인 IAEA-북한간 실무회담에 관하여 면담하였음.

2. 내주 실무회담에는 북한으로 부터 3 명이 올 것으로 알고 있는데 금명간그 명단을 통보받게 될것으로 기대하고 있다고 그는 말하였음.

3. 본직은 내주 실무회담이 실체문제를 교섭하는 것이 아니므로 그렇게 며칠씩이나 끌 이유가 있겠는가고 묻고, 특히 양측이 협정문안을 확정할 방식에 관하여 질문하였는데, 그는 본건이 지체되어 왔고 문제거리가 되고 있음에 비추어 협정문안에 대한 각 페이지별 이니씨알링을 통해 확정하자는 것을 북한측에 제의하겠다고 말하였음(AVW-0757 제 3 항 참조)

4. 그는 또한 서명과 동시에 발효하는 협정이 되도록 최종조항을 만들자고 북한측에 제의하겠다고 말하였음.

5. 한편, 지난 6 월 이사회에서 북한이 협정안을 9 월 이사회의 승인을 위해 동 9 월 이사회에 상정하는데 동의하게 된것은 자발적이었는지 또는 IAEA 사무국측이 어떤 종용을 북한측에 한 결과이었는지를 본직이 물은데 대하여, 그는 약간의 불편을 감추지 못하면서 사실은 사무총장이 작성한 문안(9 월 이사회 상정 동의)을 북한측이 수락한 결과이었다고 설명하였음.(본직의 일자별 진전 경과문의에 대하여 그는 6.10 사무국측이 제시안 문안을 북한측이 6.13 오전 수락한 것으로 기억한다고 대답하였음)

6. 상기 5 항에 관련된 배경에 관해서는 본건에 관한 결의안 아이디어를 못마땅하게 생각해온 BLIX 사무총장이 북한의 입장에 대한 본직에의한 연호(AVW-0701)

국기국   미주국   외정실

해명 요구등을 감안할때 동결의안을 봉쇄하기 위해서는 자신의 보고서(AVW-0704)만으로는 충분하지 못하고 이사국들의 태도를 완화시킬수 있는 추가 조치가 필요하다는것을 북한측에 설명하도록 한 것이 그러한 결과를 가져오는데 상당히 기여하였고, 또한 북한의 진충국으로서도 결의안 봉쇄만이 그의 귀국후 입지를 살릴수 있으므로 그러한 문안에 동의 하게된 것으로 풀이됨을 참고바람.

7. 아측이 상기 5 항의 문안을 접하게 된 시기는, 6.13 오전 회의 직전 결의안 추진 이사국들이 전략회의를 가진후 진충국이 과연 어떤내용으로 연설할 것인지에 관하여 신경을 쓰고 있던중 10 시 40 분경 이사회 회의장에서 WILMSHURST국장의 본직에 대한 눈짓으로 두사람이 복도로 나가 가진 접촉에서 그가 진충국의 연설문(안)을 본직에게 보여준 때이었음.

8. 진충국의 연설을 들은 직후 결의안 추진 이사국들이 가진 전략회의에서는 두개의 그룹으로 나누어져 동 연설을 평가하였는데, 주류는 '북한이 협정안에서명할 용의가 있고 핵사찰에 반대하지 않는다'는 입장 표시에 고무된 일방 ⑨미국와 ⑨일본은 북한의 정책변화로 보지 않고 특히 일본은 서명, 비준, 협정시행에 아무 언질이 없는 것을 보면 하등 새로운 요소가 진충국의 연설에 없다고 그의 연설문을 놓고 분석하였음.

9. 본직은 상기 8 항의 전략회의에서 다시 본건의 배경 설명을 하면서 상기주류 그룹의 낙관에 쐐기를 박는 동시에 그러나 6 월 이사회가 본건에 관련된 단계적인 모든 문제점을 한꺼번에 해소할수 없다고 설명하면서(이사회 개최기간에 따르는 시간의 제약과 돌 한개로 여러 마리의 새를 잡을수 없지 않는가 하는 비유를 사용하였음), 특히 결의안이 상정될수 없는 마당에서 언론대책을 생각하면, 북한의 9 월 이사회 상정동의를 하나의 진전으로 받아 들여야 한다고 설득하였음.

10. 상기 5-9 항은 본건의 처리에 관한 기록의 보완 목적과 향후 대책상의 고려(우방 이사국들이 정확하게 문제 경위를 파악하도록 할 필요가 있다는 점)에서 적은 것임을 첨언함. 끝.

예고:91.12.31 일반.

일반문서로 재분류(19 PI . 12.31

발 신 전 보

WAU-0488   910705 1454 FO

번   호 : _____   종별 : _____

수   신 : 주   호주   대사. 총영사 (사본 : 주 오스트리아 대사) WAV-0728

발   신 : 장 관 (국기)

제   목 : 북한의 조약 서명 비준절차

대 : AUW-0511

1. 북한 헌법 제 109조는 정무원이 조약을 맺으며 (서명한다는 뜻) 제 96조는 주석이 조약을 비준 및 폐기하는것으로 규정하고 있을 뿐 조약비준까지의 절차에 있어서 최고인민회의의 역할은 규정되어 있지 않음을 참고 바람.

2. 약칭 생물무기금지협약 관련 사항은 하기와 같음.

　　가. 정식명칭 : Convention on the Prohibition of the Development, Production and Stockpiling of Bacteriological (Biological) and Toxin Weapons and on their Destruction

　　나. 72.4.10 채택, 75.3.26 발효.90.1 현재 108개 당사국

　　다. 북한은 87.3.13 가입. 아국은 72.4.10서명후 87.6.25 비준서 기탁으로 당사국이 됨. 끝.

예고 : 91.12.31 일반

일반문서로 재분류(19 PI. 12.1.)

(국제기구조약국장 문 동 석량)

	보 안	통 제	฿

앙고재	91년 7월 5일	국기과	기안자 성명		과 장	국 장		차 관	장 관	외신과통제
						전익				

0017

관리 번호 : 91-681

원 본

종 별 : 지 급

번 호 : AVW-0865

수 신 : 장 관(국기)

발 신 : 주 오스트리아 대사

제 목 : IAEA-북한간의 실무회담

일 시 : 91 0708 1000

연:AVW-0854

1. 표제 실무회담에 참가하는 북한 대표단은 아래의 외교부 직원들임.
 -CHANG MUN SON:LEGAL ADVISER
 -HO IL ROK:RESEARCHER
 -HAN JONG SAM:OFFICER

2. 표제 회담은 7.10(수) 오전에 시작될 예정임. 끝.

예고:91.12.31 일반.

일반문서로 재분류(1991. 12. 31.)

국기국	장관	차관	1차보	2차보	외정실	분석관	청와대	안기부

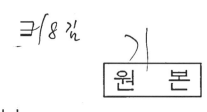

관리 번호	91-682

외 무 부

종 별 : 지 급

번 호 : AVW-0866

일 시 : 91 0708 1000

수 신 : 장 관(국기)

발 신 : 주 오스트리아 대사

제 목 : 북한의 연구용 원자로

연:AVW-0808

연호 2 항에 관련하여, 본직이 7.5(금) IAEA 고위당국자로 부터 입수한 표제 원자로등에 관한 자료는 금주 파우치편에 송부위계임.끝.

예고:91.12.31 일반.

일반문서로 재분류(19 PI。 (2.)) .)

국기국

관리번호	91-684

외 무 부

종 별 :

번 호 : AUW-0522   일 시 : 91 0709 1530

수 신 : 장관(국기,아동)

발 신 : 주 호주 대사

제 목 : IAEA-북한협상

연:AUW-0523

1. 연호 7.9 양공사가 ADAMSOM 군축국장 대리 면담시 동인은 IAEA-북한간 핵안전협정 전문가 회의와 관련하여 작 7.9 오전 비엔나 주재 WILSON 호주대사와엔도 일본대사가 공동으로 BLIX IAEA 사무총장을 면담, 지난 6 월 이사회 결과를 보는 호.일 양국의 견해와 결의를 재다짐하고, BLIX 사무총장으로 하여금 북한이 핵안전협정 서명과 동시 비준할수있도록 대북한 교섭을 수행해갈것을 재촉구 다짐 하는 의미에서 면담하였던바, BLIX 총장은 북한과의 전문가 회의가 7.10에서 하루연기 7.11 부터 시작하게 되었다고 말했다함(WILSON 대사전문보고만으로는 BILX 총장이 하루연기하게된 이유를 밝히지 않았다 하며, 북한측 요청이 아니라면, 혹시 이락 핵사찰 때문이 아닌가 추측했음)

2. 또한 COUSINS 부국장과 함께 10 년이상 핵군축만 다루고있는 동인은 지난 6 월 IAEA 이사회시 쏘련, 쿠바가 각기 북한측에게 핵안전협정 서명과 주한 미 핵무기를 연계시키지 말고 별도로 다루도록 종용한바 있다는것을 당시 호주측에 알려왔다고 하면서, 이에 호주는 고무받은바 있어 자국은 9 월 IAEA 이사회를목표로 계속 대북한 압력의 고삐를 느추지 않을것이라고 말하고, 이러한 폭표 추진에 있어 도움이 될만한 사항)북한측 태도, 한반도내 남.북한간 정세변화등)이 있으면 제공해 줄것을 당부했음. 끝.

(대사 이창범-국장)

예고:91.12.31. 일반.

일반문서로 재분류(19PI . 12.11

국기국 안기부	장관	차관	1차보	2차보	아주국	외정실	분석관	청와대

91.07.09   15:18

외신 2과 몽제관 BA

0020

외 무 부

종 별 : 지 급

번 호 : AVW-0885

일 시 : 91 0709 2300

수 신 : 장 관(국기)

발 신 : 주 오스트리아 대사

제 목 : IAEA-북한간의 실무회담

연:AVW-0865

명 7.10(수)로 예정되어 있는 표제회담은 북한대표단의 당지 도착 지연으로 7.11(목) 부터 개최될것으로 보임.끝.

국기국	장관	차관	1차보	2차보	외정실	분석관	정와대	안기부

0021

PAGE 1

관리 번호	91-690

원 본

외 무 부

종 별 : 지 급
번 호 : AVW-0890
수 신 : 장 관(국기,미안)
발 신 : 주 오스트리아대사
제 목 : IAEA-북한간의 실무회담

일 시 : 91 0710 1830

연:AVW-0865 및 0885

1. 연호(0885) 북한 대표단의 당지 도착이 지연된 이유는 주소 오스트리아 대사관에서 북한 대표단원들이 비자를 발급하는 과정에서, 오스트리아측의 사무상 차질에 비롯되었음.

2. 당지 외무성 관계관에 의하면, 북한인들은 지난 7.5(금) 모스코 주재 오스트리아대사관에 비자를 받으러 나타났는데, 오스트리아 영사담당관이 본성의 훈련을 인지 하지 못하고 이들을 되돌려 보내게 되었다고 함.

3. 북한인들은 금 7.10(수) 오전 오스트리아 비자를 받아 갔다고 함.

4. 그들은 항공기 사정으로 7.12(금) 오전 모스코를 떠날 것이라고함.

5. IAEA 측에 의하면, 상기 사정으로 7.12(금) 오후 4 시에 표제 회담을 개시할 계획하에 있다고 함. 끝.

예 고:91.12.31 일반.

일반문서로 재분류(19 91. 12. 11)

국기국	장관	차관	1차보	2차보	미주국	외정실	청와대	안기부

PAGE 1

91.07.11 03:40
외신 2과 통제관 FM
0022

The Seoul Sinmun   1991年7月1⎸日 (木曜日) 〈15판〉   第1439

蘇, 北韓에 核연료공급 中斷

우리政府에 通報 "5월부터…核사찰 국제壓力 일환"

작년엔 原子爐건설 지원 中止

技術원조 中斷여부는 불투명

蘇聯은 최근 北韓에 대한 핵연료공급을 전면 중단한 것으로 10일 알려졌다.

〈관련기사 3면〉

蘇聯의 이같은 조치는 北韓의 핵무기 개발및 핵사찰 수용에 대한 국제적 관심이 집중된 가운데 나온 것이어서 주목된다. 정부의 한 고위소식통은

蘇聯은 최근 北韓에 이날 "蘇聯측은 핵료 공급을 완전히 중단했다는 사실을 최근 외교경로를 통해 우리측에 전달해 왔다"고 밝히고 "蘇聯이 공급중단 이유를 밝히진 않았으나

北韓의 핵개발작업에 蘇聯이 국제원자력기구(IAEA)핵안전협정에 가입하지 않고 있으며 ▲北韓측이 제관제연구소(IMEMO) 받지 않으면 핵연료제공을

蘇聯측은 "蘇聯의 정 화히 언제부터 공급을 중단했는지는 알수 없으나 지난 4월 중순 蘇聯측이 제관제연구소(IMEMO) 받지 않으면 핵연료제공을

관리 번호	91-698

원 본

외 무 부

종 별 :

번 호 : AVW-0904

일 시 : 91 0712 2030

수 신 : 장 관(국기,미안)

발 신 : 주 오스트리아 대사

제 목 : IAEA-북한간의 실무회담 시작

연:AVW-0890 및 0865

1. 금 7.12(금) 오후(16:10-17:10) IAEA 사무국에서, 연호(0865) 1 항에 포함된 3 인과 당지 북한대표부의 윤호진 참사관이 북한을 대표하고 WILMSHURST 국장과 그휘하의 실무자들이 IAEA 를 대표한 표제회담의 1 차 회의가 개최되었음.

2. 금일 회의에서는 협정문안 확정에 대한 조항별 심의에 들어가지 않고 일반적인 의견을 교환하였는데, 양측은 7.15(월) 오전(10:00) 회담을 재개하고 표준 협정안에 대한 축조심의를 가질 것이라고 하며, 협정안의 각 페이지별 심의를끝내는대로 이니씨알링하기로 합의하였다고 함.

3. 한편, 상기 1 항의 1 차회의가 끝난후 북한 대표단은 약 25 분간 BLIX 사무총장을 예방하였음. 끝.

예고:91.12.31 일반.

일반문서로 재분류(19 P1. 12. 11)

국기국   미주국

PAGE 1

91.07.13   19:11

외신 2과 통제관 CE

0024

공   란

공 란

공   란

공 란

공   란

공   란

공   란

공   란

공   란

공 란

공　　　란

공   란

공   란

공　　　　　란

공 란

공 란

공   란

<table>
</table>

관리번호 91-991

長官報告事項

報告畢

1991. 7. 13.
國際機構條約局
國際機構課 (47)

題目 : 북한의 핵안전협정 서명과 발효 절차

북한은 7.12부터 시작한 IAEA 사무국과의 실무교섭에서 핵안전협정
문안을 확정한후 IAEA 9월 이사회(9.11-13, 비엔나)에 동 협정안을
상정, 승인을 득할 경우 서명과 발효절차를 남겨놓고 있는 바, 이와
관련하여 아래 보고 드립니다.

1. IAEA 핵안전협정의 서명 및 발효절차

  o NPT 당사국은 IAEA와 협정문안 확정 교섭 종료후 별도의 서한(확정문안
    첨부)으로 IAEA에 문안확정 사실을 통보하면서 이사회 상정을 요청

  o IAEA 이사회가 협정안을 승인한 후 IAEA 사무국과 NPT 당사국이 동 협정에
    서명

  o 핵안전 협정은 발효를 위한 당사국의 국내법상 절차가 완료 되었다는 서면
    통고를 IAEA가 접수한 일자에 발효

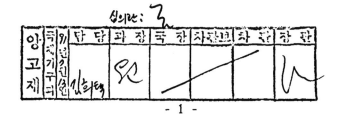

일반문서로 재분류(1991.12.11.)

심의관: 乙

앙고재	국제기구국	기구과전엔	담당	과장	국장	차관보	차관	장관
		김희택		89				

- 1 -

0042

2. 북한 국내법상 조약체결 및 비준절차

  o 북한 헌법상 규정에 의하면 정무원이 조약을 체결하며, 주석이 비준함.

    - 조약 체결 및 비준과 관련, 최고 인민회의의 역할은 규정되어 있지 않음

3. 북한 태도 전망

  o 북한은 9월 IAEA 이사회(9.11-13)에서 핵안전 협정안 승인후 일단 서명할
    것으로 보이나, 협정 발효를 위한 조치(국내비준)는 주한 미군 핵 동시
    사찰 및 미국의 대북한 핵불사용 보장 문제와 연계시킬 가능성 농후

  o 한편, IAEA측은 북한의 협정서명과 동시에 발효토록 노력하고 있으나,
    북한측 태도는 상금 불명확함. (지난 6.7 IAEA 사무총장이 진충국 면담시
    협정의 발효조항을 서명과 동시에 발효토록 제의하였으나, 진충국은 본국
    정부와 협의후 입장 통보하겠다고만 언급)

4. 참고사항

  o 현재 NPT 당사국으로서 핵안전협정 미체결국가 51개국중 협정 서명후 수년간
    발효를 지연시키고 있는 국가는 7개국임.

  o NPT 조약상 당사국은 가입후 18개월 이내에 핵안전협정 발효까지의 단계를
    완료하여야 함.   끝.

7/15가

관리
번호 91/992

長官報告事項

報告畢

1991. 7. 13.
國際機構條約局
國際機構課 (47)

題 目 : 북한의 핵안전협정 서명과 발효 절차

북한은 7.12부터 시작한 IAEA 사무국과의 실무교섭에서 핵안전협정
문안을 확정한후 IAEA 9월 이사회(9.11-13, 비엔나)에 동 협정안을
상정, 승인을 득할 경우 서명과 발효절차를 남겨놓고 있는 바, 이와
관련하여 아래 보고 드립니다.

1. IAEA 핵안전협정의 서명 및 발효절차

   o NPT 당사국은 IAEA와 협정문안 확정 교섭 종료후 별도의 서한(확정문안
   첨부)으로 IAEA에 문안확정 사실을 통보하면서 이사회 상정을 요청

   o IAEA 이사회가 협정안을 승인한 후 IAEA 사무국과 NPT 당사국이 동 협정에
   서명

   o 핵안전 협정은 발효를 위한 당사국의 국내법상 절차가 완료 되었다는 서면
   통고를 IAEA가 접수한 일자에 발효

일반문서로 재분류(1991. 12.11)

- 1 -

0044

2. 북한 국내법상 조약체결 및 비준절차

   o 북한 헌법상 규정에 의하면 정무원이 조약을 체결하며, 주석이 비준함.

     - 조약 체결 및 비준과 관련, 최고 인민회의의 역할은 규정되어 있지 않음

3. 북한 태도 전망

   o 북한은 9월 IAEA 이사회(9.11-13)에서 핵안전 협정안 승인후 일단 서명할
     것으로 보이나, 협정 발효를 위한 조치(국내비준)는 주한 미군 핵 동시
     사찰 및 미국의 대북한 핵불사용 보장 문제와 연계시킬 가능성 농후

   o 한편, IAEA측은 북한의 협정서명과 동시에 발효토록 노력하고 있으나,
     북한측 태도는 상금 불명확함. (지난 6.7 IAEA 사무총장이 진충국 면담시
     협정의 발효조항을 서명과 동시에 발효토록 제의하였으나, 진충국은 본국
     정부와 협의후 입장 통보하겠다고만 언급)

4. 참고사항

   o 현재 NPT 당사국으로서 핵안전협정 미체결국가 51개국중 협정 서명후 수년간
     발효를 지연시키고 있는 국가는 7개국임.

   o NPT 조약상 당사국은 가입후 18개월 이내에 핵안전협정 발효까지의 단계를
     완료하여야 함.   끝.

북한.IAEA(국제원자력기구) 간의 핵안전조치협정 체결, 1991-92. 전15권 (V.5 1991.7월) 51

외 무 부

종 별 : 지급

번 호 : AVW-0915

일 시 : 91 0715 1950

수 신 : 장 관(국기,미안,기정,) 사본:주일,미,영,불,호주,소련,유엔대사-필

발 신 : 주 오스트리아 대사

제 목 : IAEA-북한간의 핵안전 협정(안) 확정

연:AVW-0904

1. 금 7.15(월) 오전(1000-1130)에 개최된 IAEA-북한간의 실무회담은 IAEA 측의 표준협정안(98 개조)에 대한 축조심의를 통해 실체적인 수정없이 IAEA 원안대로 확정하였음.

2. 양측은 명 7.16(화) 오전 11 시 협정(안)의 영문본에 이니씨알할 예정임.

3. 협정(안)은 북한이 국내비준 완료를 통고함으로써 발효하도록 되어 있으며, 영어, 노어및 조선어의 3 개 언어로 원본을 작성한다고 되어있음.

4. 본직과 WILMSHURST 섭외국장간의 금일 오후면담(1720-1750)에서, 그는 상기 내용을 확인하면서 다음과같이 말하였음.

가. 협정안 제 9 조(사찰관 임명)에 관하여 경미한 자구수정이 있으나, 실체적인 사항이 아니므로 북한은 IAEA 의 협정안을 모두 그대로 결국 수락하였음.

나. 연호 3 항에 언급된 BLIX 사무총장과의 면담시 BLIX 총장은 서명과 동시에 발효하는 협정이 될 것을 제의하였으나 북한은 이를 거부하였으며, 금년 9 월 이사회의 승인 직후 협정(안)에 양측이 서명할 것을 제의하였으나, 북한은 반응을 보이지 않았음.

다. 북한은 협정(안) 제 26 조에 관련하여 그동안 주장해온 효력정지조항 삽입을 포기하고, 미국과의 양자 협상을 통해 군사적인 문제를 해결한다는 입장을 표시하였음.

5. WILMSHURST 국장은 내일 협정(안)의 영문본에 이니씨알하는대로 노어본을북한측에 수교할 예정이나, 북한측이 조선어본을 제출하는데 시간을 끌 여지가있을수 있을것으로 내다 보면서, 9 월 이사회 개막시까지는 3 개 언어로된 원본을 사무국으로서는 미리 준비해 놓고 9 월 이사회 승인후 곧 서명한다는 계획을

국기국	장관	차관	1차보	2차보	미주국	외정실	분석관	청와대
안기부								

91.07.16   04:28
외신 2과 통제관 FM

0046

세우고 있다함.

6. 명일 이니씨알한후 9 월 이사회의 승인을 위해 별도의 절차가 필요한가의
여부를 본직이 물은데 대하여, 그는 IAEA 로서는 따른 절차없이 9 월 이사회의 승인을
요청할 계획이나, 만약 북한이 9 월이사회 제출에 이의를 제기한다면 문제가
발생할수도 있을것이라고 말하였음.

7. 그에 의하면, 9 월 이사회의 협정(안) 승인과 그후의 서명까지는 실현된다
하더라도 협정(안)의 비준 발효에는 상당한 시간이 걸릴것이라는 감촉을 숨기지
못한다는 것이었음을 첨언함. 끝.

예고:91.12.31 일반.

PAGE 2

0047

정안

주 스 위 스 대 사 관

스위스(정) 790-35| 1991.7.15.

수신: 장관

참조: 외교정책기획실장, 구주국장

공람	안보정책과	년월일	담 당	과 장	심의관	실 장	자판보	차 관	장 관

재목: 북한내 핵무기 사찰관련 보도

주재국 7.12자 Journal de Geneve지는 북한의 핵무기 사찰문제 관련

Richard Sola 동 지 특파원 기사로 하기 요지로 보도하었는 바, 동 기사

벌침 송부하오니 업무에 참고하시기 바랍니다.

- 아   래 -

1. 북한은 오는 7.15.-17간 런던 개최 서방 7개국 정상회담 정치선언에서
   북한내 핵무기 관련 결의안이 포함된다면, 동 핵무기 사찰애 대한
   입장을 재고할 수 밖에 없을 것이라고 7.8자 노동신문에서 밝힘.

2. 북한의 이같은 태도변화는 이라크의 경우와 같이 국제적 압력에 굴복하여
   핵시설 사찰을 수락해야만 하는 처지를 회피함과 동시애, 외교적으로 볼때
   극도로 고립되어 있는 현시점에서 한국애 대해 국제법에 순응한다는 인상을
   주지 않기 위한 마지막 시도임.

3. 한편, 소련은 90.10. 북한이 국제원자력기구 (IAEA)의 사찰에 응할때까지
   핵기술 개발원조를 중단한다고 발표하었는 바, 이는 북한정권의 군사적
   불가측성 및 과거 핵기술을 제공해온 소련측에서 북한 핵기술 연구의
   진전상황을 완벽히 파악하고 있다는 두가지 이유애서 비롯된 것임.

4. 일본 Tokai 대학 연구팀 및 일본 과학정보 센터에서 88년 및 89년 프랑스
   Spot 위성으로 촬영한 사진을 컴퓨터로 이미지 분석한 결과는 북한
   핵연구의 진전상황을 확인해 주고 있음. 또한, 북한은 87년 완공된
   30,000KW급 원자로 외애 200,000KW급의 재 2원자로를 건설중인 것으로
   보임. (R.H. 11형 항공사진 촬영결과)

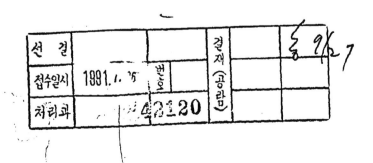

0048

5. 북한은 과거 동독 및 루마니아로 부터 농축 우라늄 및 핵원료를, 서방측으로
   부터는 원폭제조에 필요한 기술을 공급받아 왔음.
   한편, 83년-87년 국가보위부 조달과장으로 근무하다가 귀순한 최상규는
   북한내 핵무기 제조계획 관련 많은 정보를 제공한 바, 있음.
   이와관련, 일본 지지 통신에 의하면 북한은 95년까지 3-6개의 원폭제조가
   가능한 분량의 18Kg-50Kg의 플루토늄을 생산할 수 있을 것으로 전망됨.

6. 그밖에 지난해 한국에 전달된 미 전자첩보에 의하면, 북한이 소련제
   Scud-B 미사일보다 성능이 월등한 자체제작 미사일을 평양북방 약 100Km
   지점에 배치한 것으로 알려짐. 53년 한국전쟁 종전이후 북한의 모든
   외교활동은 주한 미군 및 한국배치 미사일 철수를 목표로 하여 왔음.

7. 최근 북한은 핵시설 국제사찰 수락 조건으로 한국의 비핵화를 희망한 바
   있으나, 이같은 북한측 요구는 핵저지력을 약화시킬 가능성이 있다는
   이유에서 지난 3.6. 미국무성 Richard Solomon 차관보에 의해 거부된 바
   있음.

첨부: 상기기사. 끝.

주   스   위   스   대

NUCLÉAIRE

La Corée du Nord au banc des accusés

Alors que l'Irak a accepté, sous les pressions américaines, l'inspection internationale de ses installations nucléaires, le Gouvernement nord-coréen a brusquement fait savoir lundi qu'il pourrait changer d'avis et ne pas accepter, lui, de se soumettre à un tel contrôle.

PAR RICHARD SOLA

«Nous ne pourrions que reconsidérer notre position progressite, écrit le journal Redong Sinmun, concernant l'accord de sauvegarde nucléaire, si une résolution est incluse dans une déclaration politique au sommet du «G-7» qui se tiendra du 15 au 17 juillet à Londres. Une dernière tentative de la part du régime nord-coréen pour éviter de se retrouver demain dans la position de l'Irak. Une façon aussi de donner l'impression à la Corée du Sud de ne pas subir la loi internationale, alors que jamais Pyongyang n'a été aussi isolé diplomatiquement.

Pourtant, les responsables de l'Agence Internationale pour l'Energie Atomique (AIEA), avaient accepté au mois de juin d'accorder un délai supplémentaire, jusqu'au mois de septembre, à la Corée du Nord afin de prouver sa sincérité pour accepter les clauses de contrôles, Pyongyang ayant signé le traité général en 1985.

En septembre dernier, le chef de la diplomatie nord-coréenne, Kim Yong-Nam, aurait déclaré à son homologue soviétique que le Nord n'aurait plus d'obligation de s'abstenir de produire des armes nucléaires, si Moscou et Séoul établissaient des relations diplomatiques. Une façon détournée de confirmer la production de telles armes, la

reconnaissance diplomatique entre Moscou et Séoul pour ce même mois de septembre ayant été annoncée plus six mois à l'avance.

Preuve que les temps ont évolué. Moscou annonçait en octobre 1990, l'arrêt de son aide au développement technologique nucléaire au Nord jusqu'à ce que ce dernier accepte l'inspection de ses installations par les experts de l'AIEA.

L'extrême prudence du Kremlin visá-vis d'un ancien allié militaire s'explique pour deux raisons: l'une tient à l'imprévisibilité du régime nord-coréen qui a déjà attaqué par surprise le Sud en 1950 et dont les soldats ont, à plusieurs reprises au cours de ces dernières années, agressé les troupes des Nations Unies sur la frontière, à Panmunjom. L'autre raison est, que les Soviétiques connaissent parfaitement l'état d'avancement des recherches nucléaires entreprises par les Nords-Coréens pour la bonne et simple raison qu'ils leur ont livré la technologie nécessaire.

Six bombes atomiques

Une équipe de scientifiques japonais du centre d'information et de recherche de l'Université de Tokai a d'ailleurs confirmé l'état d'avancement de ces recherches grâce à une étude comparative sur ordinateur de deux images d'installation nucléaire nord-coréenne, prises par les satellites français Spot en 1988 et en 1989.

En plus de deux petits réacteurs expérimentaux «type 66», le Nord serait, si l'on en croit des photos aériennes (du type R.h.1f) d'origine américaine et japonaise, en voie d'achever la mise en route de la 2e tranche (200'000 kw) de leur réacteur de Yongbyon. La première tranche, de 30 000 kw, avait été achevée en 1987.

Pyongyang aurait en outre obtenu, dans le passé, de la RDA et de la Roumanie de l'uranium concentré et des substances nucléaires ainsi que de la technologie permettant la production d'obus atomiques, achetées dans ce dernier cas à des sociétés occidentales. Un transfuge nord-coréen, Choe

Sang Kyu, ingénieur, chef de la «section approvisionnement du Ministère de la sécurité publique» de 1983 à 1987, a d'ailleurs donné de multiples renseignements sur le programme de fabrication de ces bombes à Yong Byon. Selon l'agence japonaise de presse Jiji, citant en novembre 1990 les experts américains, le Nord disposerait de matériels suffisament sophistiqués pour pouvoir produire d'ici à 1995 entre 18 et 50 kilos de plutonium, de quoi fabriquer entre trois et six bombes atomiques.

Une menace prise très au sérieux à Séoul où le ministre de la Défense, Lee Jong-ku n'hésita pas à déclarer le 12 avril dernier, que si la Corée du Nord refusait l'inspection par les équipes de l'AIEA, son gouvernement pourrait être amené à envisager une attaque préventive au nord, du style de celles menées par Israël en Irak.

Version améliorée du Scud

Les services secrets américains d'espionnage électronique ont du reste transmis l'an dernier au Sud des clichés indiquant clairement la présence, pour la première fois, de missiles balistiques de fabrication nord-coréenne (une version très améliorée du Scud-B soviétique), installée sur des lanceurs fixés dans la région de Nodong, à environ 100 km au nord de Pyongyang.

L'attitude du Gouvernement nord-coréen aurait en fait une finalité moins offensive que ne le laisserait supposer la présence de tels missiles. Toute l'activité de la diplomatie nord-coréenne a consisté, depuis la fin de la guerre en 1953, à provoquer le retrait des troupes et des missiles américains stationnés au Sud.

Aujourd'hui, en échange de sa soumisson aux contrôles internationaux sur ses installations atomiques, le Nord voudrait la dénucléarisation du Sud. Une demande repoussée le 6 mars dernier par Richard Solomon, assistant du secrétaire d'Etat américain, qui a dit qu'une telle exigence pourrait atténuer la force du concept de dissuasion nucléaire.

신

주 스 위 스 대 사 관

스위스(정) 790-354   1991.7.16.

수신: 장관

참조: 국제기구조약국장, 외교정책기획실장, 구주국장

제목: 북한내 핵사찰 관련 보도

　　　주재국 7.16자 Neue Zuricher Zeitung지는 비앤나발 REUTER 통신을 인용,

북한의 핵시설 사찰문제 관련 하기요지로 보도 하였는바, 동 기사 사본을 별첨

송부하오니 업무애 참고하시기 바랍니다.

　　　　　　　　　- 아　　　　　　래 -

　가. 국제원자력기구 (IAEA) 대변인에 의하면 북한은 7.8. 북한내 핵시설
　　　사찰관련 협상을 재개하였는 바, 북한 대표단장은 장문송 외교부
　　　법무과장 이라고 함.

　나. 이와관련, 지난 두차례의 협상 (90. 및 91.6.)은 북한측에서 북한내
　　　핵사찰 문제를 주한 미군기지 공개문제와 연계시킴으로써 결렬되었음.
　　　한편, IAEA측은 동 사찰협정 체결관련 좋은 성과가 있을 것으로 보고있음.

　　　첨부: 상기기사 사본. 끝.

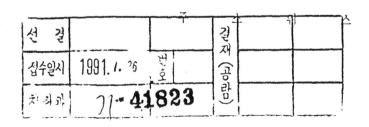

0051

Neue Gespräche zwischen Nordkorea und der IAEA

Wien, 15. Juli. (Reuter) Nordkorea hat nach Angaben der Internationalen Atomenergiebehörde IAEA am Montag erneut Gespräche über den Zugang zu seinen Atomeinrichtungen für Beobachter der IAEA aufgenommen. Ein Sprecher der in Wien ansässigen Organisation sagte, die nordkoreanische Delegation werde vom Leiter der Rechtsabteilung im Aussenministerium, Chang Mun Song, angeführt. Die ersten beiden Gesprächsrunden waren im vergangenen Jahr und im Juni erfolglos abgebrochen worden, weil Nordkorea den Zugang zu seinen Atomeinrichtungen von der Öffnung der US-Stützpunkte in Südkorea abhängig machen wollte. Aus Kreisen der IAEA verlautete, bei der Erstellung des Inspektionsabkommens seien gute Erfolge erzielt worden.

0052

a0833ALL   r
u i BC-NUCLEAR-KOREA   07-16 0287

BC-NUCLEAR-KOREA

NORTH KOREA AGREES TO TEXT OF NUCLEAR INSPECTION ACCORD

VIENNA, July 16, Reuter - North Korea on Tuesday agreed to the text of an accord committing it to open its nuclear facilities to international inspection.

The Vienna-based International Atomic Energy Agency (IAEA) said the safeguards agreement approved by a North Korean delegation would allow IAEA experts to inspect all its nuclear facilities.

The draft agreement will be submitted to a meeting of the IAEA board in September for approval, an agency statement said.

A number of countries have been pressing Pyongyang to sign a safeguards agreement, concerned that a secret plant at Yongbin, north of the capital, was being used to develop nuclear weapons. North Korea has denied this.

Talks last year and a further attempt last month came to nothing after the Pyongyang government insisted that the United States must also allow inspection of its bases in South Korea and remove all nuclear weapons.

IAEA officials said the agreement initialled on Tuesday was a standard text without any additions. "What conditions they might attach to implementation of the agreement is a separate issue that is not our concern," one IAEA official added.

Seoul's state radio reported on Tuesday that Pyongyang would sign and implement the treaty without delay.

"We expect North Korea to officially sign the nuclear safeguards accord in September as scheduled and to take various measures for implementation of the accord without delay," the radio quoted a Foreign Ministry official in Seoul as saying.

North Korea's refusal to conclude a safeguards agreement with the IAEA has been one of the main obstacles to talks with Japan on normalisation of ties.

REUTER CAM SM HP
Reut14:36 07-16

0053

외 무 부

종 별 : 긴 급

번 호 : AVW-0916   일 시 : 91 0716 1545

수 신 : 장 관(국기,미안)

발 신 : 주 오스트리아 대사

제 목 : IAEA-북한간의 핵안전 협정(안) 최종 확정

연:AVW-0915

1. IAEA 와 북한은 금 7.16(화)(1200-1230) 연호 1 항대로 협정문안을 최종 확정하는 절차(회의)를 가졌음.

2. 금일 회의는 당초 오전 11 시에 시작할 예정이었으나 북한측의 요청으로12 시에 시작하였으며, 금일 협정문(안)에 이니씨알할 당초의 계획을 북한의 요청에 따라 바꾸어 상호가 어제 합의한 문안을 확인만 하였음.

3. WILMSHURST 국장에 의하면, 양측이 합의한 문안이 IAEA 의 표준 협정안과사실상 같으므로 이니씨알링이 필요없다는 입장을 북한이 내세우게 됨에 따라, 상기 2 항과 같이 IAEA 사무국이 작성하여 제시한 영문 협정(안)을 양측이 확인하는데 그쳤다고 함.

4. 북한은 금일 회의에서 이번에 합의한 협정문(안)을 9 월 이사회의 승인을 위해 제출하는데 동의하였다고 함.

5. 상기 협정문(안) 확정후 IAEA 가 공표한 PRESS RELEASE 를 별전(FAX: AVW(F)-009)으로 보고함.

6. 양측이 합의한 협정문(안)은 금주 파우치편 송부위계임.끝.

예고:91.12.31 일반.

일반문서로 재분류(19 91. 12. 31.)

국기국	장관	차관	1차보	2차보	미주국	분석관	정와대	안기부

91.07.16   23:16
외신 2과 통제관 CE
0054

AVW(F)-009   10216 1545

장 관 (국기)

주 오스트리아 대사

PRESS RELEASE

DPRK and IAEA Secretariat complete safeguards agreement text

Representatives of the Democratic People's Republic of Korea (DPRK) and the secretariat of the International Atomic Energy Agency (IAEA) today agreed to the text of a draft safeguards agreement permitting inspection of nuclear material in the DPRK.

The draft agreement, which follows the standard pattern of safeguards agreements signed between parties to the NPT and the IAEA, was drawn up in its final form during discussions held in Vienna July 12-16.

The agreement will be submitted to the meeting of the IAEA Board of Governors to be held in Vienna on September 11, 1991 for approval.

The DPRK side was led by Mr. Chang Mun Son, Director of the Legal Affairs Department of the DPRK Foreign Ministry.

* * * * *

총 1 매

0055

長 官 報 告 事 項

報 告 畢

1991. 7. 16.
國際機構條約局
國際機構課 (48)

관리
번호 91.

題 目 : 북한의 핵안전협정 가서명 이후 사찰실시까지의 단계

> 북한이 7.16(화) 가서명할 예정인 핵안전조치협정은 가서명이후 발효
> 및 IAEA 핵사찰까지의 단계를 아래와 같이 거쳐야 함을 보고드립니다.

1. 북한 - IAEA간 협정문안 합의후 영어본에 가서명(7.16)예정
   o 협정은 영어, 노어 및 조선어등 3개 언어를 정본으로 작성

2. 9월 IAEA 이사회(9.11-13)의 협정안 승인
   o 북한, 3개 언어의 정본중 조선어본 제출을 지연 또는 동 내용을 트집잡을
     가능성 불배제

3. IAEA와 북한측의 협정서명
   o 통상 IAEA 사무국이 비엔나에서 먼저 서명한후 협정당사국은 자국 수도에서
     서명

4. 북한의 협정 비준
   o 북한 헌법상 조약의 비준은 최고인민회의 또는 동 상임위원회의 주석이 하도록 규정되어

검토 필(1991.6.30.)

검토 필(1991.12.31.)

- 1 -

0056

5. 핵안전협정의 발효(제25조)

   o IAEA에 대한 북한의 협정비준서 기탁 일자에 발효

6. 북한의 최초 보고서 제출(제62조)

   o 북한은 협정에 따른 사찰대상이 될 모든 핵물질에 관한 최초 보고서를 협정
     발효 해당월의 마지막날로부터 30일 이내에 IAEA에 제출

7. 최초 보고서 내용 확인을 위한 IAEA의 사찰실시(제71조)

   o IAEA는 북한이 제출한 최초보고서에 포함된 내용을 확인하기 위하여 수시
     사찰(ad hoc inspection)실시 가능

8. 북한의 기존핵시설에 관한 설계정보 제출

   o 북한은 보조약정의 협의기간중에 기존핵 시설에 관한 설계정보를 IAEA에
     제출(제42조)

   o IAEA는 동 설계정보의 확인을 위해 관련시설에 사찰관 파견가능(제48조)

9. 보조약정서 체결(제39-40조)

   o 북한은 핵안전 협정에 규정된 절차의 시행방법과 사찰대상시설을 구체적
     으로 명시하는 보조약정을 가능한한 조속히 IAEA와 체결

   o 보조약정은 협정발효후 90일이내 발효

10. IAEA 사찰실시

   o 북한은 IAEA가 임명하는 사찰관에 대하여 30일내 수락여부 회보(제85조)

     - 최초 보고서 확인을 위한 사찰관의 임명절차는 협정 발효후 30일 이내
       완결

   o IAEA는 북한에 사전통고(24시간 내지 1주일전)후 사찰실시(제72조)

첨 부 : 상기 과정 도표 1부.   끝.

- 2 -

0057

핵확산 방지조약(NPT)에 의한 핵 안전조치협정체결 과정

① 협정안 합의, 가서명
↓
② IAEA 이사회의 승인
↓
③ 협정서명
↓
④ 당사국의 비준
↓
⑤ 협정의 발효　　　　　　　　　　　（NPT 가입후 18개월 이내）
↓

⑥ 당사국은 사찰대상이 될 모든 핵물질에 대한 보고서를

　　IAEA에 제출（최초 보고）　　　　　（협정발효후 30일이내）
↓
⑦ IAEA에 의한 보고내용 확인（수시사찰）
⑧ 당사국이 기존 핵관련 시설에 대한 설계정보를 IAEA에 제출
↓
⑨ IAEA에 의한 설계정보 확인
↓
⑩ 보조 약정서 작성. 발효　　　　　　（협정발효후 90일이내）

↓

（일반 사찰 실시）

0058

북한의 핵 안전조치 협정 가서명   (비공식논평)

북한이 7.15 국제원자력기구(IAEA)와 핵안전조치 협정의 표준문안에 합의한 후
금명간 가서명할것이라는 보도와 관련하여, 우리는 북한이 9월 IAEA이사회에서의
협정안 승인직후 이에 서명하고, 지체없이 협정발효를 위한 제반조치를 취할것을
기대한다.   끝.

0059

분류번호	보존기간

발 신 전 보

WAV-0766   910716 2010 FN

번   호 :   종별 :

수   신 : 주 오스트리아 대사. 총영사

발   신 : 장 관 (국기)

제   목 : IAEA-북한간 핵안전 협정

대 : AVW-0915

1. 표제 협정안을 구득하는 대로 송부바람.

2. 북한이 가서명하는 INFCIRC/153의 표준협정안에는 제25조 발효조항에 있어서 서명과 동시에 발효하는 B안과 서명후 비준을 거쳐 발효하는 A안의 ~~두종류가~~ 선택조항이 있다하는 바, 이를 확인 보고 바라며, 동 표준협정안 INFCIRC/153의 최근 text를 구득송부바람.   끝.

(국제기구조약국장   문 동 석)

일반문서로 재분류(1991. 12. 11)

보안 통제	

앙고재	91년 7월 16일	국 기 과	기안자 성명 신○○	과장	국장	차관	장관

외신과통제

0060

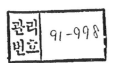

長 官 報 告 事 項

1991. 7. 16.
國際機構條約局
國際機構課 (48)

題 目 : 북한의 핵안전협정 가서명 이후 사찰실시까지의 단계

> 북한이 7.16(화) 가서명할 예정인 핵안전조치협정은 가서명이후 발효
> 및 IAEA 핵사찰까지의 단계를 아래와 같이 거쳐야 함을 보고드립니다.

1. 북한 - IAEA간 협정문안 합의후 영어본에 가서명(7.16)예정

   o 협정은 영어, 노어 및 조선어등 3개 언어를 정본으로 작성

2. 9월 IAEA 이사회(9.11-13)의 협정안 승인

   o 북한, 3개 언어의 정본중 조선어본 제출을 지연 또는 동 내용을 트집잡을
     가능성 불배제

3. IAEA와 북한측의 협정서명

   o 통상 IAEA 사무국이 비엔나에서 먼저 서명한후 협정당사국은 자국 수도에서
     서명

4. 북한의 협정 비준

   o 북한 헌법상 조약의 비준은 최고인민회의 동의없이 주석이 하도록 규정

일반문서표 재분류(⑩ PI. IL.II~)

- 1 -

0061

5. 핵안전협정의 발효(제25조)

 o IAEA에 대한 북한의 협정비준서 기탁 일자에 발효

6. 북한의 최초 보고서 제출(제62조)

 o 북한은 협정에 따른 사찰대상이 될 모든 핵물질에 관한 최초 보고서를 협정
  발효 해당월의 마지막날로부터 30일 이내에 IAEA에 제출

7. 최초 보고서 내용 확인을 위한 IAEA의 사찰실시(제71조)

 o IAEA는 북한이 제출한 최초보고서에 포함된 내용을 확인하기 위하여 수시
  사찰(ad hoc inspection)실시 가능

8. 북한의 기존핵시설에 관한 설계정보 제출

 o 북한은 보조약정의 협의기간중에 기존핵 시설에 관한 설계정보를 IAEA에
  제출(제42조)

 o IAEA는 동 설계정보의 확인을 위해 관련시설에 사찰관 파견가능(제48조)

9. 보조약정서 체결(제39-40조)

 o 북한은 핵안전 협정에 규정된 절차의 시행방법과 사찰대상시설을 구체적
  으로 명시하는 보조약정을 가능한한 조속히 IAEA와 체결

 o 보조약정은 협정발효후 90일이내 발효

10. IAEA 사찰실시

 o 북한은 IAEA가 임명하는 사찰관에 대하여 30일내 수락여부 회보(제85조)

  - 최초 보고서 확인을 위한 사찰관의 임명절차는 협정 발효후 30일 이내
   완결

 o IAEA는 북한에 사전통고(24시간 내지 1주일전)후 사찰실시(제72조)

첨 부 : 상기 과정 도표 1부.   끝.

핵확산 방지조약(NPT)에 의한 핵 안전조치협정체결 과정

① 협정안 합의, 가서명
↓
② IAEA 이사회의 승인
↓
③ 협정서명
↓
④ 당사국의 비준
↓
⑤ 협정의 발효   (NPT 가입후 18개월 이내)
↓

⑥ 당사국은 사찰대상이 될 모든 핵물질에 대한 보고서를

  IAEA에 제출(최초 보고)   (협정발효후 30일이내)
↓
⑦ IAEA에 의한 보고내용 확인(수시사찰)
↓
⑧ 당사국이 기존 핵관련 시설에 대한 설계정보를 IAEA에 제출
↓
⑨ IAEA에 의한 설계정보 확인
↓
⑩ 보조 약정서 작성. 발효   (협정발효후 90일이내)
↓

(일반 사찰 실시)

0063

원 본

외 무 부

종 별 :

번 호 : AVW-0919   일 시 : 91 0716 1800

수 신 : 장 관(국기,미안)

발 신 : 주 오스트리아대사

제 목 : 북한과 IAEA간의 핵안전 협정(안)

　　1.표제 협정(안)중 제9조, 25조 및 제26조를 별첨(FAX:AVW(F)-010)으로 송부함.

　　2.제9조의 표준협정 문안(GOV/INF/276,22 AUG1974-INFCIRC/153의 내용을 조문화한 문서임)에 의하면 (A)(II)가 아래와 같이 되어있음.

　　(II)IF THE DEMOCRATIC PEOPLE'S REPUBLIC OF KOREA, EITHERUPON PROPOSAL OF A DESIGNATION OR AT NAY OTHER TIME AFTER ADESIGNATION HAS BEEN MADE, OBJECTS TO THE DESIGNATION, THEAGENCY SHALL SECURE THE CONSENT OF THE DEMOCRATIC PEOPLE'SREPUBLIC OF KOREA TO AN ALTERNATIVE DESIGNATION ORDESIGNATIONS.

　　3.위 제9조의 (B)항은 아래와 같이 ' '한 부분이 삽입되었음.

　　(B)THE DEMOCRATIC PEOPLE'S REPUBLIC OF KOREA SHALL TAKE THENECESSARY STEPS TO ENSURE THAT AGENCY INSPECTORS CANEFFECTIVELY DISCHARGE THEIR FUNCTIONS UNDERTHIS AGREEMENT.'THE AGENCY SHALL, AS FAR AS COMPATIBLE WITH THE OTHER TERMSOF THIS AGREEMENT, RESPECT LEGAL PROCEDURES AND REGULATIONSOF THE DEMOCRATIC PEOPLE'S REPUBLIC (OF KOREA) RELEVANT TOSUCH STEPS.

　　4.표제협정안및 상기 GOV/INF/276은 금주 파편송부 위계임.끝.

국기국　　미주국　　외정실　　안기부

0064

PAGE 1

91.07.17　　09:14 WH
외신 1과 통제관

70　IAEA 핵안전조치협정 체결 3

71

EMBASSY OF THE REPUBLIC OF KOREA

Praterstrasse 31, Vienna
Austria 1020 (FAX : 2163438)

No : AVW(F)-010   Date : 10가16 1800

To : 장 관 (국기. 미안)

(FAX No :   )

Subject :

AVW-0919 의 첨부

Total Number of Page : 2   0065

AGENCY INSPECTORS

Article 9

(a)   (i) The Agency shall secure the consent of the Democratic People's Republic of Korea to the designation of Agency inspectors to the Democratic People's Republic of Korea.

(ii) If the Democratic People's Republic of Korea, either upon proposal of a designation or at any other time after a designation has been made, objects to the designation, the Agency shall secure the consent of the Democratic People's Republic of Korea to an alternative designation or designations.

(iii) If, as a result of the repeated refusal of the Democratic People's Republic of Korea to accept the designation of Agency inspectors, inspections to be conducted under this Agreement would be impeded, such refusal shall be considered by the Board, upon referral by the Director General of the Agency (hereinafter referred to as "the Director General"), with a view to its taking appropriate action.

(b) The Democratic People's Republic of Korea shall take the necessary steps to ensure that Agency inspectors can effectively discharge their functions under this Agreement. The Agency shall, as far as compatible with the other terms of this Agreement, respect legal procedures and regulations of the Democratic People's Republic [of Korea] relevant to such steps.

ENTRY INTO FORCE AND DURATION

Article 25

This Agreement shall enter into force on the date upon which the Agency receives from the Democratic People's Republic of Korea written notification that the Democratic People's Republic of Korea's statutory and constitutional requirements for entry into force have been met. The Director General shall promptly inform all Member States of the Agency of the entry into force of this Agreement.

Article 26

This Agreement shall remain in force as long as the Democratic People's Republic of Korea is party to the Treaty.

0066

16 July 1991

DRAFT
AGREEMENT BETWEEN
THE GOVERNMENT OF THE DEMOCRATIC PEOPLE'S REPUBLIC OF KOREA
AND THE INTERNATIONAL ATOMIC ENERGY AGENCY FOR THE
APPLICATION OF SAFEGUARDS IN CONNECTION WITH
THE TREATY ON THE NON-PROLIFERATION OF
NUCLEAR WEAPONS

WHEREAS the Government of the Democratic People's Republic of Korea (hereinafter referred to as "the Democratic People's Republic of Korea") is a party to the Treaty on the Non-Proliferation of Nuclear Weapons (hereinafter referred to as "the Treaty") opened for signature at London, Moscow and Washington on 1 July 1968 and which entered into force on 5 March 1970;

WHEREAS paragraph 1 of Article III of the Treaty reads as follows:

"Each non-nuclear-weapon State Party to the Treaty undertakes to accept safeguards, as set forth in an agreement to be negotiated and concluded with the International Atomic Energy Agency in accordance with the Statute of the International Atomic Energy Agency and the Agency's safeguards system, for the exclusive purpose of verification of the fulfilment of its obligations assumed under this Treaty with a view to preventing diversion of nuclear energy from peaceful uses to nuclear weapons or other nuclear explosive devices. Procedures for the safeguards required by this Article shall be followed with respect to source or special fissionable material whether it is being produced, processed or used in any principal nuclear facility or is outside any such facility. The safeguards required by this Article shall be applied on all source or special fissionable material in all peaceful nuclear activities within the territory of such State, under its jurisdiction, or carried out under its control anywhere".

WHEREAS the International Atomic Energy Agency (hereinafter referred to as "the Agency") is authorized, pursuant to Article III of its Statute, to conclude such agreements;

NOW THEREFORE the Democratic People's Republic of Korea and the Agency have agreed as follows:

P A R T   I

BASIC UNDERTAKING

A r t i c l e   1

The Democratic People's Republic of Korea undertakes, pursuant to paragraph 1 of Article III of the Treaty, to accept safeguards, in accordance with the terms of this Agreement, on all source or special fissionable material in all peaceful nuclear activities within its territory, under its jurisdiction or carried out under its control anywhere, for the exclusive purpose of verifying that such material is not diverted to nuclear weapons or other nuclear explosive devices.

35971

0067

APPLICATION OF SAFEGUARDS

Article 2

The Agency shall have the right and the obligation to ensure that safeguards will be applied, in accordance with the terms of this Agreement, on all source or special fissionable material in all peaceful nuclear activities within the territory of the Democratic People's Republic of Korea, under its jurisdiction or carried out under its control anywhere, for the exclusive purpose of verifying that such material is not diverted to nuclear weapons or other nuclear explosive devices.

CO-OPERATION BETWEEN THE DEMOCRATIC PEOPLE'S REPUBLIC OF KOREA AND THE AGENCY

Article 3

The Democratic People's Republic of Korea and the Agency shall co-operate to facilitate the implementation of the safeguards provided for in this Agreement.

IMPLEMENTATION OF SAFEGUARDS

Article 4

The safeguards provided for in this Agreement shall be implemented in a manner designed:

(a) to avoid hampering the economic and technological development of the Democratic People's Republic of Korea or international co-operation in the field of peaceful nuclear activities, including international exchange of nuclear material;

(b) to avoid undue interference in the Democratic People's Republic of Korea's peaceful nuclear activities, and in particular in the operation of facilities; and

(c) to be consistent with prudent management practices required for the economic and safe conduct of nuclear activities.

Article 5

(a) The Agency shall take every precaution to protect commercial and industrial secrets and other confidential information coming to its knowledge in the implementation of this Agreement.

(b) (i) The Agency shall not publish or communicate to any State, organization or person any information obtained by it in connection with the implementation of this Agreement, except that specific information relating to the implementation thereof may be given to the Board of Governors of the Agency (hereinafter referred to as "the Board") and to such Agency staff members as require such knowledge by reason of their official duties in connection with safeguards, but only to the extent necessary for the Agency to fulfil its responsibilities in implementing this Agreement.

0068

- 3 -

(ii)   Summarized information on nuclear material subject to
       safeguards under this Agreement may be published upon
       decision of the Board if the States directly concerned
       agree thereto.

A r t i c l e   6

(a) The Agency shall, in implementing safeguards pursuant to this
    Agreement, take full account of technological developments in
    the field of safeguards, and shall make every effort to ensure
    optimum cost-effectiveness and the application of the principle
    of safeguarding effectively the flow of nuclear material
    subject to safeguards under this Agreement by use of
    instruments and other techniques at certain strategic points to
    the extent that present or future technology permits.

(b) In order to ensure optimum cost-effectiveness, use shall be
    made, for example, of such means as:

    (i)   containment as a means of defining material balance areas
          for accounting purposes;

    (ii) statistical techniques and random sampling in evaluating
          the flow of nuclear material; and

    (iii) concentration of verification procedures on those stages
          in the nuclear fuel cycle involving the production,
          processing, use or storage of nuclear material from which
          nuclear weapons or other nuclear explosive devices could
          readily be made, and minimization of verification
          procedures in respect of other nuclear material, on
          condition that this does not hamper the Agency in
          applying safeguards under this Agreement.

NATIONAL SYSTEM OF MATERIALS CONTROL

A r t i c l e   7

(a) The Democratic People's Republic of Korea shall establish and
    maintain a system of accounting for and control of all nuclear
    material subject to safeguards under this Agreement.

(b) The Agency shall apply safeguards in such a manner as to enable
    it to verify, in ascertaining that there has been no diversion
    of nuclear material from peaceful uses to nuclear weapons or
    other nuclear explosive devices, findings of the Democratic
    People's Republic of Korea's system. The Agency's verification
    shall include, inter alia, independent measurements and
    observations conducted by the Agency in accordance with the
    procedures specified in Part II of this Agreement. The Agency,
    in its verification, shall take due account of the technical
    effectiveness of the Democratic People's Republic of Korea's
    system.

0069

PROVISION OF INFORMATION TO THE AGENCY

Article 8

(a) In order to ensure the effective implementation of safeguards under this Agreement, the Democratic People's Republic of Korea shall, in accordance with the provisions set out in Part II of this Agreement, provide the Agency with information concerning nuclear material subject to safeguards under this Agreement and the features of facilities relevant to safeguarding such material.

(b)   (i) The Agency shall require only the minimum amount of information and data consistent with carrying out its responsibilities under this Agreement.

    (ii) Information pertaining to facilities shall be the minimum necessary for safeguarding nuclear material subject to safeguards under this Agreement.

(c) If the Democratic People's Republic of Korea so requests, the Agency shall be prepared to examine on premises of the Democratic People's Republic of Korea design information which the Democratic People's Republic of Korea regards as being of particular sensitivity. Such information need not be physically transmitted to the Agency provided that it remains readily available for further examination by the Agency on premises of the Democratic People's Republic of Korea.

AGENCY INSPECTORS

Article 9

(a)   (i) The Agency shall secure the consent of the Democratic People's Republic of Korea to the designation of Agency inspectors to the Democratic People's Republic of Korea.

    (ii) If the Democratic People's Republic of Korea, either upon proposal of a designation or at any other time after a designation has been made, objects to the designation, the Agency shall secure the consent of the Democratic People's Republic of Korea to an alternative designation or designations.

    (iii) If, as a result of the repeated refusal of the Democratic People's Republic of Korea to accept the designation of Agency inspectors, inspections to be conducted under this Agreement would be impeded, such refusal shall be considered by the Board, upon referral by the Director General of the Agency (hereinafter referred to as "the Director General"), with a view to its taking appropriate action.

(b) The Democratic People's Republic of Korea shall take the necessary steps to ensure that Agency inspectors can effectively discharge their functions under this Agreement. The Agency shall, as far as compatible with the other terms of this Agreement, respect legal procedures and regulations of the Democratic People's Republic relevant to such steps.

0070

(c) The visits and activities of Agency inspectors shall be so
    arranged as:

  (i) to reduce to a minimum the possible inconvenience and
      disturbance to the Democratic People's Republic of Korea
      and to the peaceful nuclear activities inspected; and

  (ii) to ensure protection of industrial secrets or any other
       confidential information coming to the inspectors'
       knowledge.

PRIVILEGES AND IMMUNITIES

A r t i c l e 10

The Democratic People's Republic of Korea shall accord to the
Agency (including its property, funds and assets) and to its
inspectors and other officials, performing functions under this
Agreement, the same privileges and immunities as, those set forth in
the relevant provisions of the Agreement on the Privileges and
Immunities of the International Atomic Energy Agency.*

TERMINATION OF SAFEGUARDS

A r t i c l e 11

Consumption or dilution of nuclear material

Safeguards shall terminate on nuclear material upon
determination by the Agency that the material has been consumed, or
has been diluted in such a way that it is no longer usable for any
nuclear activity relevant from the point of view of safeguards, or
has become practicably irrecoverable.

A r t i c l e 12

Transfer of nuclear material out of
the Democratic People's Republic of Korea

The Democratic People's Republic of Korea shall give the Agency
advance notification of intended transfers of nuclear material
subject to safeguards under this Agreement out of the Democratic
People's Republic of Korea, in accordance with the provisions set
out in Part II of this Agreement. The Agency shall terminate
safeguards on nuclear material under this Agreement when the
recipient State has assumed responsibility therefor, as provided
for in Part II of this Agreement. The Agency shall maintain
records indicating each transfer and, where applicable, the
re-application of safeguards to the transferred nuclear material.

---

* INFCIRC/9/Rev.2

0071

A r t i c l e   13

Provisions relating to nuclear material to be used in non-nuclear activities

Where nuclear material subject to safeguards under this Agreement is to be used in non-nuclear activities, such as the production of alloys or ceramics, the Democratic People's Republic of Korea shall agree with the Agency, before the material is so used, on the circumstances under which the safeguards on such material may be terminated.

NON-APPLICATION OF SAFEGUARDS TO NUCLEAR MATERIAL TO BE USED IN NON-PEACEFUL ACTIVITIES

A r t i c l e   14

If the Democratic People's Republic of Korea intends to exercise its discretion to use nuclear material which is required to be safeguarded under this Agreement in a nuclear activity which does not require the application of safeguards under this Agreement, the following procedures shall apply:

(a) the Democratic People's Republic of Korea shall inform the Agency of the activity, making it clear:

   (i) that the use of the nuclear material in a non-proscribed military activity will not be in conflict with an undertaking the Democratic People's Republic of Korea may have given and in respect of which Agency safeguards apply, that the material will be used only in a peaceful nuclear activity; and

   (ii) that during the period of non-application of safeguards the nuclear material will not be used for the production of nuclear weapons or other nuclear explosive devices;

(b) the Democratic People's Republic of Korea and the Agency shall make an arrangement so that, only while the nuclear material is in such an activity, the safeguards provided for in this Agreement will not be applied. The arrangement shall identify, to the extent possible, the period or circumstances during which safeguards will not be applied. In any event, the safeguards provided for in this Agreement shall apply again as soon as the nuclear material is reintroduced into a peaceful nuclear activity. The Agency shall be kept informed of the total quantity and composition of such unsafeguarded material in the Democratic People's Republic of Korea and of any export of such material; and

(c) each arrangement shall be made in agreement with the Agency. Such agreement shall be given as promptly as possible and shall relate only to such matters as, inter

0072

alia, temporal and procedural provisions and reporting arrangements, but shall not involve any approval or classified knowledge of the military activity or relate to the use of the nuclear material therein.

FINANCE

Article 15

The Democratic People's Republic of Korea and the Agency will bear the expenses incurred by them in implementing their respective responsibilities under this Agreement. However, if the Democratic People's Republic of Korea or persons under its jurisdiction incur extraordinary expenses as a result of a specific request by the Agency, the Agency shall reimburse such expenses provided that it has agreed in advance to do so. In any case the Agency shall bear the cost of any additional measuring or sampling which inspectors may request.

THIRD PARTY LIABILITY FOR NUCLEAR DAMAGE

Article 16

The Democratic People's Republic of Korea shall ensure that any protection against third party liability in respect of nuclear damage, including any insurance or other financial security, which may be available under its laws or regulations shall apply to the Agency and its officials for the purpose of the implementation of this Agreement, in the same way as that protection applies to nationals of the Democratic People's Republic of Korea.

INTERNATIONAL RESPONSIBILITY

Article 17

Any claim by the Democratic People's Republic of Korea against the Agency or by the Agency against the Democratic People's Republic of Korea in respect of any damage resulting from the implementation of safeguards under this Agreement, other than damage arising out of a nuclear incident, shall be settled in accordance with international law.

MEASURES IN RELATION TO VERIFICATION OF NON-DIVERSION

Article 18

If the Board, upon report of the Director General, decides that an action by the Democratic People's Republic of Korea is essential and urgent in order to ensure verification that nuclear material subject to safeguards under this Agreement is not diverted to nuclear weapons or other nuclear explosive devices, the Board may call upon the Democratic People's Republic of Korea to take the required action without delay, irrespective of whether procedures have been invoked pursuant to Article 22 of this Agreement for the settlement of a dispute.

0073

Article 19

If the Board, upon examination of relevant information reported to it by the Director General, finds that the Agency is not able to verify that there has been no diversion of nuclear material required to be safeguarded under this Agreement to nuclear weapons or other nuclear explosive devices, it may make the reports provided for in paragraph C of Article XII of the Statute of the Agency (hereinafter referred to as "the Statute") and may also take, where applicable, the other measures provided for in that paragraph. In taking such action the Board shall take account of the degree of assurance provided by the safeguards measures that have been applied and shall afford the Democratic People's Republic of Korea every reasonable opportunity to furnish the Board with any necessary reassurance.

INTERPRETATION AND APPLICATION OF THE AGREEMENT AND SETTLEMENT OF DISPUTES

Article 20

The Democratic People's Republic of Korea and the Agency shall, at the request of either, consult about any question arising out of the interpretation or application of this Agreement.

Article 21

The Democratic People's Republic of Korea shall have the right to request that any question arising out of the interpretation or application of this Agreement be considered by the Board. The Board shall invite the Democratic People's Republic of Korea to participate in the discussion of any such question by the Board.

Article 22

Any dispute arising out of the interpretation or application of this Agreement, except a dispute with regard to a finding by the Board under Article 19 or an action taken by the Board pursuant to such a finding, which is not settled by negotiation or another procedure agreed to by the Democratic People's Republic of Korea and the Agency shall, at the request of either, be submitted to an arbitral tribunal composed as follows: the Democratic People's Republic of Korea and the Agency shall each designate one arbitrator, and the two arbitrators so designated shall elect a third, who shall be the Chairman. If, within thirty days of the request for arbitration, either the Democratic People's Republic of Korea or the Agency has not designated an arbitrator, either the Democratic People's Republic of Korea or the Agency may request the President of the International Court of Justice to appoint an arbitrator. The same procedure shall apply if, within thirty days of the designation or appointment of the second arbitrator, the third arbitrator has not been elected. A majority of the members of the arbitral tribunal shall constitute a quorum, and all decisions shall require the concurrence of two arbitrators. The arbitral procedure shall be fixed by the tribunal. The decisions of the tribunal shall be binding on the Democratic People's Republic of Korea and the Agency.

0074

SUSPENSION OF APPLICATION OF AGENCY SAFEGUARDS
UNDER OTHER AGREEMENTS

Article 23

The application of Agency safeguards in the Democratic People's Republic of Korea under other safeguards agreements with the Agency shall be suspended while this Agreement is in force. If the Democratic People's Republic of Korea has received assistance from the Agency for a project, the Democratic People's Republic of Korea's undertaking in the Project Agreement not to use items which are subject thereto in such a way as to further any military purpose shall continue to apply.

AMENDMENT OF THE AGREEMENT

Article 24

(a) The Democratic People's Republic of Korea and the Agency shall, at the request of either, consult each other on amendment to this Agreement.

(b) All amendments shall require the agreement of the Democratic People's Republic of Korea and the Agency.

(c) Amendments to this Agreement shall enter into force in the same conditions as entry into force of the Agreement itself.

(d) The Director General shall promptly inform all Member States of the Agency of any amendment to this Agreement.

ENTRY INTO FORCE AND DURATION

Article 25

This Agreement shall enter into force on the date upon which the Agency receives from the Democratic People's Republic of Korea written notification that the Democratic People's Republic of Korea's statutory and constitutional requirements for entry into force have been met. The Director General shall promptly inform all Member States of the Agency of the entry into force of this Agreement.

Article 26

This Agreement shall remain in force as long as the Democratic People's Republic of Korea is party to the Treaty.

0075

- 10 -

PART II

INTRODUCTION

Article 27

The purpose of this part of the Agreement is to specify the procedures to be applied in the implementation of the safeguards provisions of Part I.

OBJECTIVE OF SAFEGUARDS

Article 28

The objective of the safeguards procedures set forth in this part of the Agreement is the timely detection of diversion of significant quantities of nuclear material from peaceful nuclear activities to the manufacture of nuclear weapons or of other nuclear explosive devices or for purposes unknown, and deterrence of such diversion by the risk of early detection.

Article 29

For the purpose of achieving the objective set forth in Article 28, material accountancy shall be used as a safeguards measure of fundamental importance, with containment and surveillance as important complementary measures.

Article 30

The technical conclusion of the Agency's verification activities shall be a statement, in respect of each material balance area, of the amount of material unaccounted for over a specific period, and giving the limits of accuracy of the amounts stated.

NATIONAL SYSTEM OF ACCOUNTING FOR AND CONTROL OF NUCLEAR MATERIAL

Article 31

Pursuant to Article 7 the Agency, in carrying out its verification activities, shall make full use of the Democratic People's Republic of Korea's system of accounting for and control of all nuclear material subject to safeguards under this Agreement and shall avoid unnecessary duplication of the Democratic People's Republic of Korea's accounting and control activities.

0076

A r t i c l e 32

The Democratic People's Republic of Korea's system of accounting for and control of all nuclear material subject to safeguards under this Agreement shall be based on a structure of material balance areas, and shall make provision, as appropriate and specified in the Subsidiary Arrangements, for the establishment of such measures as:

(a) a measurement system for the determination of the quantities of nuclear material received, produced, shipped, lost or otherwise removed from inventory, and the quantities on inventory;

(b) the evaluation of precision and accuracy of measurements and the estimation of measurement uncertainty;

(c) procedures for identifying, reviewing and evaluating differences in shipper/receiver measurements;

(d) procedures for taking a physical inventory;

(e) procedures for the evaluation of accumulations of unmeasured inventory and unmeasured losses;

(f) a system of records and reports showing, for each material balance area, the inventory of nuclear material and the changes in that inventory including receipts into and transfers out of the material balance area;

(g) provisions to ensure that the accounting procedures and arrangements are being operated correctly; and

(h) procedures for the provision of reports to the Agency in accordance with Articles 59-69.

STARTING POINT OF SAFEGUARDS

A r t i c l e 33

Safeguards under this Agreement shall not apply to material in mining or ore processing activities.

A r t i c l e 34

(a) When any material containing uranium or thorium which has not reached the stage of the nuclear fuel cycle described in paragraph (c) is directly or indirectly exported to a non-nuclear-weapon State, the Democratic People's Republic of Korea shall inform the Agency of its quantity, composition and destination, unless the material is exported for specifically non-nuclear purposes;

0077

(b) When any material containing uranium or thorium which has not
reached the stage of the nuclear fuel cycle described in
paragraph (c) is imported, the Democratic People's Republic of
Korea shall inform the Agency of its quantity and composition,
unless the material is imported for specifically non-nuclear
purposes; and

(c) When any nuclear material of a composition and purity suitable
for fuel fabrication or for isotopic enrichment leaves the
plant or the process stage in which it has been produced, or
when such nuclear material, or any other nuclear material
produced at a later stage in the nuclear fuel cycle, is
imported into the Democratic People's Republic of Korea, the
nuclear material shall become subject to the other safeguards
procedures specified in this Agreement.

TERMINATION OF SAFEGUARDS

Article 35

(a) Safeguards shall terminate on nuclear material subject to
safeguards under this Agreement, under the conditions set forth
in Article 11. Where the conditions of that Article are not
met, but the Democratic People's Republic of Korea considers
that the recovery of safeguarded nuclear material from residues
is not for the time being practicable or desirable, the
Democratic People's Republic of Korea and the Agency shall
consult on the appropriate safeguards measures to be applied.

(b) Safeguards shall terminate on nuclear material subject to
safeguards under this Agreement, under the conditions set forth
in Article 13, provided that the Democratic People's Republic
of Korea and the Agency agree that such nuclear material is
practicably irrecoverable.

EXEMPTIONS FROM SAFEGUARDS

Article 36

At the request of the Democratic People's Republic of Korea,
the Agency shall exempt nuclear material from safeguards, as
follows:

(a) special fissionable material, when it is used in gram
quantities or less as a sensing component in instruments;

(b) nuclear material, when it is used in non-nuclear
activities in accordance with Article 13, if such nuclear
material is recoverable; and

(c) plutonium with an isotopic concentration of plutonium-238
exceeding 80%.

0078

Article 37

At the request of the Democratic People's Republic of Korea the Agency shall exempt from safeguards nuclear material that would otherwise be subject to safeguards, provided that the total quantity of nuclear material which has been exempted in the Democratic People's Republic of Korea in accordance with this Article may not at any time exceed:

    (a)   one kilogram in total of special fissionable material, which may consist of one or more of the following:

        (i)   plutonium;

      (ii)   uranium with an enrichment of 0.2 (20%) and above, taken account of by multiplying its weight by its enrichment; and

    (iii)   uranium with an enrichment below 0.2 (20%) and above that of natural uranium, taken account of by multiplying its weight by five times the square of its enrichment;

    (b)   ten metric tons in total of natural uranium and depleted uranium with an enrichment above 0.005 (0.5%);

    (c)   twenty metric tons of depleted uranium with an enrichment of 0.005 (0.5%) or below; and

    (d)   twenty metric tons of thorium;

or such greater amounts as may be specified by the Board for uniform application.

Article 38

If exempted nuclear material is to be processed or stored together with nuclear material subject to safeguards under this Agreement, provision shall be made for the re-application of safeguards thereto.

SUBSIDIARY ARRANGEMENTS

Article 39

The Democratic People's Republic of Korea and the Agency shall make Subsidiary Arrangements which shall specify in detail, to the extent necessary to permit the Agency to fulfil its responsibilities under this Agreement in an effective and efficient manner, how the procedures laid down in this Agreement are to be applied. The Subsidiary Arrangements may be extended or changed by agreement between the Democratic People's Republic of Korea and the Agency without amendment of this Agreement.

0079

Article 40

The Subsidiary Arrangements shall enter into force at the same time as, or as soon as possible after, the entry into force of this Agreement. The Democratic People's Republic of Korea and the Agency shall make every effort to achieve their entry into force within ninety days of the entry into force of this Agreement; an extension of that period shall require agreement between the Democratic People's Republic of Korea and the Agency. The Democratic People's Republic of Korea shall provide the Agency promptly with the information required for completing the Subsidiary Arrangements. Upon the entry into force of this Agreement, the Agency shall have the right to apply the procedures laid down therein in respect of the nuclear material listed in the inventory provided for in Article 41, even if the Subsidiary Arrangements have not yet entered into force.

INVENTORY

Article 41

On the basis of the initial report referred to in Article 62, the Agency shall establish a unified inventory of all nuclear material in the Democratic People's Republic of Korea subject to safeguards under this Agreement, irrespective of its origin, and shall maintain this inventory on the basis of subsequent reports and of the results of its verification activities. Copies of the inventory shall be made available to the Democratic People's Republic of Korea at intervals to be agreed.

DESIGN INFORMATION

General provisions

Article 42

Pursuant to Article 8, design information in respect of existing facilities shall be provided to the Agency during the discussion of the Subsidiary Arrangements. The time limits for the provision of design information in respect of the new facilities shall be specified in the Subsidiary Arrangements and such information shall be provided as early as possible before nuclear material is introduced into a new facility.

Article 43

The design information to be provided to the Agency shall include, in respect of each facility, when applicable:

(a) the identification of the facility, stating its general character, purpose, nominal capacity and geographic location, and the name and address to be used for routine business purposes;

0080

(b) a description of the general arrangement of the facility with reference, to the extent feasible, to the form, location and flow of nuclear material and to the general layout of important items of equipment which use, produce or process nuclear material;

(c) a description of features of the facility relating to material accountancy, containment and surveillance; and

(d) a description of the existing and proposed procedures at the facility for nuclear material accountancy and control, with special reference to material balance areas established by the operator, measurements of flow and procedures for physical inventory taking.

A r t i c l e 44

Other information relevant to the application of safeguards shall also be provided to the Agency in respect of each facility, in particular on organizational responsibility for material accountancy and control. The Democratic People's Republic of Korea shall provide the Agency with supplementary information on the health and safety procedures which the Agency shall observe and with which the inspectors shall comply at the facility.

A r t i c l e 45

The Agency shall be provided with design information in respect of a modification relevant for safeguards purposes, for examination, and shall be informed of any change in the information provided to it under Article 44, sufficiently in advance for the safeguards procedures to be adjusted when necessary.

A r t i c l e 46

Purposes of examination of design information

The design information provided to the Agency shall be used for the following purposes:

(a) to identify the features of facilities and nuclear material relevant to the application of safeguards to nuclear material in sufficient detail to facilitate verification;

(b) to determine material balance areas to be used for Agency accounting purposes and to select those strategic points which are key measurement points and which will be used to determine flow and inventory of nuclear material; in determining such material balance areas the Agency shall, inter alia, use the following criteria:

0081

(i)   the size of the material balance area shall be related to the accuracy with which the material balance can be established;

(ii)   in determining the material balance area advantage shall be taken of any opportunity to use containment and surveillance to help ensure the completeness of flow measurements and thereby to simplify the application of safeguards and to concentrate measurement efforts at key measurement points;

(iii) a number of material balance areas in use at a facility or at distinct sites may be combined in one material balance area to be used for Agency accounting purposes when the Agency determines that this is consistent with its verification requirements; and

(iv)   a special material balance area may be established at the request of the Democratic People's Republic of Korea around a process step involving commercially sensitive information;

(c)   to establish the nominal timing and procedures for taking of physical inventory of nuclear material for Agency accounting purposes;

(d)   to establish the records and reports requirements and records evaluation procedures;

(e)   to establish requirements and procedures for verification of the quantity and location of nuclear material; and

(f)   to select appropriate combinations of containment and surveillance methods and techniques and the strategic points at which they are to be applied.

The results of the examination of the design information shall be included in the Subsidiary Arrangements.

A r t i c l e 47

Re-examination of design information

Design information shall be re-examined in the light of changes in operating conditions, of developments in safeguards technology or of experience in the application of verification procedures, with a view to modifying the action the Agency has taken pursuant to Article 46.

A r t i c l e 48

Verification of design information

The Agency, in co-operation with the Democratic People's Republic of Korea, may send inspectors to facilities to verify the design information provided to the Agency pursuant to Articles 42-45, for the purposes stated in Article 46.

0082

INFORMATION IN RESPECT OF NUCLEAR MATERIAL OUTSIDE FACILITIES

A r t i c l e 49

The Agency shall be provided with the following information when nuclear material is to be customarily used outside facilities, as applicable:

(a)   a general description of the use of the nuclear material, its geographic location, and the user's name and address for routine business purposes; and

(b)   a general description of the existing and proposed procedures for nuclear material accountancy and control, including organizational responsibility for material accountancy and control.

The Agency shall be informed, on a timely basis, of any change in the information provided to it under this Article.

A r t i c l e 50

The information provided to the Agency pursuant to Article 49 may be used, to the extent relevant, for the purposes set out in Article 46(b)-(f).

RECORDS SYSTEM

General provisions

A r t i c l e 51

In establishing its system of materials control as referred to in Article 7, the Democratic People's Republic of Korea shall arrange that records are kept in respect of each material balance area. The records to be kept shall be described in the Subsidiary Arrangements.

A r t i c l e 52

The Democratic People's Republic of Korea shall make arrangements to facilitate the examination of records by inspectors, particularly if the records are not kept in English, French, Russian or Spanish.

A r t i c l e 53

Records shall be retained for at least five years.

A r t i c l e 54

Records shall consist, as appropriate, of:

(a)   accounting records of all nuclear material subject to safeguards under this Agreement; and

(b)   operating records for facilities containing such nuclear material.

0083

A r t i c l e 55

The system of measurements on which the records used for the preparation of reports are based shall either conform to the latest international standards or be equivalent in quality to such standards.

Accounting records

A r t i c l e 56

The accounting records shall set forth the following in respect of each material balance area:

- (a) all inventory changes, so as to permit a determination of the book inventory at any time;

- (b) all measurement results that are used for determination of the physical inventory; and

- (c) all adjustments and corrections that have been made in respect of inventory changes, book inventories and physical·inventories.

A r t i c l e 57

For all inventory changes and physical inventories the records shall show, in respect of each batch of nuclear material: material identification, batch data and source data. The records shall account for uranium, thorium and plutonium separately in each batch of nuclear material. For each inventory change, the date of the inventory change and, when appropriate, the originating material balance area and the receiving material balance area or the recipient, shall be indicated.

A r t i c l e 58

Operating records

The operating records shall set forth, as appropriate, in respect of each material balance area:

- (a) those operating data which are used to establish changes in the quantities and composition of nuclear material;

- (b) the data obtained from the calibration of tanks and instruments and from sampling and analyses, the procedures to control the quality of measurements and the derived estimates of random and systematic error;

- (c) a description of the sequence of the actions taken in preparing for, and in taking, a physical inventory, in order to ensure that it is correct and complete; and

- (d) a description of the actions taken in order to ascertain the cause and magnitude of any accidental or unmeasured loss that might occur.

0084

REPORTS SYSTEM

General provisions

A r t i c l e 59

The Democratic People's Republic of Korea shall provide the Agency with reports as detailed in Articles 60-69 in respect of nuclear material subject to safeguards under this Agreement.

A r t i c l e 60

Reports shall be made in English, French, Russian or Spanish, except as otherwise specified in the Subsidiary Arrangements.

A r t i c l e 61

Reports shall be based on the records kept in accordance with Articles 51-58 and shall consist, as appropriate, of accounting reports and special reports.

Accounting reports

A r t i c l e 62

The Agency shall be provided with an initial report on all nuclear material subject to safeguards under this Agreement. The initial report shall be dispatched by the Democratic People's Republic of Korea to the Agency within thirty days of the last day of the calendar month in which this Agreement enters into force, and shall reflect the situation as of the last day of that month.

A r t i c l e 63

The Democratic People's Republic of Korea shall provide the Agency with the following accounting reports for each material balance area:

(a)   inventory change reports showing all changes in the inventory of nuclear material. The reports shall be dispatched as soon as possible and in any event within thirty days after the end of the month in which the inventory changes occurred or were established; and

(b)   material balance reports showing the material balance based on a physical inventory of nuclear material actually present in the material balance area. The reports shall be dispatched as soon as possible and in any event within thirty days after the physical inventory has been taken.

The reports shall be based on data available as of the date of reporting and may be corrected at a later date, as required.

0085

- 20 -

Article 64

Inventory change reports shall specify identification and batch data for each batch of nuclear material, the date of the inventory change and, as appropriate, the originating material balance area and the receiving material balance area or the recipient. These reports shall be accompanied by concise notes:

(a)   explaining the inventory changes, on the basis of the operating data contained in the operating records provided for under Article 58(a); and

(b)   describing, as specified in the Subsidiary Arrangements, the anticipated operational programme, particularly the taking of a physical inventory.

Article 65

The Democratic People's Republic of Korea shall report each inventory change, adjustment and correction, either periodically in a consolidated list or individually. Inventory changes shall be reported in terms of batches. As specified in the Subsidiary Arrangements, small changes in inventory of nuclear material, such as transfers of analytical samples, may be combined in one batch and reported as one inventory change.

Article 66

The Agency shall provide the Democratic People's Republic of Korea with semi-annual statements of book inventory of nuclear material subject to safeguards under this Agreement, for each material balance area, as based on the inventory change reports for the period covered by each such statement.

Article 67

Material balance reports shall include the following entries, unless otherwise agreed by the Democratic People's Republic of Korea and the Agency:

(a)   beginning physical inventory;

(b)   inventory changes (first increases, then decreases);

(c)   ending book inventory;

(d)   shipper/receiver differences;

(e)   adjusted ending book inventory;

(f)   ending physical inventory; and

(g)   material unaccounted for.

0086

A statement of the physical inventory, listing all batches separately and specifying material identification and batch data for each batch, shall be attached to each material balance report.

Article 68

Special reports

The Democratic People's Republic of Korea shall make special reports without delay:

(a)   if any unusual incident or circumstances lead the Democratic People's Republic of Korea to believe that there is or may have been loss of nuclear material that exceeds the limits specified for this purpose in the Subsidiary Arrangements; or

(b)   if the containment has unexpectedly changed from that specified in the Subsidiary Arrangements to the extent that unauthorized removal of nuclear material has become possible.

Article 69

Amplification and clarification of reports

If the Agency so requests, the Democratic People's Republic of Korea shall provide it with amplifications or clarifications of any report, in so far as relevant for the purpose of safeguards.

INSPECTIONS

Article 70

General provisions

The Agency shall have the right to make inspections as provided for in Articles 71-82.

Purposes of inspections

Article 71

The Agency may make ad hoc inspections in order to:

(a)   verify the information contained in the initial report on the nuclear material subject to safeguards under this Agreement;

(b)   identify and verify changes in the situation which have occurred since the date of the initial report; and

(c)   identify, and if possible verify the quantity and composition of, nuclear material in accordance with Articles 93 and 96, before its transfer out of or upon its transfer into the Democratic People's Republic of Korea.

0087

Article 72

The Agency may make routine inspections in order to:

(a)   verify that reports are consistent with records;

(b)   verify the location, identity, quantity and composition of all
       nuclear material subject to safeguards under this Agreement; and

(c)   verify information on the possible causes of material unaccounted
       for, shipper/receiver differences and uncertainties in the book
       inventory.

Article 73

Subject to the procedures laid down in Article 77, the Agency may make
special inspections:

(a)   in order to verify the information contained in special reports; or

(b)   if the Agency considers that information made available by the
       Democratic People's Republic of Korea, including explanations from
       the Democratic People's Republic of Korea and information obtained
       from routine inspections, is not adequate for the Agency to fulfil
       its responsibilities under this Agreement.

An inspection shall be deemed to be special when it is either additional to
the routine inspection effort provided for in Articles 78-82 or involves
access to information or locations in addition to the access specified in
Article 76 for ad hoc and routine inspections, or both.

Scope of inspections

Article 74

For the purposes specified in Articles 71-73, the Agency may:

(a)   examine the records kept pursuant to Articles 51-58;

(b)   make independent measurements of all nuclear material subject to
       safeguards under this Agreement;

(c)   verify the functioning and calibration of instruments and other
       measuring and control equipment;

(d)   apply and make use of surveillance and containment measures; and

(e)   use other objective methods which have been demonstrated to be
       technically feasible.

Article 75

Within the scope of Article 74, the Agency shall be enabled:

(a)   to observe that samples at key measurement points for material

0088

balance accountancy are taken in accordance with procedures which produce representative samples, to observe the treatment and analysis of the samples and to obtain duplicates of such samples;

(b)   to observe that the measurements of nuclear material at key measurement points for material balance accountancy are representative, and to observe the calibration of the instruments and equipment involved;

(c)   to make arrangements with the Democratic People's Republic of Korea that, if necessary:

   (i)   additional measurements are made and additional samples taken for the Agency's use;

   (ii)   the Agency's standard analytical samples are analysed;

   (iii)   appropriate absolute standards are used in calibrating instruments and other equipment; and

   (iv)   other calibrations are carried out;

(d)   to arrange to use its own equipment for independent measurement and surveillance, and if so agreed and specified in the Subsidiary Arrangements, to arrange to install such equipment;

(e)   to apply its seals and other identifying and tamper-indicating devices to containments, if so agreed and specified in the Subsidiary Arrangements; and

(f)   to make arrangements with the Democratic People's Republic of Korea for the shipping of samples taken for the Agency's use.

Access for inspections

Article 76

(a) For the purposes specified in Article 71(a) and (b) and until such time as the strategic points have been specified in the Subsidiary Arrangements, the Agency inspectors shall have access to any location where the initial report or any inspections carried out in connection with it indicate that nuclear material is present;

(b) For the purposes specified in Article 71(c) the inspectors shall have access to any location of which the Agency has been notified in accordance with Articles 92(d)(iii) or 95(d)(iii);

(c) For the purposes specified in Article 72 the inspectors shall have access only to the strategic points specified in the Subsidiary Arrangements and to the records maintained pursuant to Articles 51-58; and

(d) In the event of the Democratic People's Republic of Korea concluding that any unusual circumstances require extended limitations on access by the Agency, the Democratic People's Republic of Korea and the Agency shall promptly make arrangements with a view to enabling the Agency to discharge

0089

its safeguards responsibilities in the light of these limitations. The Director General shall report each such arrangement to the Board.

Article 77

In circumstances which may lead to special inspections for the purposes specified in Article 73 the Democratic People's Republic of Korea and the Agency shall consult forthwith. As a result of such consultations the Agency may:

(a)   make inspections in addition to the routine inspection effort provided for in Articles 78-82; and

(b)   obtain access, in agreement with the Democratic People's Republic of Korea, to information or locations in addition to those specified in Article 76. Any disagreement concerning the need for additional access shall be resolved in accordance with Articles 21 and 22; in case action by the Democratic People's Republic of Korea is essential and urgent, Article 18 shall apply.

Frequency and intensity of routine inspections

Article 78

The Agency shall keep the number, intensity and duration of routine inspections, applying optimum timing, to the minimum consistent with the effective implementation of the safeguards procedures set forth in this Agreement, and shall make the optimum and most economical use of inspection resources available to it.

Article 79

The Agency may carry out one routine inspection per year in respect of facilities and material balance areas outside facilities with a content or annual throughput, whichever is greater, of nuclear material not exceeding five effective kilograms.

Article 80

The number, intensity, duration, timing and mode of routine inspections in respect of facilities with a content or annual throughput of nuclear material exceeding five effective kilograms shall be determined on the basis that in the maximum or limiting case the inspection regime shall be no more intensive than is necessary and sufficient to maintain continuity of knowledge of the flow and inventory of nuclear material, and the maximum routine inspection effort in respect of such facilities shall be determined as follows:

(a)   for reactors and sealed storage installations the maximum total of routine inspection per year shall be determined by allowing one sixth of a man-year of inspection for each such facility;

(b)   for facilities, other than reactors or sealed storage installations, involving plutonium or uranium enriched to more than 5%, the maximum total of routine inspection per year shall be determined by allowing for each such facility $30 \times \sqrt{E}$ man-days of

0090

inspection per year, where E is the inventory or annual throughput
of nuclear material, whichever is greater, expressed in effective
kilograms. The maximum established for any such facility shall
not, however, be less than 1.5 man-years of inspection; and

(c)   for facilities not covered by paragraphs (a) or (b), the maximum
total of routine inspection per year shall be determined by
allowing for each such facility one third of a man-year of
inspection plus 0.4 x E man-days of inspection per year, where E is
the inventory or annual throughput of nuclear material, whichever
is greater, expressed in effective kilograms.

The Democratic People's Republic of Korea and the Agency may agree to amend
the figures for the maximum inspection effort specified in this Article, upon
determination by the Board that such amendment is reasonable.

Article 81

Subject to Articles 78-80 the criteria to be used for determining the
actual number, intensity, duration, timing and mode of routine inspections in
respect of any facility shall include:

(a)   the form of the nuclear material, in particular, whether the
nuclear material is in bulk form or contained in a number of
separate items; its chemical composition and, in the case of
uranium, whether it is of low or high enrichment; and its
accessibility;

(b)   the effectiveness of the Democratic People's Republic of Korea's
accounting and control system, including the extent to which the
operators of facilities are functionally independent of the
Democratic People's Republic of Korea's accounting and control
system; the extent to which the measures specified in Article 32
have been implemented by the Democratic People's Republic of Korea;
the promptness of reports provided to the Agency; their consistency
with the Agency's independent verification; and the amount and
accuracy of the material unaccounted for, as verified by the Agency;

(c)   characteristics of the Democratic People's Republic of Korea's
nuclear fuel cycle, in particular, the number and types of
facilities containing nuclear material subject to safeguards, the
characteristics of such facilities relevant to safeguards, notably
the degree of containment; the extent to which the design of such
facilities facilitates verification of the flow and inventory of
nuclear material; and the extent to which information from
different material balance areas can be correlated;

(d)   international interdependence, in particular, the extent to which
nuclear material is received from or sent to other States for use
or processing; any verification activities by the Agency in
connection therewith; and the extent to which the Democratic
People's Republic of Korea's nuclear activities are interrelated
with those of other States; and

0091

(e)   technical developments in the field of safeguards, including the use of statistical techniques and random sampling in evaluating the flow of nuclear material.

Article 82

The Democratic People's Republic of Korea and the Agency shall consult if the Democratic People's Republic of Korea considers that the inspection effort is being deployed with undue concentration on particular facilities.

Notice of inspections

Article 83

.   The Agency shall give advance notice to the Democratic People's Republic of Korea before arrival of inspectors at facilities or material balance areas outside facilities, as follows:

(a)   for ad hoc inspections pursuant to Article 71(c), at least 24 hours; for those pursuant to Article 71(a) and (b) as well as the activities provided for in Article 48, at least one week;

(b)   for special inspections pursuant to Article 73, as promptly as possible after the Democratic People's Republic of Korea and the Agency have consulted as provided for in Article 77, it being understood that notification of arrival normally will constitute part of the consultations; and

(c)   for routine inspections pursuant to Article 72, at least 24 hours in respect of the facilities referred to in Article 80(b) and sealed storage installations containing plutonium or uranium enriched to more than 5%, and one week in all other cases.

Such notice of inspections shall include the names of the inspectors and shall indicate the facilities and the material balance areas outside facilities to be visited and the periods during which they will be visited. If the inspectors are to arrive from outside the Democratic People's Republic of Korea the Agency shall also give advance notice of the place and time of their arrival in the Democratic People's Republic of Korea.

Article 84

Notwithstanding the provisions of Article 83, the Agency may, as a supplementary measure, carry out without advance notification a portion of the routine inspections pursuant to Article 80 in accordance with the principle of random sampling. In performing any unannounced inspections, the Agency shall fully take into account any operational programme provided by the Democratic People's Republic of Korea pursuant to Article 64(b). Moreover, whenever practicable, and on the basis of the operational programme, it shall advise the Democratic People's Republic of Korea periodically of its general programme of announced and unannounced inspections, specifying the general periods when inspections are foreseen. In carrying out any unannounced inspections, the Agency shall make every effort to minimize any practical difficulties for the Democratic People's Republic of Korea and for facility operators, bearing in mind the relevant provisions of Articles 44 and 89. Similarly the Democratic People's Republic of Korea shall make every effort to facilitate the task of the inspectors.

0092

Designation of inspectors

A r t i c l e 85

The following procedures shall apply to the designation of inspectors:

(a) the Director General shall inform the Democratic People's Republic of Korea in writing of the name, qualifications, nationality, grade and such other particulars as may be relevant, of each Agency official he proposes for designation as an inspector for the Democratic People's Republic of Korea;

(b) the Democratic People's Republic of Korea shall inform the Director General within thirty days of the receipt of such a proposal whether it accepts the proposal;

(c) the Director General may designate each official who has been accepted by the Democratic People's Republic of Korea as one of the inspectors for the Democratic People's Republic of Korea, and shall inform the Democratic People's Republic of Korea of such designations; and

(d) the Director General, acting in response to a request by the Democratic People's Republic of Korea or on his own initiative, shall immediately inform the Democratic People's Republic of Korea of the withdrawal of the designation of any official as an inspector for the Democratic People's Republic of Korea.

However, in respect of inspectors needed for the activities provided for in Article 48 and to carry out ad hoc inspections pursuant to Article 71(a) and (b) the designation procedures shall be completed if possible within thirty days after the entry into force of this Agreement. If such designation appears impossible within this time limit, inspectors for such purposes shall be designated on a temporary basis.

A r t i c l e 86

The Democratic People's Republic of Korea shall grant or renew as quickly as possible appropriate visas, where required, for each inspector designated for the Democratic People's Republic of Korea.

Conduct and visits of inspectors

A r t i c l e 87

Inspectors, in exercising their functions under Articles 48 and 71-75, shall carry out their activities in a manner designed to avoid hampering or delaying the construction, commissioning or operation of facilities, or affecting their safety. In particular inspectors shall not operate any facility themselves or direct the staff of a facility to carry out any operation. If inspectors consider that in pursuance of Articles 74 and 75, particular operations in a facility should be carried out by the operator, they shall make a request therefor.

0093

Article 88

When inspectors require services available in the Democratic People's Republic of Korea, including the use of equipment, in connection with the performance of inspections, the Democratic People's Republic of Korea shall facilitate the procurement of such services and the use of such equipment by inspectors.

Article 89

The Democratic People's Republic of Korea shall have the right to have inspectors accompanied during their inspections by representatives of the Democratic People's Republic of Korea, provided that inspectors shall not thereby be delayed or otherwise impeded in the exercise of their functions.

STATEMENTS ON THE AGENCY'S VERIFICATION ACTIVITIES

Article 90

The Agency shall inform the Democratic People's Republic of Korea of:

(a)   the results of inspections, at intervals to be specified in the Subsidiary Arrangements; and

(b)   the conclusions it has drawn from its verification activities in the Democratic People's Republic of Korea, in particular by means of statements in respect of each material balance area, which shall be made as soon as possible after a physical inventory has been taken and verified by the Agency and a material balance has been struck.

INTERNATIONAL TRANSFERS

Article 91

General provisions

Nuclear material subject or required to be subject to safeguards under this Agreement which is transferred internationally shall, for purposes of this Agreement, be regarded as being the responsibility of the Democratic People's Republic of Korea:

(a)   in the case of import into the Democratic People's Republic of Korea, from the time that such responsibility ceases to lie with the exporting State, and no later than the time at which the material reaches its destination; and

(b)   in the case of export out of the Democratic People's Republic of Korea, up to the time at which the recipient State assumes such responsibility, and no later than the time at which the nuclear material reaches its destination.

The point at which the transfer of responsibility will take place shall be determined in accordance with suitable arrangements to be made by the States concerned. Neither the Democratic People's Republic of Korea nor any other State shall be deemed to have such responsibility for nuclear material merely

0094

by reason of the fact that the nuclear material is in transit on or over its territory, or that it is being transported on a ship under its flag or in its aircraft.

Transfers out of the Democratic People's Republic of Korea

A r t i c l e 92

(a) The Democratic People's Republic of Korea shall notify the Agency of any intended transfer out of the Democratic People's Republic of Korea of nuclear material subject to safeguards under this Agreement if the shipment exceeds one effective kilogram, or if, within a period of three months, several separate shipments are to be made to the same State, each of less than one effective kilogram but the total of which exceeds one effective kilogram.

(b) Such notification shall be given to the Agency after the conclusion of the contractual arrangements leading to the transfer and normally at least two weeks before the nuclear material is to be prepared for shipping.

(c) The Democratic People's Republic of Korea and the Agency may agree on different procedures for advance notification.

(d) The notification shall specify:

    (i) the identification and, if possible, the expected quantity and composition of the nuclear material to be transferred, and the material balance area from which it will come;

    (ii) the State for which the nuclear material is destined;

    (iii) the dates on and locations at which the nuclear material is to be prepared for shipping;

    (iv) the approximate dates of dispatch and arrival of the nuclear material; and

    (v) at what point of the transfer the recipient State will assume responsibility for the nuclear material for the purpose of this Agreement, and the probable date on which that point will be reached.

A r t i c l e 93

The notification referred to in Article 92 shall be such as to enable the Agency to make, if necessary, an ad hoc inspection to identify, and if possible verify the quantity and composition of, the nuclear material before it is transferred out of the Democratic People's Republic of Korea and, if the Agency so wishes or the Democratic People's Republic of Korea so requests, to affix seals to the nuclear material when it has been prepared for shipping. However, the transfer of the nuclear material shall not be delayed in any way by any action taken or contemplated by the Agency pursuant to such a notification.

0095

A r t i c l e 94

If the nuclear material will not be subject to Agency safeguards in the recipient State, the Democratic People's Republic of Korea shall make arrangements for the Agency to receive, within three months of the time when the recipient State accepts responsibility for the nuclear material from the Democratic People's Republic of Korea, confirmation by the recipient State of the transfer.

Transfers into the Democratic People's Republic of Korea

A r t i c l e 95

(a) The Democratic People's Republic of Korea shall notify the Agency of any expected transfer into the Democratic People's Republic of Korea of nuclear material required to be subject to safeguards under this Agreement if the shipment exceeds one effective kilogram, or if, within a period of three months, several separate shipments are to be received from the same State, each of less than one effective kilogram but the total of which exceeds one effective kilogram.

(b) The Agency shall be notified as much in advance as possible of the expected arrival of the nuclear material, and in any case not later than the date on which the Democratic People's Republic of Korea assumes responsibility for the nuclear material.

(c) The Democratic People's Republic of Korea and the Agency may agree on different procedures for advance notification.

(d) The notification shall specify:

  (i)   the identification and, if possible, the expected quantity and composition of the nuclear material;

  (ii) at what point of the transfer the Democratic People's Republic of Korea will assume responsibility for the nuclear material for the purpose of this Agreement, and the probable date on which that point will be reached; and

  (iii) the expected date of arrival, the location where, and the date on which, the nuclear material is intended to be unpacked.

A r t i c l e 96

The notification referred to in Article 95 shall be such as to enable the Agency to make, if necessary, an ad hoc inspection to identify, and if possible verify the quantity and composition of, the nuclear material at the time the consignment is unpacked. However, unpacking shall not be delayed by any action taken or contemplated by the Agency pursuant to such a notification.

A r t i c l e 97

Special reports

The Democratic People's Republic of Korea shall make a special report as envisaged in Article 68 if any unusual incident or circumstances lead the Democratic People's Republic of Korea to believe that there is or may have been loss of nuclear material, including the occurrence of significant delay, during an international transfer.

0096

DEFINITIONS

Article 98

For the purposes of this Agreement:

A. adjustment means an entry into an accounting record or a report showing a shipper/receiver difference or material unaccounted for.

B. annual throughput means, for the purposes of Articles 79 and 80, the amount of nuclear material transferred annually out of a facility working at nominal capacity.

C. batch means a portion of nuclear material handled as a unit for accounting purposes at a key measurement point and for which the composition and quantity are defined by a single set of specifications or measurements. The nuclear material may be in bulk form or contained in a number of separate items.

D. batch data means the total weight of each element of nuclear material and, in the case of plutonium and uranium, the isotopic composition when appropriate. The units of account shall be as follows:

   (a)   grams of contained plutonium;

   (b)   grams of total uranium and grams of contained uranium-235 plus uranium-233 for uranium enriched in these isotopes; and

   (c)   kilograms of contained thorium, natural uranium or depleted uranium.

For reporting purposes the weights of individual items in the batch shall be added together before rounding to the nearest unit.

E. book inventory of a material balance area means the algebraic sum of the most recent physical inventory of that material balance area and of all inventory changes that have occurred since that physical inventory was taken.

F. correction means an entry into an accounting record or a report to rectify an identified mistake or to reflect an improved measurement of a quantity previously entered into the record or report. Each correction must identify the entry to which it pertains.

G. effective kilogram means a special unit used in safeguarding nuclear material. The quantity in effective kilograms is obtained by taking:

   (a)   for plutonium, its weight in kilograms;

   (b)   for uranium with an enrichment of 0.01 (1%) and above, its weight in kilograms multiplied by the square of its enrichment;

   (c)   for uranium with an enrichment below 0.01 (1%) and above 0.005 (0.5%), its weight in kilograms multiplied by 0.0001; and

   (d)   for depleted uranium with an enrichment of 0.005 (0.5%) or below, and for thorium, its weight in kilograms multiplied by 0.00005.

0097

- 32 -

H. <u>enrichment</u> means the ratio of the combined weight of the isotopes uranium-233 and uranium-235 to that of the total uranium in question.

I. <u>facility</u> means:

    (a)   a reactor, a critical facility, a conversion plant, a fabrication plant, a reprocessing plant, an isotope separation plant or a separate storage installation; or

    (b)   any location where nuclear material in amounts greater than one effective kilogram is customarily used.

J. <u>inventory change</u> means an increase or decrease, in terms of batches, of nuclear material in a material balance area; such a change shall involve one of the following:

    (a)   increases:

        (i)   import;

        (ii)   domestic receipt: receipts from other material balance areas, receipts from a non-safeguarded (non-peaceful) activity or receipts at the starting point of safeguards;

        (iii)   nuclear production: production of special fissionable material in a reactor; and

        (iv)   de-exemption: re-application of safeguards on nuclear material previously exempted therefrom on account of its use or quantity.

    (b)   decreases:

        (i)   export;

        (ii)   domestic shipment: shipments to other material balance areas or shipments for a non-safeguarded (non-peaceful) activity;

        (iii)   nuclear loss: loss of nuclear material due to its transformation into other element(s) or isotope(s) as a result of nuclear reactions;

        (iv)   measured discard: nuclear material which has been measured, or estimated on the basis of measurements, and disposed of in such a way that it is not suitable for further nuclear use;

        (v)   retained waste: nuclear material generated from processing or from an operational accident, which is deemed to be unrecoverable for the time being but which is stored;

        (vi)   exemption: exemption of nuclear material from safeguards on account of its use or quantity; and

0098

> (vii) other loss: for example, accidental loss (that is, irretrievable and inadvertent loss of nuclear material as the result of an operational accident) or theft.

K. key measurement point means a location where nuclear material appears in such a form that it may be measured to determine material flow or inventory. Key measurement points thus include, but are not limited to, the inputs and outputs (including measured discards) and storages in material balance areas.

L. man-year of inspection means, for the purposes of Article 80, 300 man-days of inspection, a man-day being a day during which a single inspector has access to a facility at any time for a total of not more than eight hours.

M. material balance area means an area in or outside of a facility such that:

   (a) The quantity of nuclear material in each transfer into or out of each material balance area can be determined; and

   (b) The physical inventory of nuclear material in each material balance area can be determined when necessary, in accordance with specified procedures,

in order that the material balance for Agency safeguards purposes can be established.

N. material unaccounted for means the difference between book inventory and physical inventory.

O. nuclear material means any source or any special fissionable material as defined in Article XX of the Statute. The term source material shall not be interpreted as applying to ore or ore residue. Any determination by the Board under Article XX of the Statute after the entry into force of this Agreement which adds to the materials considered to be source material or special fissionable material shall have effect under this Agreement only upon acceptance by the Democratic People's Republic of Korea.

P. physical inventory means the sum of all the measured or derived estimates of batch quantities of nuclear material on hand at a given time within a material balance area, obtained in accordance with specified procedures.

Q. shipper/receiver difference means the difference between the quantity of nuclear material in a batch as stated by the shipping material balance area and as measured at the receiving material balance area.

R. source data means those data, recorded during measurement or calibration or used to derive empirical relationships, which identify nuclear material and provide batch data. Source data may include, for example, weight of compounds, conversion factors to determine weight of element, specific gravity, element concentration, isotopic ratios, relationship between volume and manometer readings and relationship between plutonium produced and power generated.

0099

S. <u>strategic point</u> means a location selected during examination of design information where, under normal conditions and when combined with the information from all strategic points taken together, the information necessary and sufficient for the implementation of safeguards measures is obtained and verified; a strategic point may include any location where key measurements related to material balance accountancy are made and where containment and surveillance measures are executed.

DONE at Vienna, on the   day of   19   ,
in triplicate, in the Korean, Russian and English languages, the texts of which are equally authentic except that, in case of divergence, the English text shall prevail.

For the GOVERNMENT OF THE
DEMOCRATIC PEOPLE'S REPUBLIC OF KOREA:

For the INTERNATIONAL ATOMIC
ENERGY AGENCY:

0100

外 務 部

원 본

종 별 :

번 호 : UKW-1463   일 시 : 91 0716 2230,,

수 신 : 장관(국연,정특,기정)

발 신 : 주 영 대사

제 목 : 북한대표부 서한

1. 외무성 극동과 I.DAVIES 한국담당관은, 주불 북한대표부대사 김형률이
91.7.11. 자 아래 내용의 서한(한반도의 핵 문제에 관한 북한입장 첨부)을 주재국
HURD 외상 및 외무성 H.DAVIES 극동과장앞으로 발송하여 왔음을 91.7.16.(화)알려옴

가. 미국과 일본은 금번 G-7 정상회담의 정치선언에 북한이 무조건 핵사찰을
수락하는 내용의 결의안을 포함시키려고 함으로써 북한의 핵안전조치협정 서명을 더욱
어렵게 하고 있음

나. 이러한 움직임은 현재 북한과 IAEA 간에 진행중인 협의를 저해시키는등한반도
핵문제의 조속 해결에 부정적인 영향을 미치고 있음을 주목하기 바람

2. 동 담당관은 그러나 과거 북한의 행동에 미루어 상기 서한이 단지 북한의
핵안전조치협정 서명 지연을 위한 미봉책으로 보인다는 사견을 피력함

3. 동 서한 사본 파편 송부하겠음. 끝

19 (대사 이홍구 국장)
의거 일반문서로 재분류
예고: 91.12.31. 일반

검토필(91. 6. 30.)

IAEA, 북한과 협정안에 합의

　　(베를린 = 聯合) 홍성표특파원 = 북한과 국제원자력기구(IAEA)는 16일 핵안전협정 체결을 위한 IAEA의 표준문안을 북한내 핵사찰에 적용키로 하는 한편 양측이 확정한 협정안을 오는 9월 IAEA 이사회에 회부, 승인 받은후 정식 서명키로 했다고 빈의 IAEA가 16일 공식 발표했다.

　　지난 15일 협정문안에 전격 합의한 북한과 IAEA는 16일 최종 문안확인작업을 거칠 예정이었으나 합의안이 IAEA 표준문안원안을 그대로 따른 것이어서 그같은 절차를 생략했다.

　　이에따라 핵안전협정은 오는 9월 11일부터 13일까지 개최되는 IAEA 정기이사회에 제출돼 승인을 받은 후 북한의 서명과 최고인민회의 비준등 국내절차를 거쳐 효력을 발생하게 된다.

　　북한과 IAEA는 지난 12일부터 계속된 실무교섭에서 25조 효력발생조항을 두고 이견을 보이다 북한내 비준절차 이후 협정이 발효되는 것으로 합의한바 있다.

　　한편 이번 실무회담의 북한대표 張文善외교부조약국장은 16일 기자회견에서 북한이 그동안 내세워온 "한반도에서의 핵무기철거및 대북핵위협제거"전제조건을 철회한 것과 관련, 미국과의 핵문제가 해결된 것은 아니며 앞으로 이 문제는 미국과의 협상을 통해 해결하려 한다고 말한 것으로 빈의 외교 소식통등은 전했다.

　　그는 또 미국이 북한에 대한 핵위협을 제거하고 안전에 대한 법적담보를 해야할 것이라고 주장했으며 일본이 핵안전협정과 관련 북한에 압력을 넣는 것은 군사대국으로 군림할 구실을 만들기 위한것이라 말한 것으로 전해졌다.

　　한편 이장춘 빈주재 한국대사는 북한의 이번 조치와 관련, 지난 6월 IAEA이사회에서의 약속은 일단 지켜졌으나 아직도 서명과 발효가 남아있다고 지적하면서 북한은 9월 이사회의 문안승인이 나는대로 협정에 서명하고 이를 지체없이 발효시켜야하며 발효후에도 협정상의 의무를 성실히 이행해야할 것이라고 강조했다.(끝)

0102

(YONHAP)　910717　0230　KST

北韓의 核 安全措置協定 文案合意

1991. 7. 17.

外 務 部

> 北韓은 7. 16(火) 國際原子力機構(IAEA)와 核安全措置
> 協定의 文案에 合意하였는 바, 關聯內容을 아래 報告
> 드립니다.

1. 協定文案 交涉

o 北韓은 本質內容의 修正없이 IAEA 標準協定案대로 文案
  에 同意

o 北韓은 그간 協定締結의 前提條件으로 提示한 第26條
  (效力持續條項)의 但書 挿入 主張을 抛棄
  - 但書 內容(南韓內 核武器가 撤收되지 않고 北韓에
    대한 核威脅 繼續時 協定의 效力 停止)에 관해서는
    北韓이 美國과의 協商으로 解決한다는 立場 表明

o IAEA側은 協定 署名과 同時에 發效 시킬것을 提議
  하였으나 北韓側은 이를 拒否

0103

공   란

공   란

IAEA

INTERNATIONAL ATOMIC ENERGY AGENCY
WAGRAMERSTRASSE 5, P.O. BOX 100, A-1400 VIENNA, AUSTRIA,
TELEPHONE: 1 2360, TELEX: 1-12645, CABLE: INATOM VIENNA,
TELEFAX: 431 234564

July 1991
PR 91/23
FOR IMMEDIATE RELEASE

PRESS RELEASE FOR USE OF INFORMATION MEDIA · NOT AN OFFICIAL RECORD

DPRK AND IAEA SECRETARIAT COMPLETE SAFEGUARDS AGREEMENT TEXT

Representatives of the Democratic People's Republic of Korea (DPRK) and the secretariat of the International Atomic Energy Agency (IAEA) today agreed to the text of a draft safeguards agreement permitting inspection of nuclear material in the DPRK.

The draft agreement, which follows the standard pattern of safeguards agreements signed between parties to the Non-Proliferation Treaty and the IAEA, was drawn up in its final form during discussions held in Vienna July 12-16.

The agreement will be submitted to the meeting of the IAEA Board of Governors to be held in Vienna on September 11, 1991 for approval.

The DPRK side was led by Mr. Chang Mun Son, Director of the Legal Affairs Department of the DPRK Foreign Ministry.

0106

발 신 전 보

번 호 : WAV-0767   910717 1451   FG   종별 : 지급

수 신 : 주 오스트리아   대사. 총영사

발 신 : 장 관 (국기)

제 목 : IAEA-북한간 핵안전협정

대 : AVW-0916,0915

　　　대호(0915) 4항 IAEA 사무총장이 9월 이사회에서 협정안을 승인한 직후
북한이 서명할 것을 제의하였으나 북한이 반응을 보이지 않았다는 설명과 관련 하기 보고
바람.

　　　1. 상기 제의는 9월 이사회 승인 직후 비엔나에서 북한이 서명할 것을
　　　　 말하는 것인지

　　　2. 이사회에서의 핵안전협정안 승인이 있은 다음 IAEA와 협정 당사국의
　　　　 통상 서명시기 및 장소.　　　　　　　　끝.

예고: 91.12-31 일안

　　　　　　　　　　　　　　　(국제기구조약국장　문 동 석)

일반문서로 재분류(1991. 12.71 제)

0107

분류번호	보존기간

발 신 전 보

번   호: WJA-3203   910717 1454 FG   종별: 지급

WUS -3273   WAU -0521

수   신: 주   수신처참조   대사. 총영사

발   신: 장 관 (국기)

제   목: 북한과 IAEA간 핵안전협정문안 합의

　　　　1. 북한은 비엔나에서 IAEA와의 핵 안전조치협정문안 교섭을 가진후 7.16(화) 본질 내용의 수정없이 IAEA가 제시한 표준 협정안 문안에 동의하였음

　　　　2. 상기 문안 교섭시 북한은 그간 협정체결의 전제 조건으로 제시한 제26조 (효력지속조항)의 단서(남한내 핵무기가 철거되지 않고 북한에 대한 핵위협 계속시 협정의 효력정지) 삽입 주장을 포기하면서 동건은 미국과의 협상으로 해결한다는 입장을 표명하였음

　　　　3. 북한의 상기문안 합의후 협정안은 9월 이사회에 상정되어 이사회 승인을 받을 것으로 보이나 협정내용의 이행까지는 다음과 같은 과정을 남겨두고 있음

　　　　　　가. 9월 이사회 승인후 북한의 협정서명

　　　　　　나. 협정 발효를 위한 북한의 국내 비준절차 이행

　　　　　　다. 북한의 협정발효를 위한 비준서 기탁후 IAEA와 90일 이내 사찰대상을 수록한 보조 약정체결

　　　　　　라. 보조약정 체결후 IAEA 사찰관 임명에 대한 북한의 동의

/계속...

보 안 통 제	

신의란:

앙고재	91년7월17일	국기과	기안자성명 (김희택)		과 장	국 장	차 관	장 관

외신과통제

0108

4. 본부는 9월 IAEA 이사회에서 협정안이 승인된 후 북한이 일단 서명할 것으로 보나 서명후 발효조치는 미국과 일본과의 관계개선을 위한 지렛대로 십분 활용할 가능성이 농후하다고 보며 또한 북한은 ~~유전사업후~~ 협정 발효를 주한 미군의 핵무기 철수와 연계시키는 대외 선전활동을 강화할것으로 봄

5. 상기 ~~본부 평가~~를 참고하여 동건관련 주재국 당국자의 평가와 전망 및 대책을 파악 보고 바람.   끝.

제2: 91.12.31 해단

(국제기구조약국장   문 동 석)

수신처 : 주일, 미, 호주대사

일반문서로 재분류(1991.12.31.)

(미상)

분류번호	보존기간

발 신 전 보

번 호: WGE-1084 외 별지참조   종별:지급

수 신: 주 수신처참조   대사. /총영사

발 신: 장 관 (국기)

제 목: 북한과 IAEA간 핵안전협정문안 합의

1. 북한은 비엔나에서 IAEA와의 핵 안전조치협정문안 교섭을 가진후
7.16(화) 본질 내용의 수정없이 IAEA가 제시한 표준 협정안 문안에 동의하였음

2. 상기 문안 교섭시 북한은 그간 협정체결의 전제 조건으로 제시한 제26조
(효력지속조항)의 단서(남한내 핵무기가 철거되지 않고 북한에 대한 핵위협 계속시
협정의 효력정지) 삽입 주장을 포기하면서 동건은 미국과의 협상으로 해결한다는
입장을 표명하였음

3. 북한의 상기문안 합의후 협정안은 9월 이사회에 상정되어 이사회 승인을
받을 것으로 보이나 협정내용의 이행까지는 다음과 같은 과정을 남겨두고 있음

   가. 9월 이사회 승인후 북한의 협정서명

   나. 협정 발효를 위한 북한의 국내 비준절차 이행

   다. 북한의 협정발효를 위한 비준서 기탁후 IAEA와 90일 이내 사찰대상을
      수록한 보조 약정체결

   라. 보조약정 체결후 IAEA 사찰관 임명에 대한 북한의 동의

/계속...

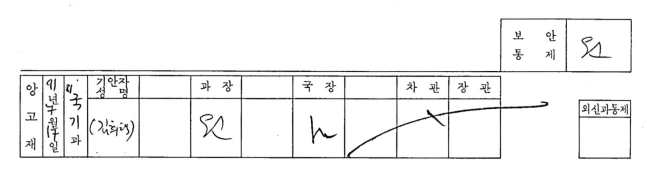

보 안 통 제	외신과통제

0110

4. 본부는 9월 IAEA 이사회에서 협정안이 승인된 후 북한이 일단 서명할 것으로 보나 서명후 발효조치는 미국과 일본과의 관계개선을 위한 지렛대로 십분 활용할 가능성이 농후하다고 보며 또한 북한은 ~~유엔가입후~~ 협정 발효를 주한 미군의 핵무기 철수와 연계시키는 대외 선전활동을 강화할것으로 봄

5. 상기 감안 향후 계속되는 IAEA와 여타 다자간 회의에서의 동건 계속 취급가능성에 대비하여 주재국 정부와 긴밀한 협조관계를 유지하기 바람.   끝.

메모: 91. 12. 31 06번 (?)

(국제기구조약국장   문 동 석)

수신처 : 주독, 소련, 카나다, 프랑스, 영국, 스웨덴, 북경, 알젠틴, 인도,
        칠레, 베네주엘라, 브라질, 우루과이, 벨기에, 이태리, 오스트리아,
        폴투갈, 폴란드, 체코, 나이제리아, 튜니시아, 카메룬, 모로코, 사우디,
        이란, 인니, 필리핀 대사.   주 카이로 총영사
        (사본 : 주 유엔, 제네바 대사).

0111

관리번호 91-1782

외 무 부

종 별 : 지급

번 호 : USW-3587

일 시 : 91 0717 1843

수 신 : 장 관(미일,미이,국기)

발 신 : 주 미국 대사

제 목 : 국무부 PRESS GUIDELINE(북한의 IAEA 문안 합의)

대 WUS-3273

1. 대호 관련, 금 7.17 국무부에서 준비한 PRESS GUIDELINE 을 별전(USW(F)-2846) 송부함.

2. 상기 PRESS GUIDELINE 은 금일 국무부 정례 브리핑이 실시되지 않은 관계로 사용되지는 않았으나, 추후 동 관련 문의시 사용될 예정이라함.

3. 국무부측이 상기 PRESS GUIDELINE 을 준비한 사실은 당지 주재 아국 특파원에게 알려주었음을 참고로 보고함.끝.

(대사 현홍주-국장)

예고:91.12.31 일반

일반문서로 재분류 1991.12.31.

미주국	장관	차관	1차보	2차보	미주국	국기국	청와대	안기부

0112

91.07.18 09:34

외신 2과 통제관 BS

USU(F) - 2846

장. 관(미일, 메이, 욱기) 발신 : 주미대사.   보안
                                           동제   [2]

국무부 Press Guideline   (1 매)

(북한의 IAEA 핵안전협정문안 한의 관견)

NORTH KOREA - IAEA SAFEGUARDS AGREEMENT

Q: What is the USG comment on the reported initialing by the North Koreans in Vienna of a safeguards agreement with the IAEA?

A: WHILE INITIALING WOULD BE A POSITIVE STEP, THIS AGREEMENT WOULD ENTER INTO FORCE ONLY AFTER NORTH KOREA NOTIFIED THE IAEA THAT ITS INTERNAL RATIFICATION PROCEDURES HAD BEEN COMPLETED - AND NO ONE KNOWS HOW LONG THIS WOULD TAKE. WE CONTINUE TO URGE THE SPEEDY ADOPTION OF THE AGREEMENT BY NORTH KOREA AND STRESS THE NEED FOR ITS FULL IMPLEMENTATION.

(끝)

/0

장관실	차관보	一차보	二차보	기획실	외정실	분석국	의전장	아주국	미주국	구주국	중아국	국기국	경제국	통상국	문협국	문화국	영교국	촌무과	감사관	공보관	외연원	청와대	총리실	안기부
/	/	/	/	/	/		/		0		/									/	/	/		

2

0113

번호 : USW(F)- 2857

수신 : 장   관(이걸, 씨가, 총구경, 당근, 청동)

발신 : 주미대사

보안
통제 02

제목 : 국무부 정례 브리핑시 한국및 북한 관련 언급 (. 1   매)

STATE DEPARTMENT REGULAR BRIEFING, BRIEFER: RICHARD BOUCHER
1:05 P.M. EST, THURSDAY, JULY 18, 1991

    Q   On Moscow Summit, please.   In the era of the new economic
cooperation between the US and the Soviet Union which could be
opened after the Moscow Summit in any sense of technical assistance
or money lending or loan, what do you think of the Korean or
Japanese society role in the new cooperation era?

    And my second question is that, could the North Korean nuclear
problem be raised in the summit if the North Korean government does
not sign the safeguard agreement, until that time?

    MR. BOUCHER: I guess on the first question, on the Japanese
role, I mean, the Japanese were in Paris and John Major -- or in

London, excuse me, then John Major did the briefing, I think, on
behalf of the others, including ourselves and presumably the
Japanese on the discussions that were held with Mr. Gorbachev.

    As for a specific Korean role vis-a-vis the Soviets, I really
don't have anything precise to say on that at this point.

    As for whether the issue of the North Korean Safeguards
Agreement would be raised in Moscow at the summit, I really wouldn't
hesitate -- wouldn't hazard to guess from here.   Certainly we think
it's important that North Korea has not only agreed to a safeguard
agreement, but that they sign it and implement it fully and totally.

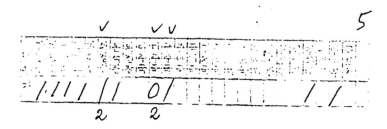

0114

런던 先進國 頂上會談 議長聲明中 我國關聯事項

外 務 部

---

91. 7. 16(火) 英國外相이 發表한 議長聲明中 韓半島 關聯事項을 아래 報告드립니다.

---

1. 議長聲明中 韓半島條項 內容

   (議長聲明 第 7項)

   o 南北韓의 유엔 同時加入 및 南北韓 高位級會談의 早速한 再開를 期待함.

   o 北韓이 核安全 措置協定 署名과 履行을 하지 않는 것은 심각히 憂慮할만한 일임.

2. 關聯 後續措置 內容

   o 全在外公館에 上記 韓半島 關聯條項 內容 通報, 北韓의 核安全協定 署名 및 同 義務 履行問題에 대한 駐在國 關心 誘導

   o 특히 先進國 頂上會談 參加 7個國의 持續的 關心 確保

첨 부 : 런던 先進國 頂上會談 政治分野 宣言槪要. 끝.

0115

<添 附>

런던 先進國 頂上會談 政治分野 宣言槪要

1. 政治宣言

- ○ 國際 新秩序 强化 및 國家間 協力 促進
- ○ 유엔의 機能 및 役割 제고
- ○ 걸프事態 以後 中東問題 解決을 위한 努力 다짐
- ○ 蘇聯 및 東歐圈의 改革 促進을 위한 協力
- ○ 남아공의 人種差別政策 撤廢 努力의 持續的 推進을 위한 經濟·社會的
  支援
- ○ 테러防止를 위한 國際協力

2. 在來式 武器移轉 및 核·生化學武器 擴散禁止에 관한 宣言

- ○ 在來式 武器移轉時 透明性, 協議·行動原則 强調
  - 透明性 (transparency) : 在來式 武器保有量의 유엔登錄을
    통한 과다한 武器 備蓄監視
  - 協議 (consultation) : 在來式 武器移轉時 武器輸出國家의 協議
  - 行動 (action) : 과도한 在來式 武器移轉 및 尖端武器 移轉
    防止를 위한 義務 履行
- ○ 核·生化學 武器擴散 禁止
  - 非核國의 IAEA와의 核安全協定 署名 및 同 義務履行 促求 및
    核輸出國의 효율적 核統制 强調
  - 生·化學 武器 擴散 防止 및 生·化學武器의 全面 廢棄를 위한
    努力 强調

0116

3. 議長 聲明

○ 아시아에서의 國家間 協力 및 日·蘇 關係改善 希望

    - APEC 및 ASEAN 役割의 重要性 强調

○ 걸프事態時 中國의 協調評價, 中國과의 接觸 擴大 및 美國의
    中國에 대한 最惠國 待遇 延長 希望

○ 韓半島 關聯事項

○ 캄보디아, 아프가니스탄 問題의 조속한 解決希望, 미얀마 民主化,
    몽골의 改革持續 希望

○ 아프리카의 民主化, 經濟開發을 위한 協力

○ 中南美의 民主化 및 改革을 위한 協力

○ 사이프러스 問題解決을 위한 유엔事務總長의 努力 評價

○ 國際社會의 諸問題 解決을 위한 共同努力 다짐

0117

91.7.18.
국제기구과

북한-IAEA간 핵 안전협정문안 합의

o 북한은 7.16(화) IAEA와 핵안전협정문안 교섭에서 본질내용 수정없이 IAEA 표준
   협정안 문안에 동의

o 금번 교섭에서 북한은 그간 협정체결 전제조건으로 제시한 제26조(효력지속
   조항)의 단서 삽입 주장을 포기
   - 단서내용(남한내 핵무기가 철수되지 않고 북한에 대한 핵위협 계속시 협정의
     효력정지)에 관해서는 미국과의 협상을 통하여 해결한다는 입장 표명

o 향후 협정내용 이행까지의 하기 과정을 북한이 성실히 이행할지 여부는 불투명
   - 9월 이사회 (9.11-13) 승인후 북한의 협정서명
   - 협정발효를 위한 북한의 국내비준 조치
   - 협정이 발효된 후 90일 이내 협정 규정의 시행 방법 및 사찰대상을 구체적
     으로 명시한 보조약정서 체결
   - IAEA 사찰관 임명에 대한 북한의 동의.

유네스코 소련 집행위원 방한

o R. Otounbaeva 유네스코 집행위원 겸 유네스코 소련 위원회 위원장이 윤형섭
   교육부 장관(유네스코 한국위원회 위원장)초청으로 91.7.26-8.2간 방한 예정

o Otounbaeva 집행위원은 유네스코를 통하여 재소 한인교포들을 위한 한국어
   교재개발, 한국어 교육원 설립등을 아측에 요청하는등 재소 한인교포들의
   한국어 교육 지원에 큰 관심을 표명하여 왔음.   끝.

0118

한국, 북한의 핵사찰 조기. 무조건 수락 요구

(91.7.17. 아사히 신문)

1. 북한의 핵안전협정 가서명

   o 7.16. 북한은 IAEA와 핵사찰을 위한 안전조치협정 체결에 합의

   - IAEA는 처음에 기자단에게 IAEA와 북한 쌍방이 협정에 가서명했다고 발표
     했으나, 그후 북한측이 협정안 합의 확인으로 협상을 종결하였다고 발표한
     내용을 인정

   o 협정안은 IAEA 협정 모델안 통상 내용을 영어, 한국어, 러시아어 3가지로
     (전98조) 작성

   - 협상 과정에서 북한은 종전의 주한 미군 핵철수 요구를 최종적으로 철회함

   o 북한이 핵 안전협정 합의를 확인한것을 91.9월로 예정된 유엔가입을 장애
     없이 실현하고, 일본과의 국교정상화 교섭, 미국과의 관계개선을 계획대로
     추진하기 위한것으로 보임

   o 북한이 핵 안전협정 체결에 합의하였으나, 북한내 원자력 발전소와 건설중인
     핵 재처리 시설에 대한 사찰을 수락하기 까지는 일련의 절차가 남아 있음

2. 북한의 협정체결 합의에 대한 한국 정부 입장

   o 한국 정부는 동 협정 합의가 핵사찰 수락을 향한 제1단계임이 분명(Clear)
     하나, 북한이 국내 사정등을 이유로 핵시설에 대한 사찰을 계속 지연시키려는
     의혹을 갖고 있다고 봄

   - 유엔 가입후 북한이 핵시설 사찰과 주한 미군 핵무기 동시 사찰 주장을
     재현할 가능성

   o 따라서 한국정부는 북한의 조속한, 무조건적 핵사찰 수락을 요구함

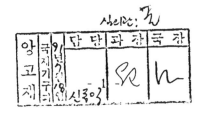

0119

o 7.16. G-7 선진국 정상회담(런던)에서도 의장 성명을 통해 북한의 핵개발 우려를 표명함으로써, 서방제국들이 북한의 언동에 불신감을 갖고 있다는 것을 여실히 보여줌

3. 북한의 태도 변화 평가

o 북한의 핵 협정 합의 확인이 유엔가입, 남북한 고위급 회담 재개 제안등과 병행하여 북한 외교의 전환을 표시하는 것으로 평가할수도 있음

o 그러나, 최근 한국 국방장관이 북한이 스커드 미사일을 개량, 증산하고 있다고 보고한 바와 같이 북한은 경제사정 악화에도 불구 계속 군사력을 증강시키고 있는것으로 분석

o 또한 북한 외무성 장문선 조약과장은 IAEA와 협정 교섭 종료후 발표문에서 "미국의 핵 위협에 대한 우려가 해결되지 않는 한 협정체결과 협정 이행에 주요한 장애가 될 수 있다"고 종전입장을 되풀이 하였음.   끝.

발 신 전 보

WAV-0773   910718 1925, FO

번   호 :   종별 :

수   신 : 주 오스트리아   대사.*총영사*

발   신 : 장   관 (국기)

제   목 : 북한 핵 안전협정 문안

대 : AVW-0919

대호 3항, IAEA가 사찰관의 임무수행에 있어 북한 국내법규를 존중한다는

규정을 삽입한것과 관련, 동 규정을 삽입케된 경위와 타국과의 핵안전협정에 있어서도

유사한 예가 있는지 여부를 파악. 보고바람.   끝.

(국제기구조약국장   문 동 석)

보안 통제	(서명)

앙 고 재	91년 7월 8일	국 기 과	기안자 성명		과장 신영란		국장		차관	장관		외신과통제

0121

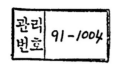

長官報告事項

報告畢

1991. 7. 18.
國際機構條約局
國際機構課 (50)

題 目 : 북한과 IAEA간 핵 안전조치협정의 내용검토

91.7.16(화) 비엔나에서 북한과 IAEA간에 합의한 핵 안전조치협정안의 수요
내용에 대한 검토의견을 아래와 같이 보고합니다.

1. 수요내용

　　가. 핵 사찰관 임명 동의(제9조)

　　　　o IAEA는 북한에 대한 사찰관 임명시 북한의 동의 필요

　　　　o 북한이 반대할 경우 IAEA는 사찰관을 교체 임명

　　　　　- 북한이 계속 사찰관 임명을 거부할 경우 IAEA 사무총장은 IAEA 이사회
　　　　　　에 보고, 대책 강구

　　　　o 북한은 사찰관의 임무수행을 보장하나 IAEA는 북한의 국내법규를 존중할
　　　　　의무 부담

　　나. 효력조항

　　　　o 협정은 북한이 본 협정의 발효를 위한 국내법 절차를 완료하였다고
　　　　　IAEA에 통보하는 일자에 발효(제25조)

　　　　o 협정은 북한이 NPT 당사국으로 있는한 지속(제26조)

- 1 -

0122

다. 사찰대상

    o 북한은 협정에 따른 사찰대상이 될 모든 핵물질에 관한 최초 보고서를
      협정 발효후 익월말까지 제출(제62조)

    o 북한은 사찰대상 시설을 구체적으로 명시하는 보조약정을 협정발효후
      90일이내 IAEA와 체결(제39-40조)

    o 북한은 보조약정의 협의기간중에 기존 핵시설에 관한 설계 정보를 IAEA
      에 제출(제42조)

2. 검토의견

가. 사찰관 임명동의

    o IAEA가 사찰관 임무수행에 있어서 북한의 국내법규를 존중한다는 규정을
  추가한것은 문제가 될 소지가 있음

      - 표준협정안은 사찰관의 활동이 사찰을 받는 국가의 평화적 핵 활동에
        미칠 수 있는 불편과 방해를 최소화하고 사찰관이 습득하는 산업비밀
        또는 기타의 비밀정보 보호를 보장한다고 규정

      - 대외발표가 되지않은 북한의 국내법규를 존중한다고 하는것은 북한의
        자의적인 횡포를 허용할 가능성 있음

나. 효력조항

    o 그간 북한이 협정체결의 전제조건으로 내세웠던 "남한내 핵무기가 철수
      되지 않고 핵위협시 협정효력정지"라는 내용을 제26조(효력지속조항)의
      단서로 주장하지 않음으로써 협정문안 합의가 가능하였음

    o 그러나 7.16(화) 협정문안 동의직후 북한대표(장문선 외교부 조약과장)
      는 남한 핵무기 철수를 협정의 이행과 다시 연계시켰으며 향후 협정
      발효와 이행을 계속 남한 핵무기 철수에 연계시키면서 이를 대미, 일
      관계 개선의 지렛대로 활용할 가능성 농후

다. 사찰대상

　o 북한이 신고하는 핵물질과 시설에 대하여서만 IAEA사찰을 받기 때문에
　　북한이 그 존재를 부인하고 있는 모든 시설(핵 재처리 시설 포함)은
　　사찰 대상에 포함되지 않음

　o 따라서 의혹의 대상인 영변소재 핵재처리 시설뿐만 아니라 87년 준공한
　　것으로 알려진 30메가와트급 제2연구용 원자로(북한이 그 존재를 부인)도
　　사찰대상에서 제외될 가능성 있음

　o 북한이 제공한 정보가 충분치 못한것으로 판단될 경우 IAEA는 북한과의
　　사전협의를 거쳐 특별사찰을 실시할 수 있도록 규정되어 있으나, 북한의
　　동의 없이는 특별사찰 실시가 불가능함

　o IAEA 사찰에 있어서 상기와 같은 모순이 있기 때문에 일본은 IAEA의
　　특별사찰제를 보완하여 모든 핵시설에 대한 사찰 실시를 강구중이나
　　제도상 용이치 않음

　o 최후의 방안으로는 유엔 안보리 결의를 통한 강제사찰의 방법을 고려할
　　수 있음.　　　　끝.

長 官 報 告 事 項

1991. 7. 18.
國際機構條約局
國際機構課 (50)

題 目 : 북한과 IAEA간 핵 안전조치협정의 내용검토

91.7.16(화) 비엔나에서 북한과 IAEA간에 합의한 핵 안전조치협정안의 주요 내용에 대한 검토의견을 아래와 같이 보고합니다.

1. 주요 내용

　가. 핵 사찰관 임명 동의(제9조)

　　o IAEA는 북한에 대한 사찰관 임명시 북한의 동의 필요

　　o 북한이 반대할 경우 IAEA는 사찰관을 교체 임명

　　　- 북한이 계속 사찰관 임명을 거부할 경우 IAEA 사무총장은 IAEA 이사회에 보고, 대책 강구

　　o 북한은 사찰관의 임무수행을 보장하나 IAEA는 북한의 관계 국내법규를 존중할 의무 부담

　나. 효력조항

　　o 협정은 북한이 본 협정의 발효를 위한 국내법 절차를 완료하였다고 IAEA에 통보하는 일자에 발효(제25조)

　　o 협정은 북한이 NPT 당사국으로 있는한 효력 지속(제26조)

- 1 -

0125

다. 사찰대상

　o 북한은 협정에 따른 사찰대상이 될 모든 핵물질에 관한 최초 보고서를
　　협정 발효후 익월말까지 제출(제62조)

　o 북한은 사찰대상 시설을 구체적으로 명시하는 보조약정을 협정발효후
　　90일이내 IAEA와 체결(제39-40조)

　o 북한은 보조약정의 협의기간중에 기존 핵시설에 관한 설계 정보를 IAEA
　　에 제출(제42조)

2. 검토의견

가. 사찰관 임명동의

　o IAEA가 사찰관 임무수행에 있어서 <u>북한의 국내법규를 존중한다는 규정을</u>
　　<u>추가한 것은 문제가 될 소지가 있음</u>

　　- 표준협정안은 사찰관의 활동이 사찰을 받는 국가의 평화적 핵 활동에
　　　미칠 수 있는 불편과 방해를 최소화하고 사찰관이 습득하는 산업비밀
　　　또는 기타의 비밀정보 보호를 보장한다고 규정

　　- 대외발표가 되지않은 북한의 국내법규를 존중한다고 하는것은 북한의
　　　자의적인 횡포를 허용할 가능성 있음

나. 효력조항

　o 그간 북한이 협정체결의 전제조건으로 내세웠던 "남한내 핵무기가 철수
　　되지 않고 핵위협시 협정효력정지"라는 내용을 제26조(효력지속조항)의
　　단서로 주장하지 않음으로써 협정문안 합의가 가능하였음

　o 그러나 7.16(화) 협정문안 동의직후 북한대표(장문선 외교부 조약과장)
　　는 남한 핵무기 철수를 협정의 이행과 다시 연계시켰으며 향후 협정
　　발효와 이행을 계속 남한 핵무기 철수에 연계시키면서 이를 대미, 일
　　관계 개선의 지렛대로 활용할 가능성 농후

다. 사찰대상

　　o 북한이 신고하는 핵물질과 시설에 대하여서만 IAEA사찰 을 받기 때문에
　　　　북한이 그 존재를 부인하고 있는 모든 시설(핵 재처리 시설 포함)은
　　　　사찰 대상에 포함되지 않음

　　o 따라서 의혹의 대상인 영변소재 핵재처리 시설뿐만 아니라 87년 준공한
　　　　것으로 알려진 30메가와트급 제2연구용 원자로(북한이 그 존재를 부인)도
　　　　사찰대상에서 제외될 가능성 있음

　　o 북한이 제공한 정보가 충분치 못한것으로 판단될 경우 IAEA는 북한과의
　　　　사전협의를 거쳐 특별사찰을 실시할 수 있도록 규정되어 있으나, 북한의
　　　　동의 없이는 특별사찰 실시가 불가능 함

　　o IAEA 사찰에 있어서 상기와 같은 모순이 있기 때문에 일본은 IAEA의
　　　　특별사찰제를 보완하여 모든 핵시설에 대한 사찰 실시를 강구중이나
　　　　제도상 용이치 않음

　　o 최후의 방안으로는 유엔 안보리 결의를 통한 강제사찰의 방법을 고려할
　　　　수 있음.　　　　　　　끝.

AGENCY INSPECTORS

A r t i c l e 9

(a)   (i) The Agency shall secure the consent of the Democratic People's
            Republic of Korea to the designation of Agency inspectors to
            the Democratic People's Republic of Korea.

      (ii) If the Democratic People's Republic of Korea, either upon
           proposal of a designation or at any other time after a
           designation has been made, objects to the designation, the
           Agency shall secure the consent of the Democratic People's
           Republic of Korea to an alternative designation or designations.

     (iii) If, as a result of the repeated refusal of the Democratic
           People's Republic of Korea to accept the designation of Agency
           inspectors, inspections to be conducted under this Agreement
           would be impeded, such refusal shall be considered by the
           Board, upon referral by the Director General of the Agency
           (hereinafter referred to as "the Director General"), with a
           view to its taking appropriate action.

(b) The Democratic People's Republic of Korea shall take the necessary
    steps to ensure that Agency inspectors can effectively discharge
    their functions under this Agreement. The Agency shall, as far as
    compatible with the other terms of this Agreement, respect legal
    procedures and regulations of the Democratic People's Republic [of Korea]
    relevant to such steps.

ENTRY INTO FORCE AND DURATION

A r t i c l e 25

This Agreement shall enter into force on the date upon which
the Agency receives from the Democratic People's Republic of Korea
written notification that the Democratic People's Republic of
Korea's statutory and constitutional requirements for entry into
force have been met. The Director General shall promptly inform
all Member States of the Agency of the entry into force of this
Agreement.

A r t i c l e 26

This Agreement shall remain in force as long as the Democratic
People's Republic of Korea is party to the Treaty.

0128

북한의 핵 안전협정체결 문제

91.7.

1. 배경

o 북한은 85.12월 핵무기 비확산조약(NPT) 가입불구, 동 조약상 의무인 국제
   원자력 기구(IAEA)와의 핵안전협정체결 지연

   - NPT 제3조는 가입후 18개월내 IAEA와 안전조치협정체결 의무 규정

o 북한은 그간 3차(89.12월, 90.1월, 90.7월)에 걸친 IAEA와의 협정체결 교섭
   과정에서 하기를 전제조건으로 요구

   - 한반도로부터 핵무기 철거

   - 미국의 북한에 대한 개별적 핵선제 불사용 보장(NSA)

o 91.6.7 북한은 IAEA에 표준협정문안 동의의사 및 하기 통보

   - 91.7.10-15 IAEA측과 전문가 회담개최, 협정문안 최종확정

   - 91.9월 이사회에 협정안 상정, 승인 획득

   - 단, 91.6월 이사회(6.10-14)에서 대북한 협정체결촉구 결의안이 상정될
     경우 협정서명의사 재고할것임을 표명

2. 91.6월 IAEA이사회 토의 경과

가. 아측 대책

   o 아국은 우방이사국과 협의, 북한에 대하여 조약상 의무인 안전협정을
     지체없이 체결토록 발언교섭 시행

   o 호주,일본,카나다등 우방국은 국제압력의 일환으로 IAEA 6월 이사회에서
     북한의 협정체결을 촉구하는 결의안 채택을 추진

     - 아국은 이사국이 아닌 관계로 이들 국가의 결의안 채택 교섭을 지원

나. IAEA 6월 이사회(6.10-14) 논의내용

   o 북한대표, 하기요지 발언

0129

- 핵 안전협정서명 용의 있으며 북한에 대한 사찰에 반대치 않음
- 표준 협정안의 본질내용 변경없이 최종 자귀 수정위해 7월 전문가 파견,
  IAEA와 협의후 협정안을 9월 이사회에 상정
- 협정의 제26조 (효력지속조항)문제는 미국과 북한사이에 해결할 문제
※ 북한은 "북한이 NPT 당사국으로 있는 한 협정이 유효하다."라는 안전
  협정 제26조에 "한반도로 부터 핵무기가 철거되지 않고 북한에 대한
  핵위협이 계속될 경우 협정의 효력을 정지시킬 수 있다."라는 유보
  조항 삽입을 요구하여 왔음
o 다수 이사국들(27개국)은 북한 대표의 핵 안전협정 동의 입장표명에 유의
  하면서 조속한 협정서명 촉구
o 호주, 일본, 카나다등 우방이사국은 북한의 9월 이사회 협정안 제출제의
  를 감안, 대북한 협정체결촉구결의안 상정을 유보키로 결정
o 이사회 의장(폴란드인)명의 하기 성명 채택
  - 다수 이사국이 북한에 대해 지체없는 핵 안전협정체결 촉구 사실 상기
  - 북측 제의대로 7월 협정문안협의, 9월 이사회 제출 및 지체없는 서명과
    발효에 대한 이사국들의 강력한 기대 표명 사실 지적

0130

공   란

공 란

공 란

공 란

공   란

공　　　란

공 란

관리
번호 91 ~~707~~
717

외 무 부

종 별 : 지 급

번 호 : JAW-4218

일 시 : 91 0718 2215

수 신 : 장관(국기,아일,정특)

발 신 : 주 일 대사(일정)

제 목 : 북한과 IAEA 간 핵안전 협정문안 합의

대:WJA-2303

1. 대호, 금 7.18. 오후 당관 박승무 정무과장은 외무성 사다오까 원자력과장을 방문, 북한측이 최근 IAEA 핵안전 표준 협정문안에 대해 동의한 것과 관련, 일측 평가등을 문의하였는바, 동 과장은 다음과 같이 언급 하였음.

가. 일측 평가 및 전망

0 금번 북한이 IAEA 표준 협정문안에 합의한 자체는 바람직하다고 생각함.

0 그러나 북측 대표단이 IAEA 사무국과의 문안합의후 기자회견에서 "미국의 북한에 대한 핵위협이 핵안전협정의 결론과 그 이행에 실질 장애가 될것"(US UNCLEAR THREAT ON DPRK WILL BE MAJOR OBSTACLE NOT ONLY IN THE CONCLUSION OF THE SAFEGUARDS AGREEMENT BUT ALSO IN ITS IMPLEMENTATION)이라고 주장하였으며, 이에 앞서 김영남 외교부장도 6.20. 와싱톤 포스트지와의 인터뷰에서 이미 같은 내용을 언급했다는 점등을 감안할때, 금후 과정이 낙관적이라고는 보지 않음.

0 북측은 9.11-13. 간의 IAEA 이사회에서 협정안이 승인되는대로 곧 동 협정안에 서명할 것으로 봄. 이는 9.17. 부터 개최되는 유엔총회시 남북한의 유엔가입 신청에 대한 심사가 행해질 예정인 것과 관련, 북측은 협정서명이 유엔가입에 좋은 영향을 준다고 판단할 것으로 분석되기 때문임.

0 문제는 북측이 협정서명후 비준을 언제할 것인가 하는데 있음. 북측 대표단은 IAEA 사무국과의 표준협정문안 합의후 가진 기자회견시 비준은 언제할 것인가라는 질문에 대해 "국내 사정에 달렸다고만 대답하고 구체적인 언질을 주지 않았음.

0 일측이 입수한 정보에 의하면, 북측은 최근 IAEA 사무국에 대해 협정 서명후 비준까지 걸린 기간이 제일 긴 경우는 어느정도나 되는지 문의하였다 함. (일측이 파악한바로는 서명-비준까지 최장 3 년이 걸린 경우가 있음)

국기국 안기부	장관	차관	1차보	2차보	아주국	외정실	분석관	청와대

PAGE 1

91.07.18   23:23

외신 2과 통제관 CF

0138

나. 일측 대응방안

0 일측으로서는 9 월 이사회시 취할수 있는 조치로서, 6 월 이사회시와 같이 각국에서 북한에 대해 핵안전협정에 서명하고 즉시 비준하는등 협정의 완전 이행을 촉구하는 발언을 하도록 요청할 생각이며, 의장성명 또는 결의안 채택을 추진하게 될 것임. (결의안 채택의 경우 6월 이사회시와 같은 난관이 예상되기는함)

0 9 월 이사회시 일측의 세부적인 대응계획은 이사회 시작 한달쯤전인 8 월 중순께가 되어야 구체화 될수 있을 것임.

다. 참고사항

0 상기관련 한가지 고무적인 것은, 금 7.18. 비엔나에서 IAEA 특별이사회가 개최되어 이라크가 핵사찰 수용을 기피하고 있는데 대해 비난하고 핵사찰을 받도록 요구하는 결의를 채택할 예정인바, 동결의는 9 월 이사회시 북측에 대한 압력 자료가 될 것임.

2. 북측대표단이 7.16. 표준문안 합의후 가진 기자회견시 배포한 인터뷰 자료를 입수 하였는바, 파편 송부함. 끝.

(대사 오재희-국장)

예고:91.12.31. 일반

외 무 부

종 별 :

번 호 : AVW-0921   일 시 : 91 0718 1800

수 신 : 장 관(국기,국조)

발 신 : 주 오스트리아 대사

제 목 : IAEA-북한간의 핵안전 협정 서명절차

    대:WAV-0767

    연:AVW-0915

1. 서명장소에 관해서는 아직 양측이 논의하지 않은것으로 되어있음.

2. 통상적으로는 비엔나에서 서명되고 있으며, 가끔 IAEA 관계관이 협정 당사국을
방문하는 기회에 그나라에서 서명되기도 함(아국과 IAEA 의 협정서명 실례참조)

3. 지리적인 이유등으로 양측이 동시에 서명하는 것이 여의치 않을 경우에는
협정문(안)을 상호송부하고 서명하여 교환하는 방법을 택하기도함(킬리바타, 부가루,
봉가, 솔로몬아일랜드등)

4. 보통 이사회의 승인이 끝나면 바로 서명됨(가장 시간이 오래 걸린 경우는
조사중임)

5. THE KOREA TEXT 작성에 시간이 걸린다는 북한의 있을수있는 구실에 대비하여
아국과 IAEA 간의 협정 국문본(아국의 국내절차용)을 IAEA 사무국을 통해 북한측에
전달하는 방향으로 현재 본직과 WILMSHURST 국장간에 협의중임을 참고하시고, 동
국문본 정본의 사본을 파우치편 송부바람. 끝.

공람	안보정책과	년원일	담 당	과 장	심의관	실 장	차관보	차 관	장 관

외 무 부

관리번호 91-□□□

종 별 : 지 급
번 호 : USW-3602
일 시 : 91 0718 1847
수 신 : 장 관(국기,미이,정특)
발 신 : 주 미국 대사
제 목 : 북한- IAEA 간 핵 안전 협정 문안 합의

대 WUS-3273

연 USW-3587

1. 대호 관련, 금 7.18 당관 임성남 서기관은 국무부 핵 비확산 담당 대사실의 GARY SAMORE 보좌관을 접촉, 표제 합의 관련 국무부 실무선의 내부 평가등을 탐문한바, 동인 언급 요지 하기 보고함.

가. 북한측의 금번 합의는, 북한의 핵 개발을 저지하기 위해 외교적 노력이 거둔 성과의 제 1 보에로서 좋은 소식임에는 틀림없으나, 북한의 국내 비준 절차등을 계속 지켜 보아야 할것임.

나. 북한측이 금번 합의시 아무런 부대 조건도 제시하지 않은것이 일견 긍정적으로 보이기는 하나, 한국측이 우려하고 있는바와같이 북한측이 협정 발효를대미.일 관계 개선이나 주한 미군 핵 문제와 연계시킬 가능성이 큰(A REAL POSSIBILITY)것으로 봄.

다. 따라서, 각 관련국들은 그간 효율적으로 운영 되어온 공동 보조를 유지해 나가는 가운데 북한에 대한 국제적 압력을 계속 가해 나가는 한편, 북한의 핵안전 협정 서명과 관련 의무의 이행은 여타 상안과 연계될수 없는 별개의 의무라는 기존의 입장을 분명히 밝혀 나가야 할것임.

2. 한편, 금일 접촉 말미 SAMORE 보좌관이 북한의 조약 비준 절차 내용을 문의한데 대해, 임 서기관은 북한 체제는 사실상 1 인 독재하의 MONOLITHIC SYSTEM 이므로 형식적인 법 절차 보다는 지도층의 정치적 의지가 더 중요할것으로 본다고 답변해 두었는바, 북한측의 구체적인 조약 비준 절차에 관해 본부에서 파악하고 있는바가 있으면 당관에도 참고로 회보 바람.끝.

(대사 현홍주-국장)

예고:91.12.31 일반

일반문서로 재분류(19 91. 12. 11.)

국기국 안기부	장관	차관	1차보	2차보	미주국	외정실	분석관	청와대

외 무 부

종 별 :

번 호 : UNW-1848 일 시 : 91 0718 1620

수 신 : 장 관 (국기,국연,기정) 사본:노창희대사

발 신 : 주 유엔 대사대리

제 목 : 북한- IAEA 간 핵안전협정 문안 합의

　　표제관련 7.17 자 유엔(IAEA) 프레스릴리스를 별첨송부함.

　　첨부:상기 프레스릴리스: UNW(F)-334

　　끝

　　(대사대리 신기복-국장)

국기국　　1차보　　국기국　　국기국　　외정실　　분석관　　안기부

91.07.19　　09:00 WG

외신 1과 통제관

0142

United Nations

UNW(FI)-334 10718 1620
(국기. 국연. 기정) 총 104

Press Release

Department of Public Information • News Coverage Service • New York

IAEA/1175
17 July 1991

DEMOCRATIC PEOPLE'S REPUBLIC OF KOREA AND ATOMIC ENERGY AGENCY SECRETARIAT
COMPLETE SAFEGUARDS AGREEMENT TEXT

VIENNA, 16 July (IAEA) -- Representatives of the Democratic People's Republic of Korea and the secretariat of the International Atomic Energy Agency (IAEA) today agreed to the text of a draft safeguards agreement permitting inspection of nuclear material in that country.

The draft agreement, which follows the standard pattern of safeguards agreements signed between parties to the Treaty on the Non-Proliferation of Nuclear Weapons (NPT) and IAEA, was drawn up in its final form during discussions held in Vienna from 12 to 16 July. The draft text will be submitted to the 11 September meeting of the IAEA Board of Governors for approval.

The Democratic People's Republic of Korea side was led by Chang Mun Son, Director of the Legal Affairs Department of the Ministry of Foreign Affairs.

* *** *

UNW-1848
첨부물

3746P

0143

1—1

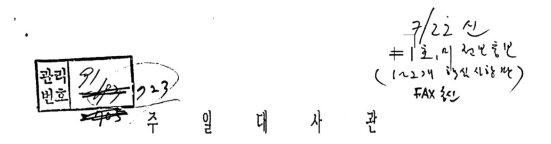

주 일 대 사 관

일본(정)700-493   1991. 7. 18.

수신 장관
참조 국제기구조약국장, 아주국장, 외교정책기획실장
제목 북한의 핵안전 협정문안 합의 관련자료

        대 : WJA-3203
        연 : JAW-

        연호, 북한측 대표단이 지난 7.16 IAEA 사무국과 핵안전협정
표준문안에 합의한후 가진 기자회견시 배포한 자료를 별첨과 같이
송부합니다.

        첨부 : 동자료 사본 1부.   끝.
        예고 : 91.12.31. 일반

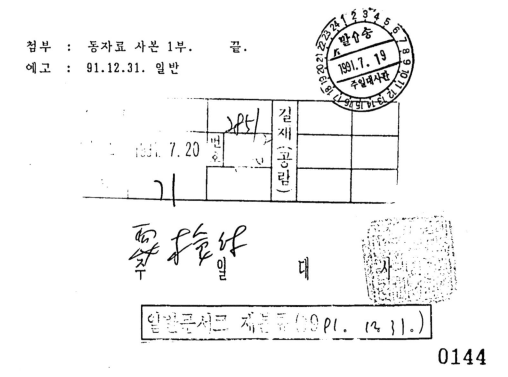

0144

I N T E R V I E W

Negotiation Delegation of the Democratic People's Republic of Korea

16 July 1991, Vienna, Austria

The Negotiation Delegation of the Democratic People's Republic of Korea visited the International Atomic Energy Agency and met with the officials of the Agency for working-level negotiations on the Draft of the safeguards agreement.

At the June Meeting of the IAEA Board of Governors, we have agreed with the Draft of the safeguards agreement proposed by the IAEA and set forth progressive proposals to resume negotiations with the Agency in mid-July for adjusting wordings of the Draft text. The Agency has agreed with our proposals which led to the resumption of the negotiations.

The negotiation have attracted attention of many coutries.

The negotiations have been held in an open-hearted atmosphere. At the negotiations, the two sides have completed without any differences the final adjustment of wordings of the Draft safeguards agreement.

The Draft Text of safeguards agreement, as finalized through the negotiations, will be submitted to the September Meeting of the Board of Governors for its consideration.

This is an expression of our sincere efforts to conclude the safeguards agreement.

This result is achieved due to the co-operative efforts exerted by the Secretariat of the Agency.

- 1 -

Consequently the preparatory work for the safeguards agreement between Dem. PR of Korea and the Agency has been finished.

Following the approval of the Draft text by the Board of Governors at its September Meeting, the concluding of the agreement will be done through appropriate procedures.

Our positive measures with regard to the safeguards agreement are motivated by our desire for turning the Korean peninsula into the nuclear-weapon free peace zone, to all intents and purposes, in conformity with the global trends towards detente.

We are prepared to implement our obligations assumed under the Treaty on the Non-Proliferation of Nuclear Weapons. Now, we have finalized the Draft safeguards agreement with the IAEA Secretariat. But this does not mean the solution of the problem which causes great concern to us, namely the US nuclear threat against us.

US nuclear threat on DPRK will be major obstacle not only in the conclusion of the safeguards agreement but also in its implementation.

- 2 -

We are going to resolve this problem through negotiations with the United States.

We sincerely hope that member states of the Treaty on the Non-Proliferation of Nuclear Weapons will fully co-operate with us to resolve nuclear threat problems in their own capacity as member of the Treaty.

The United States must, on all accounts, fulfil its obligations undertaken by the NPT impartially.

The South Korean authorities have jeopardized our nation's right to survive by inviting foreign nuclear weapons into south Korea. The South Korean authorities, who have plunged our nation into the danger of nuclear catastrophe, have lost the right to mention on the implementation of the NPT. If South Korean authorities are truly concerned on implementation of the NPT, they will have, first of all, to demand withdrawal of US nuclear weapons from South Korea in acccrdance with the just demand of the non-nuclear weapon countries to get rid of nuclear threats.

We can not but point out that Japan turns away from the presence of formidable nuclear arsenals in South Korea but peddles around our safeguards agreement issue. This only confirms that, in its desire to become a military power, Japan is looking for pretext for developing its own nuclear weapons.

My delegation makes it clear that if one tries to press on us with regard to implementation of the NPT it will only lay artificial difficulties on the way of conclusion of safeguards agreement.

We will continue to do all to strengthen the non-proliferation regime on the Korean peninsula in conformity with the lofty objectives of the NPT.

- 3 -

0147

분류기호 문서번호	국기 20332- 690	협 조 문 용 지 (720-4050)	심의관 결 재	담당	과장	국장
시행일자	1991.7.19.					
수 신	수신처참조	발 신 국제기구조약국장				
제 목	북한의 핵안전조치협정 문안 합의					

　　　　북한은 7.16 국제원자력기구(IAEA)와 핵안전조치 협정의 문안에

합의하였는 바, 관련 내용을 별첨 통보하니 업무에 참고하시기 바랍니다.

　　첨 부 : 상기자료 1부.　　　　끝.

　　수신처 : 외교정책기획실장, 아주국장, 미주국장, 구주국장,

　　　　　　중동아프리카국장

　　예 고 : 91.12.31 일반　　　일반문서로 재분류(1991. 12.31.)

0148

분류기호 문서번호	국기 20332- 690	협조문용지 (720-4050)	심의관			
			결 재	담당	과장	국장
시행일자	1991.7.19.					
수 신	수신처참조	발 신	국제기구조약국장			
제 목	북한의 핵안전조치협정 문안 합의					

북한은 7.16 국제원자력기구(IAEA)와 핵안전조치 협정의 문안에

합의하였는 바, 관련 내용을 별첨 통보하니 업무에 참고하시기 바랍니다.

첨 부 : 상기자료 1부.　　　　　　끝.

수신처 : 외교정책기획실장, 아주국장, 미주국장, 구주국장,

중동아프리카국장

검 토 필 (199 . 6. 30.)

예 고 : 91.12.31 일반　　검 토 필 (199 .12. 31.)

1991. 12. 31. 예 예고문에

공 람	안 보 정 책 과	년 월 일	담 당	과 장	심의관	장			

0149

분류기호 문서번호	국기 20332- /84	기안용지 (전화 : 720-4050)	시 행 상 특별취급	
보존기간	영구·준영구 10. 5. 3. 1.	장 관		
수 신 처 보존기간				
시행일자	1991. 7.18.			

보조기관	국 장	전결	협조기관		문 서 통 제
	심의관	〰			
	과 장	〰			
기안책임자		김 희 택			발 송 인
경 유			발신명의		
수 신		수신처참조			1991. 7. 20
참 조					
제 목		북한-IAEA간 핵안전협정문안 합의			

　　　북한은 91.7.16 국제원자력기구(IAEA)와 핵안전협정의 문안에

합의 하였는 바, 관련 내용을 아래와 같이 통보하니 업무에 참고

바랍니다.

　　　1. 북한은 본질 내용의 수정없이 IAEA가 제시한 표준 협정안

문안에 동의함.

/계속...

0150

2. 상기 문안 교섭시 북한은 그간 협정체결의 전제조건으로 제시한 제26조(효력지속조항)의 단서(남한내 핵무기가 철거되지 않고 북한에 대한 핵위협 계속시 협정의 효력정지)삽입 주장을 포기하면서 동건은 미국과의 협상으로 해결한다는 입장을 표명하였음.

3. 북한의 상기문안 합의후 협정안은 9월 이사회(9.11-13, 비엔나)에 상정되어 이사회 승인을 받을 것으로 보이나 협정내용의 이행까지는 다음과 같은 과정을 남겨두고 있음.

　　가. 9월 이사회 승인후 북한의 협정서명

　　나. 협정 발효를 위한 북한의 국내 비준조치

　　다. 협정발효후 90일이내 협정규정의 시행방법 및

　　　　사찰대상을 구체적으로 수록한 보조약정서 체결

　　라. IAEA 사찰관 임명에 대한 북한의 동의

4. 북한은 9월 IAEA 이사회에서 협정안이 승인된 후 일단 서명할 것으로 보이나 서명후 발효조치는 미국 및 일본과의 관계 개선을 위한 지렛대로 활용할 가능성이 농후한것으로 보임.　또한

/계속...

0151

북한은 협정 발효를 주한 미군의 핵무기 철수와 연계시키는 대외

선전활동을 강화할것으로 보임.　　　　　끝.

예고 : 91.12.31 일반

수신처 : 별첨 배포선 참조

일반문서로 재분류(1991. 12. 31.)

0152

배   포   선

1. 주중국대사
2. 주홍콩총영사
3. 주태국대사
4. 주말련대사
5. 주싱가폴대사
6. 주부르나이대사
7. 주파키스탄대사
8. 주방글라데시대사
9. 주스리랑카대사
10. 주미얀마대사
11. 주네팔대사
12. 주뉴질랜드대사
13. 주휘지대사
14. 주파푸아뉴기니대사
15. 주몽골대사
16. 주멕시코대사
17. 주콜롬비아대사
18. 주과테말라대사
19. 주에쿠아돌대사
20. 주코스타리카대사
21. 주파나마대사
22. 주자메이카대사
23. 주도미니카대사
24. 주하이티대사
25. 주트리니다드 토바고 대사
26. 주수리남대사
27. 주페루대사
28. 파라과이대사
29. 주볼리비아대사
30. 주엘살바돌대사
31. 주노르웨이대사
32. 주덴마크대사
33. 주핀랜드대사
34. 주네델란드대사
35. 주스위스대사
36. 주스페인대사
37. 주희랍대사
38. 주터키대사
39. 주아일랜드대사
40. 주구주공동체
41. 주헝가리대사
42. 주유고대사
43. 주루마니아대사
44. 주불가리아대사
45. 주쿠웨이트대사
46. 주요르단대사
47. 주바레인대사
48. 주오만대사
49. 주카타르대사
50. 주아랍에미리트대사
51. 주예멘대사
52. 주리비아대사
53. 주알제리대사
54. 주모리타니아대사
55. 주수단대사
56. 주레바논대사
57. 주이디오피아대사
58. 주케냐대사
59. 주우간다대사
60. 주세네갈대사
61. 주코트디브와르대사
62. 주씨에라리온대사
63. 주자이르대사
64. 주가봉대사
65. 주가나대사
66. 주말라위대사
67. 주스와질랜드대사
68. 주모리셔스대사
69. 주나미비아대사
70. 주잠비아대사

0153

분류기호 문서번호	국기 20332-	기안용지 (전화 : 720-4050)	시 행 상 특별취급	
보존기간	영구.준영구 10. 5. 3. 1.	장 관		
수 신 처 보존기간		27099		
시행일자	1991. 7. 19.			

보 조 기 관	국 장	전결	협 조 기 관		문서통제
	심의관	(서명)			(도장) 1991. 7. 20
	과 장	(서명)			
기안책임자		김 희 택			발 송 인

경 유			발 신 명 의		(도장) 발송 1991. 7. 20
수 신	주오스트리아 대사			국제기구조약국장	
참 조					

제 목	한국 - IAEA간 핵안전조치 협정 국문본

대 : AVW - 0921

대호관련, 아국과 IAEA와의 핵안전조치협정 국문본 정본의

사본을 별첨과 같이 송부합니다.

첨부 : 상기자료 1부.   끝.

0154

한국, IAEA간 핵안전조치 협정(전문과 98조로 구성)

가. 체결 경위

    o 우리나라는 1975.4 핵무기 비확산조약(NPT) 가입후 동조약 제3조에 의거
       1975.11 안전조치협정 체결

    o 핵 비보유 NPT 가입 국가에 해당되는 IAEA 문서 INFCIRC/153 내용에 따라
       안전조치협정을 체결, 세부적인 절차는 1976.2 체결한 동 협정의 보조
       약정(Subsidiary Agreement)에 규정되어 있음

나. 안전조치 협정의 주요내용

    (1) 안전조치 대상 핵물질 및 시설 (전문 및 제98조)

       o 핵물질 : 플루토늄, 우라늄, 토리움등

       o 핵시설 : 원자로, 전환공장, 가공공장, 재처리 공장등으로서 정량
                  1Kg이상의 핵물질이 통상 사용되는 장소

    (2) 안전조치 적용 및 이행 기본원칙(제1조-제10조)

       o 핵 비확산의 검증만을 목적으로 안전조치 수행

        - 평화적 핵 활동에 대한 부당한 간섭 배제

       o 해당국은 안전조치 대상 핵물질 및 시설에 대한 최소한의 필요 정보
        제공

    (3) 국가 핵물질 안전조치 체제 확립(제31조,제32조)

       o 각 당사국별로 안전조치 수단 확립과 이를 위한 관련 규정재정 및
        운영

        - 핵물질의 인수, 생산, 선적, 이전량 및 재고량 측정

        - 측정의 정확성, 정밀도 및 불확실성 평가

        - 물자 재고목록 작성 절차등

    (4) 핵물질에 대한 기록유지 및 보고(제51조-제69조)

       o 기록 유지의 대상, 국제적 측정기준 및 보관기관(최소5년)설정

       o 계량기록 및 작업기록에 포함시켜야할 사항 선정

       o 핵물질 계량 기록 보고(계량, 특별 및 추가 보고서등)

0155

(5) 핵시설 설계에 대한 정보(제42조-제50조)

  o 검증의 편의를 위해 안전조치 관계시설 및 핵 물질 형태의 확인

  o 신규시설은 핵물질 반입전 가능한 조속히 보고

  o 설계정보내용

    - 시설의 일반적 특성, 목적, 명목 용량 및 지리적 위치등

    - 핵물질의 형태, 위치 및 유통 현황등

(6) 안전조치의 기점, 종료 및 면제(제11조-제14조, 제33조-제38조)

  o 핵물질의 국내 수입시 부터 안전조치 적용

  o 핵물질의 소모, 희석으로 더 이상 이용 불가능하거나 회수 불가능시 (IAEA와 협의) 또는 당사국 밖으로 핵물질 이전시(IAEA에 사전 통보) 종료

  o 기기 감도 분석으로 이용되는 gm 규모 이하의 특수 분열성 물질은 면제

(7) 핵물질의 국제이동(제91조-제97조)

  o 당사국 밖으로 핵물질 반출시 IAEA에 사전통고

    - 반출 핵 물질의 책임 수령일로 부터 3개월 이내 동 물질의 이전 확인 약정 조치 필요

  o 당사국내로 핵물질 반입시 IAEA에 보고

    - 안전조치 대상 핵 물질 반입시 반입량, 양도지점 및 도착일시등 보고

    - 반입시 수시 사찰 가능

(8) 안전조치 사찰(제70조-제90조)

  가) 사찰종류

    o 수시 사찰(ad hoc inspection)

     - 최초 보고서에 포함된 정보 검증

     - 최초 보고일자 이후에 발생한 상황변화에 대한 검증

     - 핵 물질의 국제이전에 따른 핵물질의 동일성 검사

0156

o 일반 사찰(routine inspection)

  - 핵 안전협정의 내용에 따른 정기사찰

  - 보고서 내용과 기록과의 일치 여부에 대한 통상적 사찰

o 특별사찰(special inspection)

  - 특별 보고서상의 정보를 검증할 필요가 있을 때나 (특별보고서
    는 돌발적인 사고, 상황으로 인한 핵물질 손실 발생시에 협정
    당사국이 IAEA에 제출)

  - 일반 사찰 정보와 당사국 제공 정보가 책임이행에 충분치 못
    하다고 판단되는 경우에 특별사찰

  - 협정 당사국의 동의가 없는 한 특별사찰 실시는 불가능

나) 사찰 범위

  o 계량기록 및 작업기록 검토

  o 안전조치 대상 핵물질의 독자적 측정

  o 핵물질 측정, 통제기기의 기능검정 및 검증

다) 사찰 통고

  o 수시사찰 : 사찰 내용에 따라 최소 24시간 내지 일주일전 통보

  o 일반사찰 :   "   "   "

  o 특별사찰 : 당사국과 IAEA간 사전 협의후 조속한 시일내

다. 보조약정 주요내용

  o 안전조치협정 제39조에 따라 안전조치 적용을 위한 절차와 시행방법을
    명시

  o 한국과 IAEA간 업무연락방법, 제반관계서류 및 작성방법, 행정절차 및
    조치기한등에 관한 규정을 포함하여 한국내의 모든 평화적 핵활동에 적용
    되는 일반사항 규정

  o 한국내 안전조치 대상시설 및 물질수지(material balance)구역별 사찰
    방법, 횟수 및 강도의 IAEA 보고등 구체적인 사항을 명시한 시설부록을
    포함

0157

라. 아국의 안전조치가입 의의 및 중요성

  o 핵안전관련 주요 국제협정 가입

    - 핵무기비확산 조약('75)

    - 한.IAEA 안전조치 협정('75) 및 보조약정('76)

    - 양국간 원자력 협정 및 다자간 안전조치 협정 체결

      : 미국, 불란서, 카나다, 호주등과 양자 협정체결

    - 핵물질의 물리적 방호에 대한 협약 체결(87.2)

  o 조약상 의무사항 준수

    - 핵물질 관련 계획의 통제 및 허가

    - 핵물질 계량관리 및 기록 유지

    - 핵물질 재고 변동 및 보유현황을 IAEA에 정기. 비정기적 보고

    - 검증.확인을 위한 IAEA의 아국 핵 시설 사찰 허용 및 협조

    - 국내 사찰을 통한 독자적 검증 및 확인

  o 원자력의 평화적 이용 확대 및 발전에 기여

    - 핵물질의 효율적 계량관리 및 통제를 위한 사전대책 마련 가능

    - 국가 안전체제의 구축.운영을 통한 원전 핵심기술의 국내이전 촉진 및

      자립계획 조기 완수.

0158

공   란

발 신 전 보

WUS-3309   910719 1845 FN

번   호 : _____   종별 : _____

수   신 : 주 미   대사 ./총영사

발   신 : 장 관 (국기)

제   목 : 북한의 조약 비준 절차

대 : USW-3602

대호 2항 관련, 아래와 같이 회보함.

아래와 같이

1. 북한 헌법상 국제조약의 비준은 주석(김 일성)이 하는것으로 규정되어
   있으며, 조약 비준 절차에 있어서 최고 인민회의의 역할은 규정되어
   있지 않음

2. 북한 헌법 제96조 : "조선 민주주의 인민공화국 주석(President)은
   다른 나라와 맺은 조약을 비준 및 폐기한다."   끝.

(국제기구조약국장   문 동 석)

일반문서로 재분류(1991. 12. 11)

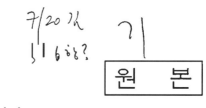

```
관리
번호  91-222
```

외 무 부

종   별 :

번   호 : AVW-0925   일   시 : 91 0719 1130

수   신 : 장 관(국기)

발   신 : 주 오스트리아 대사

제   목 : 북한의 핵안전 협정(안)

연:AVW-0921 및 0919
대:WAV-0773

1. 연호(0921) 4 항에 관련하여, 가장 시간이 오래 걸린 경우는 불가와의 협정으로서 78 년 이사회 승인후 90 년 서명될때 까지 12 년이 소요되었음. 이경우는 핵활동이 없기 때문이었으며 대체로 이사회 승인후 바로 서명되는 것이 관례임.

2. 북한과의 협정 서명장소에 관해서는 7.12-16 기간중 IAEA 사무국과 북한간에 논의된바 없음.

3. 가까운 장래에 IAEA 사무국 당국자가 북한을 방문할 가능성이 있는가하는 본직의 질문에 대하여 WILMSHURST 국장은 금 7.19(금) 오전 (09:30) 현재로서는 그런 계획이 없다고 말하였음.

4. 대호에 관하여(협정안 제 9 조(B)항 후단) WILMSHURST 국장은, 이미 89 년도에 양측이 합의하였다고 확인하였음. 그에 의하면 타국과의 핵안전협정에 이런 조항이 없으나, 북한의 주장("THE AGENCY SHALL RESPECT LEGAL PROCEDURES AND REGULATIONS OF THE DPRK RELEVANT TO SUCH STEPS")에 대하여 사무국이 조건("AS FAR AS COMPATIBLE WITH THE OTHER TERMS OF THIS AGREEMENT")을 붙임으로서 양측이 타협을 본것이라고함.

5. 연호(0919) 2 항의 영문 TEXT 는 표준협정문안이 아니고 사무상 착오로 북한-IAEA 간의 협정문(안)을 타전한 것임을 양지하시고 아래의 것으로 대체바람.

(II)IF..., EITHER UPON PROPOSAL OF A DESIGNATION OR AT ANY OTHER TIME AFTER A DESIGNATION HAS BEEN MADE, OBJECTS TO THE DESIGNATION, THE AGENCY SHALL PROPOSE TO .... AN ALTERNATIVE DESIGNATION OR DESIGNATIONS.

6. 상기 5 항에 관련, 표준협정문(안)과 북한과의 협정문(안)간의 차이는 주절에

국기국   차관   1차보   2차보   미주국   외정실   청와대   안기부

있어서 "THE AGENCY SHALL PROPOSE TO"가 "THE AGENCY SHALL SECURE THE CONSENT OF"로 수정된 것임.

　7. 사무국은 북한과 교섭하여 최종확정한 협정문(안)이 표준협정(안)에 입각하고 있고 이사회의 승인을 받는데 아무런 장애요소가 없다고 함. 끝.

　　예 고:91.12.31 일반.

일반공서류 재분류(19 PI. 12. 11 서)

PAGE 2

0162

IAEA Safeguards 특수은의 분류

A. INF CIRC 66 Model
  (부분 안전 조치 협정)

  북한 앤가통 원자로 적용 → INF CIRC 252

D. INF CIRC 153 Model.
  (전면 안전 조치협정)

  대부분의 국가등 (약 180.3)
  (소련과 → INF CIRC 236 ('975)
  (아르고 → INF CIRC 172 ('972)

대한렌트키
본 사 : 585 - 0801
서대문 : 736 - 0801
서오역 : 752 - 0801

0163

대 한 민 국
주 오 스 트 리 아 대 사 관

오스트리아 20332- 66   1991 . 7 . 19 .

수 신 : 외무부장관   (보존기간 :   )

참 조 : 국제기구 과장, 각기처 원자력실장

제 목 : 북한 - IAEA 간의 핵안전협정(안) 송부 등

　　　　　연 : AVW - 0919

　　　　　연호 관련 자료를 별첨과 같이 송부하오니 참고하시기 바랍니다.

첨부 : 1. 북한 - IAEA 간 핵안전협정(안) 1부.

　　　 2. GOV/INF/276(22 August 1974)　　　1부.

　　　 3. INFCIRC/153 　　1부.

　　　 4. IAEA Press Release(PR 91/23: 16 July 1991) 　　1부. 끝.

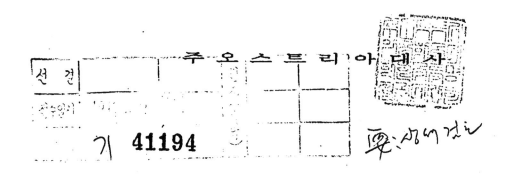

주 오 스 트 리 아 대 사

기 41194   0164

7/23 신

대 한 민 국
주 오스트리아 대사관

오스트리아 20332- 684   1991 . 7 .19 .

수 신 : 장관   (보존기간 :   )

참 조 : 국제기구조약국장

제 목 : 북한대표단의 기자회견문

　　　1.　　IAEA　　- 북한간의 핵안전 협정 (안)을 최종 확정한후 1991.7.16
14:30-15:10 IAEA　　　2층 회의실에서 가진 북한대표단의 기자회견시 배포한
보도자료를 별첨 송부합니다.

　　　2. 협정문(안)에만 합의해 놓고 미국의 핵 위협이 장애라는 이유로 북한이
국내절차를 늦출 것인가의 기자 질문에 대하여, 북한의 장문선은 이번 회담에 임하는
원칙은 IAEA　　와 할 것은 IAEA　　와 하고 미국과 협상을 통해서 할 것은
미국과 한다는 것이기 때문에 모든 문제가 미국과 잘 해결될 것이며 또 해결되길
기대하나, 핵위협이 제거되고 안전에 대한 법적 담보가 있어야 할 것이라고 상기
기자회견시 언급하였다함을 보고합니다.

　　　첨부: 북한의 보도자료 (영문)　끝.

주 오스트리아 대사

선 결			결 재 (공람)		
접수일시	1991. . 2	편호			
처리과	기 : 41196				

0165

북한.IAEA(국제원자력기구) 간의 핵안전조치협정 체결, 1991-92. 전15권 (V.5 1991.7월) **171**

INTERVIEW

Negotiation Delegation of the Democratic People's Republic
of Korea

16 July 1991, Vienna, Austria

The Negotiation Delegation of the Democratic People's Republic of Korea visited the International Atomic Energy Agency and met with the officials of the Agency for working-level negotiations on the Draft of the safeguards agreement.

At the June Meeting of the IAEA Board of Governors, we have agreed with the Draft of the safeguards agreement proposed by the IAEA and set forth progressive proposals to resume negotiations with the Agency in mid-July for adjusting wordings of the Draft text. The Agency has agreed with our proposals which led to the resumption of the negotiations.

The negotiation have attracted attention of many coutries.

The negotiations have been held in an open-hearted atmosphere. At the negotiations, the two sides have completed without any differences the final adjustment of wordings of the Draft safeguards agreement.

The Draft Text of safeguards agreement, as finalized through the negotiations, will be submitted to the September Meeting of the Board of Governors for its consideration.

This is an expression of our sincere efforts to conclude the safeguards agreement.

This result is achieved due to the co-operative efforts exerted by the Secretariat of the Agency.

0166

- 1 -

Consequently the preparatory work for the safeguards agreement between Dem. PR of Korea and the Agency has been finished.

Following the approval of the Draft text by the Board of Governors at its September Meeting, the concluding of the agreement will be done through appropriate procedures.

Our positive measures with regard to the safeguards agreement are motivated by our desire for turning the Korean peninsula into the nuclear-weapon free peace zone, to all intents and purposes, in conformity with the global trends towards detente.

We are prepared to implement our obligations assumed under the Treaty on the Non-Proliferation of Nuclear Weapons. Now, we have finalized the Draft safeguards agreement with the IAEA Secretariat. But this does not mean the solution of the problem which causes great concern to us, namely the US nuclear threat against us.

US nuclear threat on DPRK will be major obstacle not only in the conclusion of the safeguards agreement but also in its implementation.

- 2 -

0167

We are going to resolve this problem through negotiations with the United States.

We sincerely hope that member states of the Treaty on the Non-Proliferation of Nuclear Weapons will fully co-operate with us to resolve nuclear threat problems in their own capacity as member of the Treaty.

The United States must, on all accounts, fulfil its obligations undertaken by the NPT impartially.

The South Korean authorities have jeopardized our nation's right to survive by inviting foreign nuclear weapons into south Korea. The South Korean authorities, who have plunged our nation into the danger of nuclear catastrophe, have lost the right to mention on the implementation of the NPT. If South Korean authorities are truly concerned on implementation of the NPT, they will have, first of all, to demand withdrawal of US nuclear weapons from South Korea in accordance with the just demand of the non-nuclear weapon countries to get rid of nuclear threats.

We can not but point out that Japan turns away from the presence of formidable nuclear arsenals in South Korea but peddles around our safeguards agreement issue. This only confirms that, in its desire to become a military power, Japan is looking for pretext for developing its own nuclear weapons.

My delegation makes it clear that if one tries to press on us with regard to implementation of the NPT it will only lay artificial difficulties on the way of conclusion of safeguards agreement.

We will continue to do all to strengthen the non-proliferation regime on the Korean peninsula in conformity with the lofty objectives of the NPT.

0168

- 3 -

정. 안.

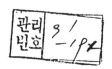

관리
번호 9/-18ㅗ

영국(정) 723-37   1991. 7. 19.

수신 : 장관

참조 : 국제기구조약국장, 외교정책기획실장

제목 : 북한 대표부 서한

        연 : UKW-1463

        연호 G-7 정상회담 선언에서의 한반도 문제 거론과 관련하여, 91.7.11(목)
주불 북한대표부 대사 김형률이 주재국 Hurd 외상과 외무성 H. Davies 극동과장
앞으로 각각 발송한 서한 2부 및 첨부물 (한반도 핵문제에 관한 북한의 입장) 사본을
별첨 송부합니다.

첨부 : 1. 서한사본 2부.

       2. 핵문제에 관한 북한입장 설명서 사본 1부. 끝.

                                                접수
                                                1991. 7. 23
                                                주 영국
                                                대사관

검 토 필 (1991. 12. 31.)

1991. 12. 31. 에 예고문에
의거 일반문서로 재 분류됨.

예고 : 91.12.31. 일반

                주   영   대

전 과			결 재 (공 람)	
접수일시 1991. 7. 25	번호	294		
처 리 과				

공 람	안 보 정 책 과	년 월 일	담 당	과 장	심 의 관	실 장	차관보	차 관	장 관
					V2				

0169

*Délégation Générale
de la République Populaire Démocratique
de Corée en France*

Paris, 11th July 1991

Mr. H. Davies
Head of Far Eastern Department
Foreign and Commonwealth Office
Kingcharles St.
London SW1A 2AH

Dear Mr. Davies,

I write this letter to you to draw your attention to the nuclear issue in Korea, of which the press talks often with the approach of the London summit of 7 industrialized nations to be held on July 15-17.

The United States and Japan intend to raise that issue at the summit and include a "resolution urging the D.P.R.K. to unconditionally accept the nuclear inspection" in the political declaration of the G 7 meeting, thereby making the process of signing the Nuclear Safeguards Accord much more complicated. It is obvious that such a move will only foil the ongoing discussion between the D.P.R. of Korea and the International Atomic Energy Agency in this regard. I enclose herewith a note on the principled stand we have taken towards this question.

I hope you will pay deep attention to the negative effect which such a debate at the London summit will produce on an early solution to the nuclear issue in Korea.

With best wishes, I remain,

Yours sicnerely,

Kim Hyong Ryul
Ambassador

0170

104, Boulevard Bineau, 92200 Neuilly-sur-Seine
Tel. (33-1) 47 45 17 97 - Telex 615 021 F - Telecopie (33-1) 47 38 12 50

Délégation Générale
de la République Populaire Démocratique
de Corée en France

Paris, 11th July 1991

H.E. Mr. Douglas Hurd
Secretary of State for Foreign
and Commonwealth Affairs
Kingcharles St.
London SW1A 2AH

Esteemed Your Excellency Secretary of State,

I write this letter to Your Excellency to draw your attention to the nuclear issue in Korea, of which the press talks often with the approach of the London summit of 7 industrialized nations to be held on July 15-17.

The United States and Japan intend to raise that issue at the summit and include a "resolution urging the D.P.R.K. to unconditionally accept the nuclear inspection" in the political declaration of the G 7 meeting, thereby making the process of signing the Nuclear Safeguards Accord much more complicated. It is obvious that such a move will only foil the ongoing discussion between the D.P.R. of Korea and the International Atomic Energy Agency in this regard. I enclose herewith a note on the principled stand we have taken towards this question.

I hope Yours Excellency will pay deep attention to the negative effect which such a debate at the London summit will produce on an early solution to the nuclear issue in Korea.

With best wishes, I remain,

Yours sicnerely,

Kim Hyong Ryul
Ambassador

0171

104, Boulevard Bineau, 92200 Neuilly-sur-Seine
Tél. (33-1) 47 45 17 37 - Telex 615 021 F - Télécopie (33-1) 47 38 12 50

On the Nuclear Issue in Korea

The Democratic People's Republic of Korea is a peace-loving country which has taken a consistent anti-nuclear policy and stand. The Government of the D.P.R. of Korea has regarded it as its noble mission and responsibility before the times and history to prevent a nuclear war and save mankind from a nuclear threat, resolutely opposed the testing, production, stockpile and use of nuclear weapons and insisted on their complete dismantlement.

In particular, the D.P.R.K. joined the Nuclear Non-Proliferation Treaty (N.P.T.) in December 1985 with a view to removing the nuclear threat to the Korean people and turning the Korean peninsula into a nuclear-free zone and has exerted sincere efforts in accordance with its ideal to eliminate the danger of a nuclear war and guarantee a lasting peace on the Korean peninsula. Well-known to the world are such proposals as those on conversion of the Korean peninsula into a nuclear-free, peace zone, phased reduction of armed forces of the north and south and withdrawal of the foreign troops and nuclear weapons from south Korea.

The N.P.T. whose main ideal and mission are to prevent a nuclear war and defend the security of humanity from a nuclear threat has stipulated for the norms of action of its member states. As a nuclear threat was created with the production of nuclear weapons and the source of a nuclear war lies in the existence of nuclear weapons, the treaty has entrusted the nuclear powers with more and heavier duties than non-nuclear states.

But the United States, instead of performing its duties under the NPT, has deployed over 1,000 nuclear weapons in south Korea and turned it into its biggest nuclear forward base. It increases a nuclear threat to the D.P.R.K. by staging "Team Spirit" and other nuclear war exercises.

To divert the attention of the world public from a US nuclear threat in Korea, the United States talks often of the "nuclear inspection" of the north. As for the Nuclear Safeguards Accord (N.S.A.) it is a consistent stand of the Government of the D.P.R.K. to sign it at an early date and we have stated time and again that we do not have the intention nor the capability to produce nuclear weapons.

It was already before the June Council Meeting of the International Atomic Energy Agency (IAEA) held on June 10-14 in Vienna that the D.P.R.K. Government had notified the IAEA that it agreed to the content of the standard document of the NSA and wanted to have a businesslike discussion with the IAEA to complete it. The Director General of the IAEA fully reflected it in his report and informed the participants of it at the meeting. At the meeting the Korean delegate declared that a delegation of Korean specialists would discuss it with the IAEA in mid-July for a final adjustment of phrases of the text of the NSA without a change of its essential content and that the D.P.R.K. agree to submitting the document for the deliberation of the September Council meeting. This step proceeded from the sincere desire of the D.P.R.K. to remove the US nuclear threat at any cost and make the Korean peninsula nuclear-free and peaceful, keeping pace with the global trend towards detente. We hope the United States, nuclear power, will also discharge its obligations under the N.P.T. in conformity with this progressive step of ours.

0172

Far from taking measures to remove the nuclear threat from the southern part of Korea, however, the United States hinders the sincere efforts of the D.P.R.K. for a fair solution to the nuclear issue in Korea by taking issue with the unilateral "nuclear inspection" of the north. These days the United States and Japan are trying to adopt a document for collective pressure on the D.P.R. of Korea over the "nuclear inspection" problem at the summit of 7 industrialized nations scheduled for July 15-17 in London.

The United States is now engaged in busy lobbying to include a "resolution urging the DPR of Korea to unconditionally accept the nuclear inspection" in the political declaration of the G 7 meeting and Japan joins it in its move. It is obvious that the United States and Japan, having failed to get a "joint declaration" adopted at the June Council Meeting of the IAEA for pressuring the DPRK over the signing of the NSA, intend to use the G 7 summit for this purpose.

Such a move of the United States and Japan will only result in making the situation more complicated and hampering the process of signing the NSA. It is crystal-clear that the question of signing the NSA cannot be solved with recourse to such an unfair pressure. In fact, this is not an issue to be dealt with at the London summit. It should be settled through negotiations between the DPR of Korea and the IAEA, between the DPRK and the United States and such negotiations are already under way between themselves.

Should the London summit include an unfair "resolution" for international pressure on the DPRK over the unilateral "nuclear inspection" in its final declaration in compliance with the demand of the United States and Japan, it would have a direct bearing on the working-level discussion between the DPRK and the IAEA for the conclusion of the NSA scheduled for the middle of this month. If the United States does not take measures to withdraw its nuclear weapons from south Korea but schemes to impose the unilateral "nuclear inspection" on the D.P.R.K. non-nuclear state, by raising the issue at the summit, it cannot but withdraw the affirmative step it has already taken in regard to the signing of the NSA.

0173

공   란

공   란

공 란

발 신 전 보

	분류번호	보존기간

번   호 : WUS-3360   910723 1340   BU

종별 : 암호송신

WAU -0536   WUN -1960
WGV -0936   WCN -0988
WAV -0790

수   신 : 주 _____ 수신처참조 _____ 대사. 총영사

발   신 : 장   관 (국기)

제   목 : 북한의 핵안전협정문안 합의 자료

　　　　북한측 대표단이 91.7.16. IAEA 사무국과 핵안전조치협정 표준문안에 합의후

가진 기자회견시 배포한 인터뷰 자료를 별첨 FAX 송신하니 귀관 업무에 참고 바람.

　　첨   부 : 상기 FAX 3매.

　　수신처 : 주미, 호주, 유엔, 제네바, 카나다, 오스트리아 대사

　　　　　　　　　　　　　　　　　(국제기구조약국장   문 동 석)

	보 안 통 제	Sp

앙 고 재	91년 7월 23일	국제기구과	기안자 성명 신종영		과 장	심의관	국 장		차 관	장 관	외신과통제

0177

공   란

공 란

공   란

공   란

핵확산 방지조약(NPT)에 의한 핵 안전조치협정체결 과정

① 협정안 합의, 가서명
↓
② IAEA 이사회의 승인
↓
③ 협정서명
↓
④ 당사국의 비준
↓
⑤ 협정의 발효   (NPT 가입후 18개월 이내)
↓

⑥ 당사국은 사찰대상이 될 모든 핵물질에 대한 보고서를

   IAEA에 제출(최초 보고)   (협정발효후 30일 이내)
↓
⑦ IAEA에 의한 보고내용 확인(수시사찰)
↓
⑧ 당사국이 기존 핵관련 시설에 대한 설계정보를 IAEA에 제출
↓
⑨ IAEA에 의한 설계정보 확인
↓
⑩ 보조 약정서 작성. 발효   (협정발효후 90일 이내)

↓

(일반 사찰 실시)

0182

북한 - IAEA간 핵안전협정체결 교섭 경위

91.7.23.
국제기구과

o 85.12   북한, 핵비확산조약(NPT) 가입

o 86.2   IAEA 사무국, 북한측에 협정초안 전달

               - IAEA 사무국은 착오로 NPT 비당사국과 체결하는 협정초안을
                 북한측에 전달

o 87.6.2   북한, 상기 협정초안을 거부한다고 IAEA에 통보

o 87.6.5   IAEA 사무국, NPT 당사국과 체결하는 표준 협정안을 북한측에 재 송부

o 89.9.6   북한, 상기 표준 협정안 검토후 하기 제의 포함한 정치적 및 기술적
               논평을 IAEA에 제시

               - 협정 전문(preamble)에 협정의 시행, 효력 지속 기간을 핵 보유국의
                 태도에 연결한다는 내용을 삽입
               - 제26조 효력조항에 협정의 효력지속을 정치적 문제와 연결, 즉
                 상황에 따라 효력 정지를 가능케하는 단서조항 추가

o 89.9.21   IAEA, 북한의 논평이 표준 협정안의 기본조항으로부터 일탈하기 때문에
               수락불가 하다는 입장통보

o 89.10.17   IAEA 조사단 북한 방문, 북한입장 타진시 북한은 IAEA의 상기 반응
  -23   (response)을 연구중이라고만 표명

o 89.12.11   북한 법률전문가 비엔나 방문, 북한과 IAEA간 표준협정안에 대한
  -14   정식 교섭 개시하였으나, 북한이 아래 입장을 고수, 이견을 노정
               - 협정의 효력발생 및 지속기간을 한반도의 핵무기 철거와 연계
               - IAEA에 대한 정보제공 대상을 핵물질로 한정하고 핵시설은 제외

0183

o 90.1.15 　 비엔나에서 속개된 2차 교섭에서 북한은 기술적사항에 관해서는 IAEA
　　　　　　 입장을 모두 수락하였으나, 표준 협정안의 효력조항(제26조)에 "한반도
　　　　　　 로부터 핵무기가 철거되지 않고 북한에 대한 핵위협이 계속될 경우,
　　　　　　 협정의 효력을 정지시킬 수 있다"는 유보조항 삽입 요구

o 90.6.14 　 북한은 IAEA 이사회에서 미국의 북한에 대한 명시적 핵선제 불사용을
　　　　　　 보장할 것을 요구

o 90.7.10 　 북한은 비엔나에서 IAEA와 협정체결에 관한 제3차 교섭 전개
　 -12 　　　 - 북한은 핵안전협정에 조건없이 즉시 서명하고, NPT 제4차 평가회의
　　　　　　　 (90.8) 이전에 IAEA 특별 이사회를 소집, 동협정을 상정할 준비가
　　　　　　　 되어있다고 언급
　　　　　　 - 그러나, 북한은 미국의 핵선제불사용보장(NSA)을 받기 위해 미국과의
　　　　　　　 직접협상을 제의하고 미측 수락을 요구

o 90.8.20 　 미국측이 북한에 대한 특별한 NSA 보장은 불가하다는 입장을 분명히
　 -9.14 　　 하자, 북한은 협정체결 전제조건으로서 한반도 핵무기 철수 및 비
　　　　　　 핵지대화 제안등 종래입장을 반복 주장

o 90.11.2 　 IAEA 사무총장은 북한과 IAEA는 협정초안에는 합의하였으나, 북한이
　　　　　　 요구하고 있는 NSA 보장 문제는 미-북한간 문제로서 IAEA가 직접 개입할
　　　　　　 문제가 아니라고 언급

o 91.5.28 　 주 비엔나 북한대사, IAEA 사무총장에게 협정 체결 교섭재개 제의
　　　　　　 (서한 전달)

o 91.6.7 　　 북한 순회대사 진충국, IAEA 사무총장에게 협정서명의사 통보
　　　　　　 - 91.7.10-15간 전문가 회의 개최, 협정의 본질 내용을 수정함이 없이
　　　　　　　 문안 최종 확정제의
　　　　　　 - 확정된 협정안은 IAEA 9월 이사회에서 승인후 북한 서명 제의

0184

o 91.7.12   북한-IAEA간 핵안전조치협정 문안 협의 전문가 회의
  -16
        - 북한은 본질내용의 수정없이 IAEA 표준 문안대로 협정문안에 동의

        - 북한은 그간의 협정체결 전제조건인 제26조 단서(북한에 대한 핵
          위협시 협정효력정지) 조항 삽입주장 포기

        - 북한측은 문안 합의후 "미국의 핵 위협은 북한의 협정체결 및 이행에
          있어 주요한 장애가 될것"이라는 종전입장 반복

0185

북한-IAEA간 합의 협정문안 내용 검토

91.7.24.
국제기구과

(천안)

1. 안전조치협정 표준문안(INFCIRC/153)과 상이점

　가. IAEA 사찰관 임명 조항(제9조)

　　(1) 9조(a)-(ⅱ) 수정내용

　　　o "..., the Agency shall <u>propose to</u> the DPRK an alternative des-
　　　　ignation... 를 "..., the Agency shall <u>secure the consent of</u> the
　　　　DPRK ...."로 수정

　　　o 북한측 요청에 따라 수정된것으로 북한측이 사전 임명 동의를 강조한
　　　　느낌이 드나 본질적 내용을 바꾼 수정은 아님

　　(2) 제9조(b). 추가내용

　　　o "..... The Agency shall, <u>as far as compatible with the other ter-</u>
　　　　<u>ms of this Agreement</u> , respect legal procedures and regulations
　　　　of the DPRK relevant to such steps."

　　　o 북한측 주장에 따라 "사찰관의 임무수행에 있어 북한의 국내법규를
　　　　존중한다"는 상기규정을 추가함으로써 북한이 동 규정을 사찰관 활동
　　　　제한에 악용할 소지가 있음
　　　　- 타국과 체결한 안전협정에는 이러한 조항이 없음
　　　　- 이와관련, IAEA는 동 조항에 "국내법규가 안전협정의 어따 규정
　　　　　내용과 양립할 수 있는 한..."이라는 단서를 붙임

－ 1 －

나. 협정의 수정조항(제24조)

    o 표준 문안상의 제24조(d)항 "Amendments to Part Ⅱ of this agreement may, if convenient to..., be achieved by recourse to a simplified procedure."을 생략

    * 표준문안상에는 "안전협정 Part Ⅰ(1조-26조, 원칙적내용)의 수정은 협정자체의 발효절차와 같은 조건으로 효력을 발생(24조 c항)하고, Part Ⅱ(27조-98조, 기술적 내용)의 수정은 단순화된 절차에 의해 이루어질 수 있다(동 d항)"고 규정

    o 따라서 북한은 협정의 모든 조항(1조-98조)의 수정을 위해서는 협정발효와 같은 국내 비준절차를 밟도록 함으로써 <u>수정자체를 필요에 따라 어렵게 만들려는 의도</u>로 분석

2. 표준문안상의 선택 가능조항중 북한이 선택한 내용

가. 특권 및 면제조항(제10조)

    o 10조 선택안

    (A)안

    "... shall apply to the Agency ... the relevant provisions of the Agreement on the Privileges and Immunities of the IAEA."

    (B)안

    "... shall accord to the Agency ... the same privileges and immun- ities...... of the IAEA."

    o 북한은 (B)안을 선택, 실질적인 내용상 차이는 없음
     - 아국은 (A)안 선택

- 2 -

나. 재정 부담 조항(제15조)

o 15조 선택안

(A)안

"... and the Agency will bear the expenses incurred by them in imple-
menting their respective responsibilities under this Agreement."

(B)안

"... shall fully reimburse to the Agency the safeguards expenses
which the Agency incurs under this Agreement."

o 북한은 (B)안을 선택, 재정부담을 IAEA와 공동부담하는 것으로 합의

- 아국도 (B)안 선택

다. 효력발생조항(제25조)

o 25조 선택안

(A)안

"This Agreement shall enter into force on the date upon which the
Agency receives from ..., written notification that ....'s statutory
8and constitutional requirements for entry into force have been met."

(B)안

"....... enter into force upon signature by the representatives of....
and the Agency."

o 북한은 (B)안을 선택, 상당시간을 끌어 국내비준 완료후 협정을 발효시킬
것으로 예상

- 아국도 (B)안 선택

- 3 -

3. 아국 체결 협정문안 내용과 북한의 합의 문안과의 차이점

    o 아국이 75.10. IAEA와 체결한 협정문안과 91.7. 북한이 IAEA와 합의한 문안은
      같은 표준문안(INFCIRC/153)으로 상기1항의 북한측 수정.추가 내용을 제외
      하고는 거의 같음

    o 단, " <u>다른 협정에 따른 IAEA 안전조치적용정지 조항</u> "(제23조)후반에 아래
      내용이 아국 체결 문안에 비해 더 있음.(원 표준문안상에는 존재)

      - If the DPRK has received assistance from the Agency for a project,
        <u>the DPRK's undertaking</u> in the Project Agreement <u>not to use items</u>
        which are <u>subject thereto</u> in such a way as to further <u>any military</u>
        <u>purpose shall continue to apply</u> ."

      - 1975년 아국-IAEA간 협정문안교섭시 IAEA가 상기 내용을 포함시키지 않은
        것은 아국이 IAEA로 부터 지원받는 핵 사업(Projcet)이 없고, IAEA가 아국
        을 핵 개발 위험국가로 보고있지 않는 데서 비롯.   끝.

- 4 -

0189

북한-IAEA간 합의 협정문안 내용 검토

91.7.24.
국제기구과

1. 안전조치협정 표준문안(INFCIRC/153)과 상이점

가. IAEA 사찰관 임명 조항(제9조)

(1) 9조(a)-(ii) 수정내용

o "..., the Agency shall <u>propose to</u> the DPRK an alternative des-
ignation... 를 "..., the Agency shall <u>secure the consent of</u> the
DPRK ...."로 수정

o 북한측 요청에 따라 수정된것으로 북한측이 사전 임명 동의를 강조한
느낌이 드나 본질적 내용을 바꾼 수정은 아님

(2) 제9조(b). 추가내용

o "..... The Agency shall, <u>as far as compatible with the other ter</u>-
<u>ms of this Agreement</u> , respect legal procedures and regulations
of the DPRK relevant to such steps."

o 북한측 주장에 따라 "사찰관의 임무수행에 있어 북한의 국내법규를
존중한다"는 상기규정을 추가함으로써 <u>북한이 동 규정을 사찰관 활동</u>
<u>제한에 악용할 소지</u>가 있음
  - 타국과 체결한 안전협정에는 이러한 조항이 없음
  - 이와관련, IAEA는 동 조항에 "국내법규가 안전협정의 여타 규정
    내용과 양립할 수 있는 한..."이라는 단서를 붙임

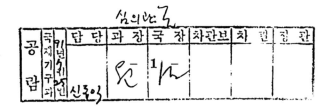

0190

나. 협정의 수정조항(제24조)

    o 표준 문안상의 제24조(d)항 "Amendments to Part II of this agreement may, if convenient to..., be achieved by recourse to a simplified procedure."을 생략

    * 표준문안상에는 "안전협정 Part I (1조-26조, 원칙적내용)의 수정은 협정자체의 발효절차와 같은 조건으로 효력을 발생(24조 c항)하고, Part II (27조-98조, 기술적 내용)의 수정은 단순화된 절차에 의해 이루어질 수 있다(동 d항)"고 규정

    o 따라서 북한은 협정의 모든 조항(1조-98조)의 수정을 위해서는 협정발효와 같은 국내 비준절차를 밟도록 함으로써 <u>수정자체를 필요에 따라 어렵게 만들려는 의도</u>로 분석

2. 표준문안상의 선택 가능조항중 북한이 선택한 내용

가. 특권 및 면제조항(제10조)

    o 10조 선택안

    <u>(A)안</u>

    "... shall apply to the Agency ... the relevant provisions of the Agreement on the Privileges and Immunities of the IAEA."

    <u>(B)안</u>

    "... shall accord to the Agency ... the same privileges and immun-ities...... of the IAEA."

    o 북한은 (B)안을 선택, 실질적인 내용상 차이는 없음
    - 아국은 (A)안 선택

- 2 -

0191

나. 재정 부담 조항(제15조)

　　o 15조 선택안

　　　(A)안

　　　"... and the Agency will bear the expenses incurred by them in imple-
　　　menting their respective responsibilities under this Agreement."

　　　(B)안

　　　"... shall fully reimburse to the Agency the safeguards expenses
　　　which the Agency incurs under this Agreement."

　　o 북한은 (B)안을 선택, 재정부담을 IAEA와 공동부담하는 것으로 합의
　　　- 아국도 (B)안 선택

다. 효력발생조항(제25조)

　　o 25조 선택안

　　　(A)안

　　　"This Agreement shall enter into force on the date upon which the
　　　Agency receives from ..., written notification that ....'s statutory
　　　and constitutional requirements for entry into force have been met."

　　　(B)안

　　　"....... enter into force upon signature by the representatives of....
　　　and the Agency."

　　o 북한은 (A)안을 선택, 상당시간을 끌어 국내비준 완료후 협정을 발효시킬
　　　것으로 예상
　　　- 아국도 (A)안 선택

- 3 -

0192

3. 아국 체결 협정문안 내용과 북한의 합의 문안과의 차이점

  o 아국이 75.10. IAEA와 체결한 협정문안과 91.7. 북한이 IAEA와 합의한 문안은
    같은 표준문안(INFCIRC/153)으로 상기1항의 북한측 수정.추가 내용을 제외
    하고는 거의 같음

  o 단, " 다른 협정에 따른 IAEA 안전조치적용정지 조항 "(제23조)후반에 아래
    내용이 아국 체결 문안에 비해 더 있음.(원 표준문안상에는 존재)

    - If the DPRK has received assistance from the Agency for a project,
      the DPRK's undertaking in the Project Agreement not to use items
      which are subject thereto in such a way as to further any military
      purpose shall continue to apply ."

    - 1975년 아국-IAEA간 협정문안교섭시 IAEA가 상기 내용을 포함시키지 않은
      것은 아국이 IAEA로 부터 지원받는 핵 사업(Projcet)이 없고, IAEA가 아국
      을 핵 개발 위험국가로 보고있지 않는 데서 비롯.   끝.

- 4 -

0193

공   란

공 란

외 무 부

번 호: WUSF-0503 910723 1502 FG

년월일:

시간:

WAUF-0028   WUNF-0118
WGVF-0181   WCNF-0061
WAVF-0056

수 신: 주   대사(총영사)

발 신: 외무부장관(   )

제 목: 정부율

총   매 (표지포함)

보 안	
통 제	

외신과	
통 제	

0196

I N T E R V I E W

Negotiation Delegation of the Democratic People's Republic
of Korea

16 July 1991, Vienna, Austria

The Negotiation Delegation of the Democratic People's
Republic of Korea visited the International Atomic Energy
Agency and met with the officials of the Agency for working-
level negotiations on the Draft of the safeguards agreement.

At the June Meeting of the IAEA Board of Governors,
we have agreed with the Draft of the safeguards agreement
proposed by the IAEA and set forth progressive proposals to
resume negotiations with the Agency in mid-July for adjusting
wordings of the Draft text. The Agency has agreed with our
proposals which led to the resumption of the negotiations.

The negotiation have attracted attention of many
coutries.

The negotiations have been held in an open-hearted
atmosphere. At the negotiations, the two sides have comple-
ted without any differences the final adjustment of wordings
of the Draft safeguards agreement.

The Draft Text of safeguards agreement, as finalized
through the negotiations, will be submitted to the September
Meeting of the Board of Governors for its consideration.

This is an expression of our sincere efforts to con-
clude the safeguards agreement.

This result is achieved due to the co-operative
efforts exerted by the Secretariat of the Agency.

- 1 -

0197

Consequently the preparatory work for the safeguards agreement between Dem. PR of Korea and the Agency has been finished.

Following the approval of the Draft text by the Board of Governors at its September Meeting, the concluding of the agreement will be done through appropriate procedures.

Our positive measures with regard to the safeguards agreement are motivated by our desire for turning the Korean peninsula into the nuclear-weapon free peace zone, to all intents and purposes, in conformity with the global trends towards detente.

We are prepared to implement our obligations assumed under the Treaty on the Non-Proliferation of Nuclear Weapons. Now, we have finalized the Draft safeguards agreement with the IAEA Secretariat. But this does not mean the solution of the problem which causes great concern to us, namely the US nuclear threat against us.

US nuclear threat on DPRK will be major obstacle not only in the conclusion of the safeguards agreement but also in its implementation.

- 2 -

0198

We are going to resolve this problem through negotiations with the United States.

We sincerely hope that member states of the Treaty on the Non-Proliferation of Nuclear Weapons will fully co-operate with us to resolve nuclear threat problems in their own capacity as member of the Treaty.

The United States must, on all accounts, fulfil its obligations undertaken by the NPT impartially.

The South Korean authorities have jeopardized our nation's right to survive by inviting foreign nuclear weapons into south Korea. The South Korean authorities, who have plunged our nation into the danger of nuclear catastrophe, have lost the right to mention on the implementation of the NPT. If South Korean authorities are truly concerned on implementation of the NPT, they will have, first of all, to demand withdrawal of US nuclear weapons from South Korea in accordance with the just demand of the non-nuclear weapon countries to get rid of nuclear threats.

We can not but point out that Japan turns away from the presence of formidable nuclear arsenals in South Korea but peddles around our safeguards agreement issue. This only confirms that, in its desire to become a military power, Japan is looking for pretext for developing its own nuclear weapons.

My delegation makes it clear that if one tries to press on us with regard to implementation of the NPT it will only lay artificial difficulties on the way of conclusion of safeguards agreement.

We will continue to do all to strengthen the non-proliferation regime on the Korean peninsula in conformity with the lofty objectives of the NPT.

- 3 -

0199

발 신 전 보

번   호 : WAV-0799   910725 1930 FQ 종별 : _____

　　　　　　　　　　　　　　　　　　　　　　　WAU -0549   WUS -3411

수   신 : 주 수신처참조 대사.총영사

발   신 : 장 관 (국기)

제   목 : 북한의 핵 안전협정관련 보도

　　　　김일성이 방북중인 일본 의원단에게 핵 안전협정을 서명하겠다는 등의 언급을

하였다는 7.25(목)자 국내신문 보도와 이에관한 정부당국자 논평을 별항 Fax 송신

하니 참고바람.   관련 보도를

별 항 : Fax 2매.　　　　　끝.

　　　　　　　　　　　　　　　　　　　(국제기구조약국장　문 동 석)

수신처 : 주오스트리아, 호주, 미국대사

WAU(P) 19, WAU(F)-23, 세IS(12)-5/5

(서울=聯合) 정부의 한 고위당국자는 25일 北韓 金日成주석이 방북 일본의원단에게 행한 발언과 관련, "핵사찰 수용의사를 분명히 하고 현실정책을 펴나가겠다고 밝힌 것은 주목할만하다"고 말하고 "이는 北韓이 현실인정의 바탕위에서 유연한 정책을 펴나가겠다는 의지를 나타내는 것으로 볼수 있다"고 밝혔다.

이 당국자는 "그러나 金주석이 사회주의체제 고수입장을 거듭 확인한 것 등으로 미루어볼때 北韓이 당장 급격한 변화를 모색하지는 않을 것으로 관측된다"고 말하고 "동구의 민주화를 인정한다고 밝힌 것도 동구의 변화를 사실인정하는 것일뿐 그같은 과정을 수용하겠다는 뜻은 아닌 것으로 보인다"고 덧붙였다.

이 당국자는 이어 金주석이 다음달 平壤에서 열리는 제4차 고위급에서 불가침선언과 3通협정의 절충가능성을 시사한데 대해 "그의 발언은 3차회담에서 북한측이 제시한 기존의 방안을 거듭 주장하고 있는데 지나지 않는 것으로 보인다"고 분석하고 "중요한 점은 북한이 3通협정에 대한 우리측 제안을 구체적으로 어느정도 수용하느냐 하는 것"이라고 말했다.(끝)

91. 7. 25 (목), 연합

金日成주석 日의원단접견 發言요지

△일반=우리나라도 지구상의 일개 국가이다. 따라서 지구의 움직임과 더불어 행동해 나간다. 그러나 한가지만은 지켜나갈 것이 사회주의의 기치이다.

△南北韓관계=北의 불가침 제안과 南의 3통(통신 통상 통행)제안을 합쳐 불가침 화해 협력안이라면 쌍방 모두 일치할 수 있는 것이 아닌가. 南의 총리가 바꾸어서 무언가 새로운 안을 가지고 올 것이다. 韓美합동군 사훈련인 「팀스피리트」의 중지 文益煥목사의 석방등에 대해 南이 취하지 않은 것은 이상하다.

△北韓·日관계=우리는 日本의 정책을 지지한다. 왜냐하면 거기에는 국민의 지지가 있기때문이다. 똑같이

조선에 대해서도 이야기할수 있다 우리 리틀이 하고 있는 것을 지지해주기 바란다. 각나라에 각기 정책이 있어도 그것은 우호의 장애가 되지 않는 다. 양국 국민의 원한바에 따르고 있는 한국교는 즉시에 수립될수있다고 생각한다.

△北韓·美관계=최근 美國으로부터 北韓을 방문한 사람이 많아졌다. 미국내에도 관계개선을 추진하려고 하는 사람과 이를 말리려고하는 사람이 있다. 양국관계는 내정불간섭, 상호존중 원칙에 따라 청산한다면 잘되리라 생 각 한다. 나라에 大小는 있어도 高低는 없다. 경제에 격차는 있어도 지배하는 국가와 지배당하는 국가가 있어서는 안된다.

(91. 7. 25. 동아)

0201

北韓, 「현실外交」전환

「核사찰」허용 協定에 서명

세계 情勢변화 순응… 사회주의 固守

金日成, 訪北 日의원단에 밝혀

【도쿄=聯合】金日成 북한주석은 북한이 스탈린式 사회주의에서 이탈할 계획이 없으나 현실적인 외교정책을 채택할 준비가 돼 있다고 말한 것으로 日본 교도통신이 24일 보도했다.

金은 이날 함흥시내 극장에서 북한을 방문중인 日·朝우호 촉진연맹대표단(단장 石井一)과 만나 「북한은 세계한 국가이며, 우리는 세계정세변화에 순응해 행동하겠지만 사회주의노선을 계속 유지할 것이라고 강조했다.

金은 이어 北韓·日本관계정상화를 제의하면서 북한은 북한내 핵시설에 대한 국제사찰을 허용하는 협정에 서명할 것이라고 강조했다.

金은 南·北韓총리회담무제에 언급, 南·北韓은 상호 불가침과 화해협력선언을 채택해야 한다는 기존입장을 거듭 강조했다고 이 통신은 말했다.

그는 또 美·北韓관계에 대해 「최근 북한을 방문한 미국인이 늘어나고 있다」고 말하고 「상호 존중, 내정불간섭의 원칙에 따른다면 美국내에도 관계개선을 추진하고 싶어하는 사람과 국관계는 잘 될것으로 생각한다며 미·북한관계개선에 대한 의욕을 내비쳤다.

교도통신은 金日成이 이 말했다고 전했다.

0202

세계일보. 1월 25일(목).

공   란

공 란

공   란

IAEA 핵안전협정의 특별사찰 관련 규정

1. IAEA 핵안전협정의 특별사찰 규정

   가. 특별사찰 근거(제73조)

       o 특별 보고서상의 정보를 확인할 필요가 있을 때

          * 특별보고서는 돌발적인 사고, 상황으로 인한 핵물질 손실 발생시 협정
   당사국이 IAEA에 제출

       o 일반사찰에 의한 정보와 당사국이 제공한 정보가 책임이행에 충분치 못한
   것으로 IAEA가 판단하는 경우

   나. 특별사찰 실시 절차(제77조)

       o 협정당사국과의 사전협의를 요함

2. 특별사찰의 문제점

   o IAEA측으로서는 의혹이 있다고 판단되는 협정 당사국의 핵시설에 대하여
   특별사찰을 실시하고자 하더라도 협정당사국의 동의가 없는 한 불가능
   - 지난 91.5.27 일본 교토 개최 유엔 군축회의에서 가이후 일본수상은 IAEA
   핵사찰제도를 효율화하기 위하여 특별사찰 제도의 강화를 주장

   o 따라서 북한이 핵 안전협정을 체결하더라도 북한의 비공개 원자로와 핵재처리
   시설등은 북한이 자진해서 사찰 대상이 되도록 신고하지 않는한 IAEA가 강제적
   으로 사찰을 실시할 수 없음. 그러나 IAEA는 동시설에 대한 특별사찰 실시를
   위한 협의를 북한측에 제기할 수는 있음.

3. 특별사찰 실시 전례

   o IAEA는 91.4.3 유엔안보리 결의(No. 687)에 의거 91.5.14-22간 이라크의 핵
   시설에 대한 강제성격의 특별사찰을 실시한 바, 동사찰이 IAEA에 의한 최초의
   특별사찰 임.

0206

4. 참고 : IAEA 핵안전 협규정상 사찰 종류

　　가. 일반사찰(routine inspection)
　　　　o 핵안전 협정의 내용에 따른 정기사찰
　　　　　* 정기사찰 대상인 핵 관련시설과 사찰 내역을 협정의 보조약정 부록
　　　　　　(별책)으로 작성
　　　　o 당사국의 보고서와 기록과의 일치 여부에 대한 통상적 사찰
　　　　o 사찰내용에 따라 최소 24시간 내지 일주일전 통보

　　나. 수시사찰(ad hoc inspection)
　　　　o 협정에 따른 안전조치 대상 핵물질에 관한 당사국의 최초 보고서에 포함된
　　　　　정보의 검증
　　　　o 최초 보고 일자 이후에 발생한 상황의 변화(핵시설의 건설등)에 대한 검증
　　　　o 사찰내용에 따라 최소 24시간 내지 일주일전 통보

　　다. 특별사찰(special inspection)
　　　　o (전 술)　　　　　　　　끝.

0207

長 官 報 告 事 項

1991. 7. 29.
國際機構條約局
國際機構課 (51)

題 目 : 북한 - IAEA간 합의 핵 안전 협정 문안

---

91. 7. 16. 북한과 국제원자력기구(IAEA)가 합의한 핵안전협정(Safeguards Agreement) 문안의 검토 내용을 아래와 같이 보고드립니다.

1. 안전조치협정 표준문안(INFCIRC/153)과 상이점

    가. IAEA 사찰관 임명 조항(제9조)

    (1) 9조(a)-(ii) 수정내용

        o "..., the Agency shall propose to the DPRK an alternative des-ignation... 를 "..., the Agency shall secure the consent of the DPRK ...."로 수정

        o 북한측 요청에 따라 수정된것으로 북한측이 사전 임명 동의를 강조한 느낌이 드나 본질적 내용을 바꾼 수정은 아님

    (2) 제9조(b). 추가내용

        o "..... The Agency shall, as far as compatible with the other terms of this Agreement, respect legal procedures and regulations of the DPRK relevant to such steps."

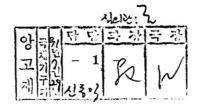

0208

o 북한측 주장에 따라 "사찰관의 임무수행에 있어 북한의 국내법규를
  존중한다"는 상기규정을 추가함으로써 북한이 동 규정을 사찰관 활동
  제한에 악용할 소지가 있음

  - 타국과 체결한 안전협정에는 이러한 조항이 없음

  - 이와관련, IAEA는 동 조항에 "국내법규가 안전협정의 여타 규정
    내용과 양립할 수 있는 한..."이라는 단서를 붙임

나. 협정의 수정조항(제24조)

  o 표준 문안상의 제24조(d)항 "Amendments to Part Ⅱ of this agreement
    may, if convenient to..., be achieved by recourse to a simplified
    procedure."을 생략

    * 표준문안상에는 "안전협정 Part Ⅰ(1조-26조, 원칙적내용)의 수정은
      협정자체의 발효절차와 같은 조건으로 효력을 발생(24조 c항)하고,
      Part Ⅱ(27조-98조, 기술적 내용)의 수정은 단순화된 절차에 의해
      이루어질 수 있다(동 d항)"고 규정

  o 따라서 북한은 협정의 모든 조항(1조-98조)의 수정을 위해서는 협정발효
    와 같은 국내 비준절차를 밟도록 함으로써 수정자체를 필요에 따라 어렵게
    만들려는 의도 로 분석

2. 표준문안상의 선택 가능조항중 북한이 선택한 내용

  가. 특권 및 면제조항(제10조)

    o 10조 선택안

      (A)안

      "... shall apply to the Agency ... the relevant provisions of the
      Agreement on the Privileges and Immunities of the IAEA."

- 2 -

0209

<u>(B)안</u>

"... shall accord to the Agency ... the same privileges and immun-
ities...... of the IAEA."

o 북한은 (B)안을 선택, 실질적인 <u>내용상 차이는 없음</u>
 - 아국은 (A)안 선택

나. 재정 부담 조항(제15조)

o 15조 선택안

<u>(A)안</u>

"... and the Agency will bear the expenses incurred by them in imple-
menting their respective responsibilities under this Agreement."

<u>(B)안</u>

"... shall fully reimburse to the Agency the safeguards expenses
which the Agency incurs under this Agreement."

o 북한은 (A)안을 선택, <u>재정부담을 IAEA와 공동부담하는</u> 것으로 합의
 - 아국도 (A)안 선택

다. 효력발생조항(제25조)

o 25조 선택안

<u>(A)안</u>

"This Agreement shall enter into force on the date upon which the
Agency receives from ..., written notification that ....'s statutory
and constitutional requirements for entry into force have been met."

— 3 —

0210

(B)안

"....... enter into force upon signature by the representatives of.... and the Agency."

o 북한은 (A)안을 선택, 상당시간을 끌어 국내비준 완료후 협정을 발효시킬
   것으로 예상

   - 아국도 (A)안 선택하였으나 서명 2주후 비준과 발효조치를 취하였음

3. 아국 체결 협정문안 내용과 북한의 합의 문안과의 차이점

o 아국이 75.10. IAEA와 체결한 협정문안과 91.7. 북한이 IAEA와 합의한 문안은
   같은 표준문안(INFCIRC/153)으로 상기1항의 북한측 수정.추가 내용을 제외
   하고는 거의 같음

o 단, " 다른 협정에 따른 IAEA 안전조치적용정지 조항 "(제23조)후반에 아래
   내용이 아국 체결 문안에 비해 더 있음.(원 표준문안상에는 존재)

   - If the DPRK has received assistance from the Agency for a project,
     the DPRK's undertaking in the Project Agreement not to use items
     which are subject thereto in such a way as to further any military
     purpose shall continue to apply ."

   - 1975년 아국-IAEA간 협정문안교섭시 IAEA가 상기 내용을 포함시키지 않은
     것은 아국이 IAEA로 부터 지원받는 핵 사업(Projcet)이 없고, IAEA가 아국
     을 핵 개발 위험국가로 보고있지 않는 데서 비롯.   끝.

長官報告事項

題 目 : 북한 - IAEA간 합의 핵 안전 협정 문안

> 91. 7. 16. 북한과 국제원자력기구(IAEA)가 합의한 핵안전협정(Safeguards Agreement) 문안의 검토 내용을 아래와 같이 보고드립니다.

1. 안전조치협정 표준문안(INFCIRC/153)과 상이점

   가. IAEA 사찰관 임명 조항(제9조)

   (1) 9조(a)-(ⅱ) 수정내용

   o "..., the Agency shall propose to the DPRK an alternative des-ignation... 를 "..., the Agency shall secure the consent of the DPRK ...."로 수정

   o 북한측 요청에 따라 수정된것으로 북한측이 사전 임명 동의를 강조한 느낌이 드나 본질적 내용을 바꾼 수정은 아님

   (2) 제9조(b). 추가내용

   o "..... The Agency shall , as far as compatible with the other ter-ms of this Agreement , respect legal procedures and regulations of the DPRK relevant to such steps ."

- 1 -

o 북한측 주장에 따라 "사찰관의 임무수행에 있어 북한의 국내법규를
  존중한다"는 상기규정을 추가함으로써 북한이 동 규정을 사찰관 활동
  제한에 악용할 소지 가 있음
  - 타국과 체결한 안전협정에는 이러한 조항이 없음
  - 이와관련, IAEA는 동 조항에 "국내법규가 안전협정의 여타 규정
    내용과 양립할 수 있는 한..."이라는 단서를 붙임

나. 협정의 수정조항(제24조)

  o 표준 문안상의 제24조(d)항 "Amendments to Part Ⅱ of this agreement
    may, if convenient to..., be achieved by recourse to a simplified
    procedure."을 생략
    * 표준문안상에는 "안전협정 Part Ⅰ(1조-26조, 원칙적내용)의 수정은
      협정자체의 발효절차와 같은 조건으로 효력을 발생(24조 c항)하고,
      Part Ⅱ(27조-98조, 기술적 내용)의 수정은 단순화된 절차에 의해
      이루어질 수 있다(동 d항)"고 규정
  o 따라서 북한은 협정의 모든 조항(1조-98조)의 수정을 위해서는 협정발효
    와 같은 국내 비준절차를 밟도록 함으로써 수정자체를 필요에 따라 어렵게
    만들려는 의도 로 분석

2. 표준문안상의 선택 가능조항중 북한이 선택한 내용

가. 특권 및 면제조항(제10조)

  o 10조 선택안

  (A)안

  "... shall apply to the Agency ... the relevant provisions of the
  Agreement on the Privileges and Immunities of the IAEA."

- 2 -

0213

(B)안

"... shall accord to the Agency ... the same privileges and immun-
ities...... of the IAEA."

o 북한은 (B)안을 선택, 실질적인 내용상 차이는 없음
  - 아국은 (A)안 선택

나. 재정 부담 조항(제15조)

  o 15조 선택안

  (A)안

  "... and the Agency will bear the expenses incurred by them in imple-
  menting their respective responsibilities under this Agreement."

  (B)안

  "... shall fully reimburse to the Agency the safeguards expenses
  which the Agency incurs under this Agreement."

  o 북한은 (A)안을 선택, 재정부담을 IAEA와 공동부담 하는 것으로 합의
    - 아국도 (A)안 선택

다. 효력발생조항(제25조)

  o 25조 선택안

  (A)안

  "This Agreement shall enter into force on the date upon which the
  Agency receives from ..., written notification that ....'s statutory
  and constitutional requirements for entry into force have been met."

- 3 -

(B)안

"....... enter into force upon signature by the representatives of....
and the Agency."

o 북한은 (A)안을 선택, <u>삼당시간을 끌어 국내비준 완료후 협정을 발효</u> 시킬
것으로 예상
- 아국도 (A)안 선택하였으나 서명 2주후 비준과 발효조치를 취하였음

3. 아국 체결 협정문안 내용과 북한의 합의 문안과의 차이점

o 아국이 75.10. IAEA와 체결한 협정문안과 91.7. 북한이 IAEA와 합의한 문안은
같은 표준문안(INFCIRC/153)으로 상기1항의 <u>북한측 수정.추가 내용을 제외
하고는 거의 같음</u>

o 단, "<u>다른 협정에 따른 IAEA 안전조치적용정지 조항</u> "(제23조)후반에 아래
내용이 아국 체결 문안에 비해 더 있음.(원 표준문안상에는 존재)
- If the DPRK has received assistance from the Agency for a project,
the DPRK's <u>undertaking</u> in the Project Agreement <u>not to use items</u>
which are <u>subject thereto</u> in such a way as to further <u>any military</u>
<u>purpose shall continue to apply</u> ."
- 1975년 아국-IAEA간 협정문안교섭시 IAEA가 상기 내용을 포함시키지 않은
것은 아국이 IAEA로 부터 지원받는 핵 사업(Projcet)이 없고, IAEA가 아국
을 핵 개발 위험국가로 보고있지 않는 데서 비롯.   끝.

- 4 -

(년[ ]분 K Austri~)

관리 번호	91-731

외 무 부

종 별 : 지급

번 호 : JAW-4383

일 시 : 91 0729 1820

수 신 : 장관(아일,동구일,정북,국기,아동(사본:주쏘대사-본부중계필))

발 신 : 주 일 대사(일정)

제 목 : 일.쏘 정상 및 외무장관 회담

연:JAW-4207

대:WJA-3295

런던 선진국 정상회의중 개최된 표제회담 내용에 관해 당관이 7.29(월) 일 외무성 소련과로 부터 청취한 내용을 아래 보고함.(이하 일측 설명요지)

1. 일.소 정상회담(7.17. 오전, 소련대사 관저)

0 동 회담은 우호적인 분위기에서 40 분 정도 진행되었으며 일.소 관계, 대소 경제지원문제가 논의되었으나, 전반적인 내용은 지난 4 월 "고"대봉령 방일시합의된 일.소 공동성명의 정신에 따라 양국관계를 일층 촉진시켜 나가자는 것으로서 새로운 특기사항은 없음.

(일.소관계)

0 "고"대봉령은 일.소간 해빙이 되고 있으며 양국관계가 호전되고 있는바, 4월 방일시 만난 지도부와 그후 방소한 국회의원, 산업계 인사들을 현실주의자로 느낀다고 말함. 또한 소련사회에서는 일본에 대한 평가가 높아지고 있으며 이것이 금후 양국관계의 전개에 좋은 기초가 될 것이라고 말함.

0 이에대해 카이후 수상은 4 월 일.소 공동성명에 따라 양국관계에서 가장 중요한 것은 영토문제를 해결하여 평화조약체결 작업을 가속화시키는 것이라고 언급함. 이와 동시에 4 월에 합의한 15 개 문서에 따라 양국관계를 광범한 분야에서 발전시키고 싶다고 말하고, 그 예로서 소련 군수산업의 민간산업에의 전환을 위한 조사단 파견(7.16)을 들고 원자력 전문가 교류등도 진전시키고자 한다고말함. 또한 자민당도 교류를 증진시키고자 한다는 견해를 피력함.

0 "고"대봉령은 이러한 일본의 조치를 높이 평가하고 양국간의 신뢰감을 높여가면 커다란 문제도 시간이 가면 해결될 것이라고 말함. 또한 소련측은 4 월 공동성명

아주국 분석관	장관 정와대	차관 안기부	1차보	2차보	아주국	구주국	국기국	외정실

91.07.29   19:42

외신 2과   통제관 CH

0216

정신에 따라 양국간 협력관계를 증진시켜 가겠다고 함.

(대소 경제지원 문제)

0 "고"대통령은, 정치, 안보분야에서는 폭넓은 대화로 진전이 있으나 경제분야는 발전이 지연되고 있는바, 소련은 국제경제에서의 통합을 희망하며 급진적, 혁신적 개혁을 향해 움직이고 있다고 말하고 지금은 자조노력을 해나가고 있다고 확실히 말할수 있다고 함.

0 이에 대해 카이후 수상은 프리마코프 안전보장회의 위원으로 부터 받은 "고"대통령 친서를 보고 소련지도부의 개혁에의 열의와 의지에 인상 받았다고 언급하고 서미트에서도 이 문제에 대해 진지한 논의가 있었다고 말함. 또한 경제개혁은 과감히 추진하는 편이 타당하고 정치면에서도 신사고 외교가 범 세계적으로전개, 아. 태지역에도 파급되기를 바란다고 희망함.

2. 일.소 외무장관 회담(7.17. 오후, 소련대사관저)

0 동 회담은 일.소관계 발전, 한반도 문제, 캄보디아 문제등에 관하여 1 시간 정도 진행되었는바, 일소 정상회담 및 G7 플러스 1 회담에 입각한 사무적 성격의 협의였음.

(일.소관계)

0 나카야마 외상은 4 월 일.소공동성명 정신에 따라 영토문제를 해결하여 평화조약 체결 작업을 가속화시키는 동시에 양국간의 다면적인 발전을 촉진시키고자 한다고 말하고 대소 지적, 기술적 지원의 일환으로 (1) 교통, 유통문제 협력, (2) 원자력 발전소, 석유제세 시설, 공해등 환경문제에 대한 조사단 파견과 연수생 접수, (3) 군수산업의 민간산업에의 전환을 위한 조사단 파견을 제안함.

0 이에 대해 베스메르트니흐 외무장관은 평화조약 교섭 촉진 및 양국관계의다면적 발전 추진에 동의함.

0 양 외무장관은 양국 외무부간의 정책기획협의 개최(91.9 월 중순) 및 아시아 문제 협의 개최(91.10 월 상순)에도 합의함. (양국 외무부간에는 (1) 중근동 문제 협의, (2) 유엔문제 협의, (3) 정책기획 협의등 기존 국장급 협의 채널이 있으며 지난 4 월 "고"대통령 방일시 새로이 일 외무성 아시아국과 소련 외무부 아시아국(사회주의 국가담당)간의 국장급 실무회의 개최에 합의한바 있음)

(한반도 문제)

0 금번 회의에서는 북한 문제만이 거론 되었는바, 나카야마 외상은 북한이 국제사회에 원활히 참가하기 위하여는 IAEA 의 핵안전 조치 협정에 서명, 핵사찰을

PAGE 2

수락해야 한다고 말함.

    0 "베"외무장관은 일.북 국교정상화 교섭, 한. 소 수교, 남북한 유엔 동시가입등 한반도 정세의 긍정적 변화와 한반도 긴장완화 추세를 평가함. "베"외무장관은 북한의 핵사찰 문제가 한가지 불안정 요인이라고 지적, 소련으로서는 이 문제에 관해 북한측에 대해 노력을 기울이고 있으며, 북한의 핵안전조치 협정서명이 가까와 지고 있다는 인상을 받고 있다고 말함. 이와 동시에 "베"외무장관은(1) 미국의 대북한 NEGATIVE GUARANTEE 철회와, (2) 한국내 외국 핵무기에 대한 사찰을 북한이 주장하고 있는 사실을 지적함.

    0 이에 대해 나카야마 외상은 북한의 핵사찰 수락은 조건이 있을수 없는 일방적 의무이며 북한이 국제사회에 참가하기 위하여는 무조건 적으로 받아들여야 한다고 말함.

    0 "베"외무장관은 남북한이 유엔에 가입하면 이 문제의 해결이 빨라질지도 모른다는 견해를 밝힘.

    (캄보디아 문제)

    0 나카야마 외상은 파타야 및 북경 SNC 협의의 진전을 평가하고 캄보디아 평화문제에 관한 일본의 노력을 설명한후 소련으로서도 캄보디아 문제의 조기해결을 위해 프놈펜 정권측에 대해 노력을 기울여 줄 것으로 요망함.

    0 이에 대해 "베"외무장관은 캄보디아 문제에 대한 현상 인식은 일본과 같으며, 캄보디아 문제가 좋은 방향으로 움직이고 있으므로 이를 지원하는 것이 필요하다고 말함. 끝.

    (대사 오재희-국장)

    예고:91.12.31. 일반

일반문서로 재분류(19 PI. IL.3I.)

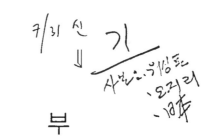

관리 번호	91-735

외 무 부

종   별 :

번   호 : AUW-0575   일   시 : 91 0730 1730

수   신 : 장관(국기,아동,정북)

발   신 : 주 호주 대사

제   목 : 대북한 핵사찰정책및 김영남 외교부장 답신

연:AUW-0409

1. 금 7.30 양공사와의 오찬시 외무성 BENSON 아주국 부국장은 연호 EVANS 외상의 북한 김영남 외교부장앞 서한에 대해, 김영남은 다음과 같은 회신(91.6.17자)을 보내왔음을 알려주었음(이하 요지)

가. 남한어 1000 여개의 핵무기 철거에 대한 논의없이 북한만이 핵사찰을 받아들이는것은 언어도단

나. 미국의 북한에 대한 핵위협이 제거되고 안전담보를 공약만 한다면 북한은 즉시 담보협정을 체결하고, 협정에 따라 핵사찰도 받을것임. 남한에 대한 핵사찰도 제외될수 없음.

다. 호주가 "사리와 진실을 외면하고 대국들의 장단에 맞추어 회무한다면" 아세아나라로 자처하고 있는 체면마저 손상될것이므로 북한에 일방적으로 요구할것이 아니라 북한에 대한 핵위협을 제거할것을 미국에 요구해야 할것임(김영남 서한, 조선어본 신랄한 어조, 영역본 조잡한 영역임. 서한 파편 송부함)

2. BENSON 부국장에 의하면, 호주는 현재 일본및 제 3 세계등과 9 월 IAEA 이사회시 제출할 결의안을 북한 핵사찰 수락에 FOCUS 를 맞추어, 보다 강력한 내용의 결의안을 제출하는 문제를 협의하고있고, (결의안 DRAFTING 은 상금 미착수)내주 8.6-7 간 시드니에서 개최될 호-미 양국간 정례 POL-MIL(정치, 군사)전략협의(호측:CASTELLO 차관보, 미측 CLARK 차관보 각기 수석대표)에서도 북한의 핵안전협정 수락및 실질적 사찰수락건에 관해 양국이 협의를 가질것이라 했음(BENSON 부국장에 의하면, 미국무성내에는 대북한 핵사찰압력 행사관련, 두흐름이 있는것으로 호주외무성은 파악하고 있는바, (POLITICAL MILITARY STRATEGY)관련부에서는 남한내 미핵무기 철수와 연계시키려는 북한의 의도에 대해 강력 대응해야한다는 주장과, 다른하나는

남한내 핵무기에 대한 융통성있는 태도를 보여주는것이좋을것이라고 주장하는 두 흐름이라고 하면서, 호주 입장은 북한이 남한내 핵무기 철거와 연계시키려는것은 남한내 핵무기가 실제적으로 북한에 위협을 가하는 군사적 측면에서가 아니라 순전히 대미협상 및 핵사찰등에 LEVERAGE 로 사용하기 위한 책략임이 명백하므로, 일단 초지일관, 북한이 어떤 단서나 조건없이 핵사찰에 응해야 한다는것을 견지하면서, 북한의 그러한 의무가 성실히 이행될때에 그다음으로 남한내 미 핵무기관련 사항을 논의해 볼수있다는 입장이라고 하였음. 또한, 동 부국장에 의하면 호주가 북한의 핵사찰및 핵개발억제에 선봉적 역할을 자처하는것은 북한을 억제치 않을경우 남한의 핵개발을 유발시킬수 있는 EMBROILMENT 현상을 호주와 일본이 공동으로 우려하고있는것도 숨길수없는 사실이라고 했음)

3. 상기 호-미 정책협의결과및 호주의 대 IAEA 전략구체사항등은 추후 COUSINS 국축부국장과 접촉후 추보위계임.끝.(대사 이창범-국기국장)

예고:92.12.31. 일반.

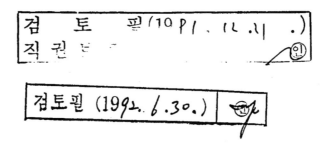

주 호 주 대 사 관

호주(정) 20228-68   1991. 7. 30.

수신 장   관

참조 국제기구조약국장, 외교정책실장, 아주국장

제목 대북한 핵사찰정책및 김영남 외교부장 답신

연 : AUW-0575(91.7.30)

호주(정) 20228-47(91.5.31)

연호 Evans 외상의 서한에 대해 북한 김영남 외교부장이 Evans 외상
앞으로 보내온 91.6.17.자 회신을 별첨 송부합니다.

첨 부 : 상기 서한(국.영문) 1부. 끝.

예 고 : 1992.12.31. 일반

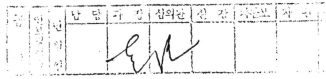

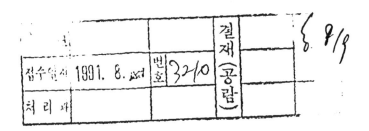

주   호   주   대

0221

Pyongyang, June   , 1991

Mr. Gareth Evans
Minister of Foreign Affairs and Trade
Australia

Canberra

Mr. Minister,

   I acknowledge receipt of your letter, in which
you urged our country to conclude the Safeguards
Agreement with the International Atomic Energy Agency
since we signed the Nuclear Non-Proliferation Treaty.
This has brought to my attention the necessity to give
you a clear information of our right position in that
regard.

   It is my belief that you know more than enough
that the Government of our Republic has earlier put
forward the anti-nuclear, denuclearization policy and
consistently adhered to the banning of development,
production, stockpile and test ·of the nuclear weapons
and to their abolition, and exerted every sincere
effort to withdraw the US nuclear weapons from south
Korea and to convert the Korean peninsula into a
denuclearized zone, presenting the removal of nuclear
threat on the Korean peninsula as the vital question
to safeguard peace in Asia and the rest of the world.

   However, to my regret, the Australian Government
has failed to stand to the fair and independent
position with regards to the inspection of nuclear
facilities but beared the pressure on us, the non-
nuclear weapon state, in pursuit of the United States,
throwing a wet blanket over the aspirations of the two
peoples to build a peaceful world, free from nuclear
threat and nuclear blackmail.

   It is known to the whole world that under the
condition that more than 1,000 nuclear weapons have
been deployed in the south of the Korean peninsula
for the actual combat and the entire area of south
Korea converted into a nuclear arsenal, neither can
our people live in peace, nor can peace and the   .
security in Asia be guaranteed.

   This entirely conforms to the Safeguards Agreement
that the US should bring this situation under control.

   Notwithstanding this, you don't seem to be
pronouncing a word about it but instead urged us to
accept the inspection of nuclear facilities talking

0222

about peace and the security in Asia, which is
absolutely preposterous.

We are in a position to respond with a prompt
conclusion of the Safeguards Agreement, and accept
in due course the inspection as regulated in the
Agreement only if the US will have eliminated the
nuclear threat against us and pledges to guarantee
our security regardless of how stupidly the Australian
side busies itself about the inspection of nuclear
facilities. The inspection of nuclear weapons in south
Korea should be of no exception.

I am afraid that if your country continues to
play into the hands of the big countries avoiding
the facts and truths, she might lose her face as a
so-claiming Asian country.

If you heartily hope for the earlier acceptance
of the Safeguards Agreement by us and the realization
of peace and the security in Asia, urging the United
States to eliminate the nuclear threat against us is
likely more desirable, in the reasonable viewpoint
of the interest of the overall Asia, than making an
unilateral demand on us to conclude the Safeguards
Agreement. At the same time, it is my hope that you
could come to a correct understanding that this again,
is a legitimate right entrusted by the NPT.

Yours sincerely,

Kim Yong Nam

Minister of Foreign Affairs
Democratic People's Republic
of Korea

- 2 -

0223

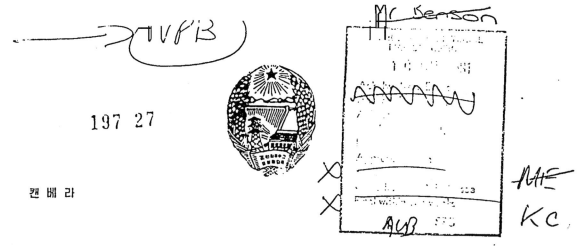

197 27

캔 베 라

오스트랄리아 외무및무역상
가 레 스 에 반 스 각 하

상각하

상각하의 편지를 받았음을 확인하는바입니다.

이 편지에서 당신은 우리 나라가 핵무기전파방지조약에
가입한이상 국제원자력기구와 담보협정을 체결할것을 요구하였
습니다.

이것은 나로 하여금 당신에게 이 문제와 관련한 우리의 정당
한 립장을 명백히 알리줄 필요가 있다는것을 일깨워주었습니다.

우리 공화국정부가 일찌기 반핵, 비핵화 정책을 내놓고 핵무
기의 개발과 생산, 저장과 시험을 금지하며 그 철폐를 시종일관
주장하여왔으며 조선반도에서 핵위협의 제거를 민족의 운명과
관련된 사활적인 문제로, 아세아와 세계평화를 수호하기 위한
필수적요구로 내세우고 남조선에서 미국의 핵무기를 철수시키며
조선반도를 비핵지대로 전변시키기 위하여 성의있는 모든 노력을
다해온데 대하여 당신은 명백히 알고도 남음이 있으리라고 생각
합니다.

그러나 유감스럽게도 오스트랄리아정부는 핵사찰문제에서
공정하고 자주적인 립장을 지키지 못하고 미국에 추종하여 비핵
국가인 우리에게 압력을 가함으로써 핵위협과 핵공갈이 없고 평

— 1 —

0224

화로운 세계의 건설을 갈망하는 두 나라 인민들의 념원에 찬물을 끼얹는 처사를 하고있습니다.

조선반도의 남쪽에 1, 0 0 0여개의 핵무기가 실전배비되여 있으며 온 남조선땅이 핵저장고로 전변된 상태에서 우리 인민이 편안할수 없으며 아세아의 평화와 안전도 담보될수 없다는것은 온 세상이 다 알고있습니다.

미국이 이러한 사태를 수습하는것은 담보협정에 전적으로 부합되는것입니다.

그런데 당신이 이에 대해서는 일언반구도 하지 못하고 아세아의 평화와 안전에 대하여 운운하면서 우리에게 핵사찰을 받아들일것을 촉구하였는데 이것은 언어도단입니다.

핵사찰문제로 오스트랄리아가 동분서주하면서 리치에 어긋나게 놀지 않아도 미국이 우리에 대한 핵위협을 제거하고 안전담보를 공약만하면 우리는 의례히 담보협정을 즉시 체결할것이며 이 협정에 따라 핵사찰도 받게 될것입니다. 남조선에 대한 핵사찰도 제외될수 없는것입니다.

귀국이 사리와 진실을 외면하고 대국들의 장단에 맞추어 회무한다면 아세아나라로 자처하고있는 체면마저 손상되게 되지 않겠는가 생각합니다.

나는 당신이 우리가 담보협정을 빨리 수락할것과 아세아에서 평화와 안정이 이룩될것을 진심으로 바란다면 우리에게 담보협정체결만을 일방적으로 촉구할것이 아니라 아세아의 전반적 리익의 견지에서도 공정하게 우리에 대한 핵위협을 제거할것을 미국에 요구하는것이 온당한 요구이며 핵전파방지조약에 의한

— 2 —

0225

법률적권리이기도 하다는것을 옳게 리해하게 되리라는 기대를
표명하는바입니다.
경의를 표합니다.

조선민주주의인민공화국 외교부장
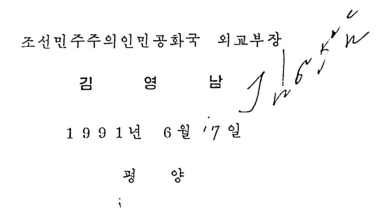
김 영 남

1 9 9 1 년   6 월 7 일

평   양

— 3 —

발 신 전 보

WAV-0818   910730 1914 FO

번   호 :   종별 :

WAU-0555

수   신 : 주 오스트리아   대사.총영사 (사본: 주호주대사)

발   신 : 장   관 (국기)

제   목 : 일.쏘 외무장관 회담.

런던 선진국 정상회의중 개최된 표제회담(7.17)에서 일.쏘 양국간에

북한 핵 사찰문제에 관련 언급된 내용을 아래 통보하니 귀관 업무에 참고 바람.

    o 나카야마 일외상

      - 북한이 국제사회에 원활히 참가하기 위하여는 IAEA의 핵안전 조치

        협정에 서명, 핵사찰을 수락해야 함.

    o "베" 쏘외상

      - 일.북 국교정상화 교섭, 한.소수교, 남북한 유엔 동시가입등 한반도

        정세의 긍정적 변화와 한반도 긴장완화 추세 평가.

      - 북한의 핵사찰 문제를 한가지 불안정 요인으로 지적, 소련으로서는

        이문제에 관해 북한측에 대한 노력을 기울이고 있으며, 북한의 핵안전

        협정 서명이 가까와지고 있다는 인상을 받고 있음.

      - 북한이 (1) 미국의 대북한 Negative Assurance 보장과,

        (2) 한국내 외국핵무기에 대한 사찰을 주장하고 있는 사실을 지적.

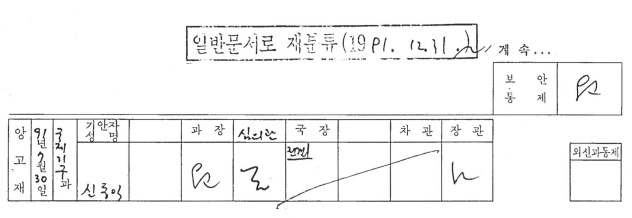

일반문서로 재분류(1991. 12.11.) / 계   속...

	보안통제	℞

앙고재	91년 2월 30일	국기기구과	기안자 성명 신국이	과 장 ℞		심의관 乙	국 장 권게		차 관	장 관		외신과통제

0227

o 나카야마 외상

  - 북한의 핵사찰 수락은 조건이 있을수 없는 일방적의무이며 북한이

   국제사회에 참가하기 위하여는 무조건적으로 받아들여야함.

o "배" 외상

  - 남북한이 유엔에 가입하면 이문제의 해결이 빨라질지도 모른다는 견해를

   밝힘.

(국제기구조약국장   문 동 석)

예 고 : 91. 12. 31일반

0228

공 란

공 란

공   란

공 란

정 리 보 존 문 서 목 록

기록물종류	일반공문서철	등록번호	2020020151	등록일자	2020-02-25
분류번호	726.62	국가코드		보존기간	영구
명 칭	북한.IAEA(국제원자력기구) 간의 핵안전조치협정 체결, 1991-92. 전15권				
생 산 과	국제기구과/국제연합1과	생산년도	1991~1992	담당그룹	
권 차 명	V.6 1991.8-9월				

내용목차	* 9.10-13 IAEA 9월 이사회(Vienna)
	* 9.10 북한의 핵안전협정 체결촉구 결의안 제출
	  - 9개국 공동제안: 호주, 오스트리아, 벨기에, 캐나다, 체코슬로바키아, 일본, 폴란드, 포르투갈, 스웨덴
	* 9.12 상기 결의안 통과 및 북한. IAEA 간의 핵안전협정문안 승인
	  - 북한대표, 협정 서명 거부				

0001

외   무   부

종   별 :

번   호 : AVW-0977   일   시 : 91 0806 1720

수   신 : 장 관(국기)

발   신 : 주 오스트리아 대사

제   목 : IAEA이사회에 제출될 북한의 핵안전 협정(안) 관련문서

　　　연:AVW-0925

　　　IAEA 사무국은 9 월 이사회에 제출하여 승인을 받을 IAEA-북한간 핵안전 협정(안)
관련문서를 별첨(GOV/2534, 24 JULY 1991)과 같이(FAX 송부) 배포하였음.

　　　별첨:AVW(F)-015. 끝.

국기국　　　차관　　　1차보　　　2차보　　　미주국　　　외정실　　　청와대　　　안기부

EMBASSY OF THE REPUBLIC OF KOREA

Praterstrasse 31, Vienna
Austria 1020 (FAX : 2163438)

No : AVW(乃) — 015	Date : 10806 /220
To : 장 관 (국기)	
(FAX No :)	

Subject : IAEA 이사회에 제출될 북한의
핵안전 협정(안) 관련문서

Total Number of Page : 3

GOV/2534
Annex

ANNEX

**Adaptation of the standard text of a safeguards agreement
(GOV/INF/276, Annex A) in connection with the Treaty on the
Non-Proliferation of Nuclear Weapons which is required for
the Agreement with the Democratic People's Republic of Korea**

1.   The title to read:

AGREEMENT BETWEEN THE GOVERNMENT OF THE DEMOCRATIC PEOPLE'S
REPUBLIC OF KOREA AND THE INTERNATIONAL ATOMIC ENERGY AGENCY
FOR THE APPLICATION OF SAFEGUARDS IN CONNECTION WITH THE TREATY
ON THE NON-PROLIFERATION OF NUCLEAR WEAPONS

2.   In Article 9 (a)(ii), the words "...the Agency shall propose to..." have
been replaced by "...the Agency shall secure the consent of ...".

3.   In Article 9 (b), the following sentence has been added: "The Agency
shall, as far as compatible with the other terms of this Agreement, respect
legal procedures and regulations of the Democratic People's Republic relevant
to such steps."

4.   For Article 10, alternative B has been chosen since the Democratic
People's Republic of Korea is not a party to the Agreement on the Privileges
and Immunities of the Agency.

5.   For Article 15, alternative A has been chosen since the Democratic
People's Republic of Korea is a member of the Agency.

= [Part I of]

6.   In Article 24, the square brackets and the words enclosed therein in
sub-paragraph (c) to be deleted, sub-paragraph (d) to be deleted, and
sub-paragraph (e) to become sub-paragraph (d).

7.   For Article 25, alternative A has been chosen; therefore, the Agreement
will enter into force upon written notification that the Democratic People's
Republic of Korea's statutory and constitutional requirements for entry into
force have been met.

8.   The signature block reads as follows: "Done at Vienna, on the ....,
in triplicate, in the Korean, Russian and English languages, the texts of
which are equally authentic except that, in case of divergence, the English
text shall prevail."

0004

International Atomic Energy Agency

BOARD OF GOVERNORS

For official use only

GOV/2534
24 July 1991

RESTRICTED Distr.
Original: ENGLISH

SAFEGUARDS

(a) THE CONCLUSION OF SAFEGUARDS AGREEMENTS

An agreement with the Democratic People's Republic of Korea in connection with the Treaty on the Non-Proliferation of Nuclear Weapons

1.   A safeguards agreement has been negotiated with the Government of the Democratic People's Republic of Korea in relation to the obligations which the Democratic People's Republic of Korea assumed under Article III of the Treaty on the Non-Proliferation of Nuclear Weapons (NPT).

2.   The agreement of the Government of the Democratic People's Republic of Korea to the text of the draft agreement was communicated to the Agency on 16 July 1991.

3.   The draft agreement is in line with document INFCIRC/153 (Corrected) and is based on the standard text of safeguards agreements in connection with NPT[1]/. The Annex hereto indicates three minor amendments to the standard text, as well as the alternative versions of certain Articles provided for in that text.

4.   It is expected that the application of this agreement will not involve the Agency in any readily identifiable extra cost for the time being.

RECOMMENDED ACTION BY THE BOARD

5.   It is recommended that the Board authorize the Director General to conclude with the Democratic People's Republic of Korea and subsequently implement the safeguards agreement which is the subject of this note.

1/   GOV/INF/276, Annex A.

4018278

91-03028

0005

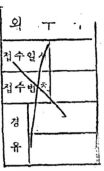

대 한 민 국
주 오스트리아 대사관

오스트리아 20332-230

수 신 : 외무부장관

참 조 : 국제기구과장. 과기처 원자력실장

제 목 : IAEA   이사회 관련 자료·송부

1991. 8 . 5 .

(보존기간 :   )

표제에 관한 자료를 별첨과 같이 송부합니다.

첨부 : 1. GOV/OR.755(26 July 1991)
      2. GOV/2534(24 July 1991)
      3. GOV/OR.758(26 July 1991)
      4. GOV/INF/619(29 July 1991)
      5. GOV/INF/620(2 August1991)
      6. GOV/OR.757(26 July 1991)
      7. GOV/OR.759(26 July 1991)
      8. GOV/INF/621(2 August 1991)
      9. GOV/2535(31 July 1991)
     10. GOV/2533(31 July 1991)
     11. GOV/OR.752(31 July 1991)

9월 이사회의 현황승인대비
언론보도자료. 참고자료 등 작성

이상 각1부. 끝.

주 오 스 트 리 아 대

0006

International Atomic Energy Agency

BOARD OF GOVERNORS

GOV/2534
24 July 1991

RESTRICTED Distr.
Original: ENGLISH

For official use only

(a) THE CONCLUSION OF SAFEGUARDS AGREEMENTS

An agreement with the Democratic People's Republic of Korea in connection with the Treaty on the Non-Proliferation of Nuclear Weapons

1. A safeguards agreement has been negotiated with the Government of the Democratic People's Republic of Korea in relation to the obligations which the Democratic People's Republic of Korea assumed under Article III of the Treaty on the Non-Proliferation of Nuclear Weapons (NPT).

2. The agreement of the Government of the Democratic People's Republic of Korea to the text of the draft agreement was communicated to the Agency on 16 July 1991.

3. The draft agreement is in line with document INFCIRC/153 (Corrected) and is based on the standard text of safeguards agreements in connection with NPT[1]. The Annex hereto indicates three minor amendments to the standard text, as well as the alternative versions of certain Articles provided for in that text.

4. It is expected that the application of this agreement will not involve the Agency in any readily identifiable extra cost for the time being.

RECOMMENDED ACTION BY THE BOARD

5. It is recommended that the Board authorize the Director General to conclude with the Democratic People's Republic of Korea and subsequently implement the safeguards agreement which is the subject of this note.

---

[1]   GOV/INF/276, Annex A.

4018278

91-03028

0007

ANNEX

<u>Adaptation of the standard text of a safeguards agreement
(GOV/INF/276, Annex A) in connection with the Treaty on the
Non-Proliferation of Nuclear Weapons which is required for
the Agreement with the Democratic People's Republic of Korea</u>

1.   The title to read:

AGREEMENT BETWEEN THE GOVERNMENT OF THE DEMOCRATIC PEOPLE'S
REPUBLIC OF KOREA AND THE INTERNATIONAL ATOMIC ENERGY AGENCY
FOR THE APPLICATION OF SAFEGUARDS IN CONNECTION WITH THE TREATY
ON THE NON-PROLIFERATION OF NUCLEAR WEAPONS

2.   In Article 9 (a)(ii), the words "...the Agency shall propose to..." have
been replaced by "...the Agency shall secure the consent of ...".

3.   In Article 9 (b), the following sentence has been added: "The Agency
shall, as far as compatible with the other terms of this Agreement, respect
legal procedures and regulations of the Democratic People's Republic relevant
to such steps."

4.   For Article 10, alternative B has been chosen since the Democratic
People's Republic of Korea is not a party to the Agreement on the Privileges
and Immunities of the Agency.

5.   For Article 15, alternative A has been chosen since the Democratic
People's Republic of Korea is a member of the Agency.

6.   In Article 24, the square brackets and the words enclosed therein in
sub-paragraph (c) to be deleted, sub-paragraph (d) to be deleted, and
sub-paragraph (e) to become sub-paragraph (d).

7.   For Article 25, alternative A has been chosen; therefore, the Agreement
will enter into force upon written notification that the Democratic People's
Republic of Korea's statutory and constitutional requirements for entry into
force have been met.

8.   The signature block reads as follows: "Done at Vienna, on the ....,
in triplicate, in the Korean, Russian and English languages, the texts of
which are equally authentic except that, in case of divergence, the English
text shall prevail."

0008

o 北韓은 核武器 非擴散條約(NPT)에 85.12月 加入한 以來 5年이 經過하도록
   IAEA와의 核安全措置 協定을 締結치 않고 있는바, 이는 韓半島와 東北亞의
   安保에 重要한 問題로서 크게 憂慮하지 않을수 없음.

o 核武器 非擴散條約 第3條는 加入後 18個月內 IAEA와 安全措置協定締結
   義務를 規定하고 있으나, 北韓은 韓半島로 부터 核武器 撤去와 美國의
   北韓에 대한 個別的 核先除 不使用 保障(NSA)을 前提條件으로 協定締結을
   遲延해 옴

o 이러한 狀況에서 89年 以來 國際原子力機構(IAEA) 理事會와 總會 및 NPT
   第4次 評價會議(90.8-9月)等에서 友邦國을 包含한 많은 國家들이 北韓의
   早速한 協定締結을 促求하여 왔음

o 北韓은 지난 5月末 유엔 加入申請決定 發表 이후 6月 IAEA 理事會에서 核
   安全協定締結과 關聯하여(91.7) IAEA 측과 協定文案을 最終 確定하는 交涉을
   한後 9月 IAEA 理事會의 承認을 얻어 署名하겠다는 意思를 밝혔음

o 6月 理事會에 참가한 대다수 理事國들은 이러한 北韓의 核安全協定同意
   表明에 대해 留意하면서 北韓의 遲滯없는 協定締結을 促求하였고, 또한
   理事會 議長이 聲明을 통하여 北韓에 대하여 遲滯없는 核安全協定 締結을
   促求하였음

o 政府는 北韓이 同 理事會에서 核安全協定 署名用意가 있다는 立場을 表明한 事實에 留意하면서, 北韓이 IAEA와 核 安全措置協定을 早速히 締結하고 發效시킴으로서 東北아시아의 平和와 安全에 寄與하도록 外交的 努力을 계속하고자 함.   끝.

北韓의 核安全措置協定 締結問題

北韓은 核武器 非擴散條約(NPT)에 85.12月 加入한 以來 5年이 經過하도록 IAEA와의 核安全措置 協定을 締結치 않고 있는바, 이는 韓半島와 東北亞의 安保에 重要한 問題로서 크게 憂慮하지 않을수 없습니다.

核武器 非擴散條約 第3條는 加入後 18個月內 IAEA와 安全措置協定締結 義務를 規定하고 있으나, 北韓은 韓半島로 부터 核武器 撤去와 美國의 北韓에 대한 個別的 核先除 不使用 保障(NSA)을 前提條件으로 協定締結을 遲延해왔습니다.

北韓은 지난 5月末 유엔 加入申請決定 發表 이후 6月 IAEA 理事會에서 核安全協定締結과 關聯하여 91.7. IAEA 측과 協定文案을 最終 確定하는 交涉을 한後 9月 IAEA 理事會의 承認을 얻어 署名하겠다는 意思를 밝혔습니다.

6月 理事會에 참가한 대다수 理事國들은 이러한 北韓의 核安全協定同意 表明에 대해 留意하면서 北韓의 遲滯없는 協定締結을 促求하였고, 또한 理事會 議長이 聲明을 통하여 北韓에 대하여 遲滯없는 核安全協定 締結을 促求하였습니다.

政府는 北韓이 同 理事會에서 核安全協定 署名用意가 있다는 立場을 表明한 事實에 留意하면서, 北韓이 IAEA와 核 安全措置協定을 早速히 締結하고 發效 시킴으로서 東北아시아의 平和와 安全에 寄與하도록 外交的 努力을 계속하고자 합니다.

0011

```
┌─────────────────────────────────────────────┐
│                                               │
│   The Question of Safeguards Agreement between │
│                                               │
│   North Korea and the IAEA                     │
│                                               │
└─────────────────────────────────────────────┘
```

o North Korea has failed to conclude the Safeguards Agreement with the International Atomic Energy Agency(IAEA) for more than five years since its accession to the Nuclear Non-Proliferation Treaty(NPT) in December 1985. North Korea's delay to conclude the Agreement is a serious matter that concerns the security of the Korean peninsula and Northeast Asia as well.

o Since 1989 many countries have been urging North Korea to conclude the Safeguards Agreement at the meetings of the IAEA Board of Governors, the IAEA General Conference and the Fourth NPT Review Conference.

o At the last June meeting of the IAEA Board of Governors, in particular, many countries urged North Korea to conclude the Safeguards Agreement, taking notice of North Korea's indication to conclude the Safeguards Agreement. In addition, the chairman of the Board of Governors made a statement calling for North Korea's prompt conclusion of the Safe-guards Agreement, which reflects the opinion of the international community.

0012

o In this regard, we will continue to keep an eye on the process of North Korea's conclusion of the Safeguards Agreement with the IAEA, expecting at the same time that North Korea will take necessary measures to implement the Safeguards Agreement.

o We would like to express our Government's deep appreciation for your Government's close cooperation on the question.

o We expect your country will stand firm in continuously urging North Korea to conclude the Safeguards Agreement at the international fora, such as the IAEA.

0013

> # The Question of Safeguards Agreement between
> # North Korea and IAEA

o It is needless to say again that North Korea should conclude the Safeguards Agreement with the IAEA without delay to fulfil its requisite legal obligation as a State party to the Nuclear Non-Proliferation Treaty(NPT). This is a matter of vital importance to the security of the Korean peninsula and Northeast Asia as well as the whole world.

o We appreciate the position of the ASEAN countries that expressed their expectation for North Korea's prompt conclusion of the Safeguards Agreement at the IAEA Board of Governors' meeting last June when North Korea announced its decision to agree to the standard text of the Safeguards Agreement.

o We would like to ask the ASEAN countries to keep keen interest in the question and to exert their influence to have North Korea immediately conclude the Safeguards Agreement.

0014

공   란

공   란

발 신 전 보

번 호 : WGE-1239 외 별지참조   종별 :

수 신 : 주 수신처 참조   대사. 총영사

발 신 : 장 관 (국기)

제 목 : IAEA 9월 이사회

연 : EM-0021(6.14)

1. 주한 호주대사관 Mullins 참사관은 금 8.7(수) 국제기구과장을 오찬에 초청하여 오는 9.11-13 IAEA 이사회에서 북한의 핵안전조치협정체결문제에 관한 결의안 채택 추진과 관련 하기 언급하였음을 참고바람.

　　가. 호주정부는 8.5(월) 주소련 자국 대사관에 훈령하여 주쏘, 일본 및 카나다 대사관과 함께 소련 외무성 군축국장 Majorski에게 하기와 같은 원칙을 협의 하고 반응을 보고토록 지시하였음

　　　　1) 9월 IAEA 이사회에서 북한의 핵안전조치 협정안 동의 사실을 환영 하고 북한의 협정 이행을 조속 촉구하는 내용의 결의문을 채택

　　　　2) 상기 결의문에 북한이 협정 이행시점 까지는 핵관련 시설을 가동 하지말도록 요구하는 내용을 포함

　　나. 상기 원칙에 관하여 이미 미국과는 협의를 완료하였으며 소련측 반응을 기다리고 있음. 소련측 반응 접수후 영국과 중국을 접촉 할것임.

미주국장. 외정실장. /계속...

0017

다. 결의문의 내용은 아직 성안된 바 없으나 단지 상기 원칙하에 우선 소련과의 접촉을 시작하고자 하는 것이며 결의문의 채택을 추진할 경우 다수 이사국의 지지확보가 중요함

2. 본부는 호주등의 소련 접촉 결과를 입수한후 호주, 일본등과 협의하여 9월 이사회 대책을 강구코자 하는바 귀관은 상기 내용을 참고, 향후 필요시 교섭에 대비 바람. 끝.

예고 : 91.12.31 일반

(장   관)

수신처 : 주독일, 소련, 프랑스, 영국, 스웨덴, 알젠틴, 인도, 칠레, 베네주엘라, 브라질, 벨지움, 이태리, 폴투칼, 폴란드, 체코, 나이제리아, 튜니시아, 카메룬, 모로코, 사우디, 이란, 인도네시아, 필리핀, 이라크, 태국대사 주이집트총영사, 주북경대표, 주유엔, 제네바 대사

일반문서로 재분류(1991. 12. 11)

0018

0019

WGE—1239   910807 1922 FO

WSV -2472 WFR -1633 WUK -1444 WSD -0421 WAR -0363
WND -0686 WCS -0253 WVZ -0254 WBR -0369 WBB -0378
WIT -0865 WPO -0304 WPD -0712 WCZ -0590 WNJ -0313
WTN -0215 WCM -0214 WMO -0265 WSB -0897 WIR -0579
WDJ -0829 WPH -0701 WTH -1218 WCA -0555 WCP -1200

일본정부, 대북한 조기 핵사찰 수락촉구결의안 제출예정

(산케이, 91.8.7)

o 일본정부, IAEA 9월 이사회(9.11-13)에서 북한에 대해 신속한 핵사찰 수락을
  요청하는 결의안의 공동제안을 미국과 협의하기로 결정
  - 미국외에 카나다, 호주등과도 동 결의안 제출을 협의할 계획

o 이를 위해 외무성 후토다 과학기술 담당심의관을 8.13부터 비엔나에 파견할
  예정

o 북한의 핵사찰 문제와 관련, 일본정부는 91.5월 하순 제3차 일-북한 국교정상화
  교섭등을 통하여 강하게 요구하였음. 북한은 7월 중순 IAEA와 핵안전협정
  문안에 합의하였으나 핵사찰을 무조건 수락할지에 대해서는 명확치 않은 상황임.

심의관

공람	국제기구과	담당	과장	국장	차관보	차관	장관
		신○○		홍정희			

0020

외 무 부

종   별 :

번   호 : JAW-4526   일   시 : 91 0807 1741

수   신 : 장관(아일,국기,미일,정特) 사본:주미대사-중계필 OK

발   신 : 주 일 대사(일정)

제   목 : 미일간 북한핵관련 협의

연:JAW(F)-3758

1. 연호, 당관이 금 8.7 외무성측에 확인한바에 의하면, 외무성 '오따' 과학기술 심의관은 오는 8.13-18 간 방미, 미국무성 및 국방성측과 IAEA 9 월 이사회시 북한이 핵안전 협정에 의한 실질적인 조기핵사찰을 받어들이도록 하는 방안에 대해 협의할 예정이라 함(면담 예정인사는 국무성의 KENNEDY 핵확산방지문제 담당대사, SOLOMON 차관보등이라함)

22. 또한, 동심의관은 방미중 미측과 상기 북한의 핵문제 이외에도 이라크에 대한 핵사찰 문제, 일본의 핵폐기물 처리문제등에 대해서도 협의예정이라함.

3. 본건, 미측과의 협의내용 파악되는대로 추보하겠음. 끝

(대사 오재희-국장)

예고:91.12.31. 일반

| 아주국 | 장관 | 차관 | 1차보 | 2차보 | 미주국 | 국기국 | 외정실 | 분석관 |
| 정와대 | 안기부 | | | | | | | |

0021

PAGE 1   91.08.07   18:44

외신 2과 통제관 BA

0037

	분류번호	보존기간

발 신 전 보

번　호 : WAU-0579　910807 1929 FO　종별 :

수　신 : 주 수신처 참조　　대사. / 총영사　　　WJA -3516　WUS -3571
　　　　　　　　　　　　　　　　　　　　　WCN -1027

발　신 : 장　관 (국기)

제　목 : IAEA 9월 이사회

　　　연 : EM-0021(6.14)

　　　1. 주한 호주대사관 Mullins 참사관은 금 8.7(수) 국제기구과장을 오찬에 초청하여 오는 9.11-13 IAEA 이사회에서 북한의 핵안전조치협정체결문제에 관한 결의안 채택 추진과 관련 하기 언급하였음을 참고바람.

　　　가. 호주정부는 8.5(월) 주소련 자국 대사관에 훈령하여 주쏘 일본 및 카나다 대사관과 함께 소련 외무성 군축국장 Majorski에게 하기와 같은 원칙을 협의 하고 반응을 보고토록 지시하였음

　　　　　1) 9월 IAEA 이사회에서 북한의 핵안전조치 협정안 동의 사실을 환영 하고 북한의 협정 이행을 조속 촉구하는 내용의 결의문을 채택

　　　　　2) 상기 결의문에 북한이 협정 이행시점 까지는 핵관련 시설을 가동 하지말도록 요구하는 내용을 포함

　　　나. 상기 원칙에 관하여 이미 미국과는 협의를 완료하였으며 소련측 반응을 기다리고 있음. 소련측 반응 접수후 영국과 중국을 접촉 할것임.

계속...

	보안 통제	

앙 고 재	입 년 월 일	국제기구과	기안자 성명 신중이	과장	국장	차관	장관	외신과통제

다. 결의문의 내용은 아직 성안된 바 없고 단지 상기 원칙만을 가지고
우선 소련과의 접촉을 시작하고자 하는 것이며 결의문의 채택을
추진할 경우 다수 이사국의 지지확보가 중요함

2. 본부는 호주등의 소련 접촉 결과를 입수한후 호주, 일본등과 협의하여
9월 이사회 대책을 강구코자 하는바 귀관은 주재국 정부와 긴밀한 협조 관계를
유지하면서 상기 관련 사항 보고 바람.

예고 : 91.12.31 일반

(장   관)

수신처 : 주 호주, 일본, 미국, 카나다 대사

일반문서로 재분류(1991. 12. 31.)

0023

발 신 전 보

번 호 : WAV-0842   910807 1928 FO종별 :

수 신 : 주 오스트리아   대사. 총영사

발 신 : 장 관 (국기)

제 목 : IAEA 9월 이사회

연 : EM-0021(6.14)

1. 주한 호주대사관 Mullins 참사관은 금 8.7(수) 국제기구과장을 오찬에 초청하여 오는 9.11-13 IAEA 이사회에서 북한의 핵안전조치협정체결문제에 관한 결의안 채택 추진과 관련 하기 언급하였음을 참고바람.

가. 호주정부는 8.5(월) 주소련 자국 대사관에 훈령하여 주쏘 일본 및 카나다 대사관과 함께 소련 외무성 군축국장 Majorski에게 하기와 같은 원칙을 협의 하고 반응을 보고토록 지시하였음

1) 9월 IAEA 이사회에서 북한의 핵안전조치 협정안 동의 사실을 환영 하고 북한의 협정 이행을 조속 촉구하는 내용의 결의문을 채택

2) 상기 결의문에 북한이 협정 이행시점 까지는 핵관련 시설을 가동. 하지말도록 요구하는 내용을 포함

나. 상기 원칙에 관하여 이미 미국과는 협의를 완료하였으며 소련측 반응을 기다리고 있음. 소련측 반응 접수후 영국과 중국을 접촉 할 것임.

계속...

0024

다. 결의문의 내용은 아직 성안된 바 없고 단지 상기 원칙만을 가지고
우선 소련과의 접촉을 시작하고자 하는 것이며 결의문의 채택을
추진할 경우 다수 이사국의 지지확보가 중요함

2. 본부는 호주등의 소련 접촉 결과를 입수한후 호주, 일본등과 협의하여
9월 이사회 대책을 강구코자 하는바 귀관은 귀지주재 우방 이사국 대표와 긴밀한
협조관계를 유지하면서 관련사항 보고 바람.   끝.

예고 : 91.12.31 일반

(장   관)

일반문서로 재분류(19 91. 12. 31)

대 한 민 국
주 오 스 트 리 아 대 사 관

오스트리아 20332-226   1991. 8. 7.

수 신 : 외무부장관   (보존기간 :   )

참 조 : 국제기구 과장, 과기처 원자력실장

제 목 : 북한의 핵안전조치 협정 체결 문제

　　　1. 지난 7.16. IAEA - 북한 실무 대표 자간의 획담에서 확정된 핵안전조치 협정(안)은 별첨 1과 같이 IAEA 9월 정기 이사획의 승인을 받기 위해 제출될 예정입니다.

　　　2. 또한 지난 6월 이사획(91.6.13.)에서의 표제 토의에 관한 획의록을 별첨 2(GOV/OR.755, 26 July 1991, Page 27-31)　　　로 송부합니다.

첨부 : 1.　GOV/2534(24 July 1991)　　　1부

　　　 2.　GOV/OR.755(26 July 1991)　　　1부

　　　 3.　INFCIRC/9/Rev.2(26 July 1967)　　　1부. 끝.

주 오 스 트 리 아 대 사

0026

관리 번호	91-753

외 무 부

번 호 : CNW-1148　　　　　　일 시 : 91 0808 1700

수 신 : 장 관(국기)

발 신 : 주 카 나 다 대사

제 목 : IAEA 9 월 이사회

　　대 : WCN-1027

　　8.8. 당관 백참사관이 주재국 NUCLEAR DIV 의 BARTON 과장 대리 접촉시 대호 관련 동인이 언급한 내용 아래 보고함.

　　1. 카나다 정부측은 동 건관련, 미국.호주 및 일본측과 긴밀한 협의를 해오고 있으며, 특히 성공적인 한. 카 정상회담이후 동 문제에 중점을 두고 추진하고있음.

　　2. 며칠전에 소련 주재 카나다 대사관에 소련주재 호주 및 일본 대사관과 함께 대호 결의문 채택관련 대소 공동 DEMARCHE 를 하도록 훈령한바 있음. 그러나 아직까지 소련 외무성 MAJORSKI 군축국장을 접촉하지 못하고 있는바, 동건 관련 보고 받는대로 알려주겠음.

　　3. 동 결의문 채택 추진시 다수국가의 지지 획득은 가능할 것으로 보이나(CONSENSUS 불필요), 동결의문 채택시, 소련 및 중국으로부터의 지지 획득이 매우중요하다고 봄. 그러나 양국으로 부터의 지지획득 가능성은 낙관적이라 할수 있음.

　　4. 지난 7 월말 비엔나 주재 호주대사관 직원이 비엔나 주재 소 대사관 직원과 접촉시 대호 결의문 채택 문제를 협의한바 있으며, 동접촉시 소측은 북한을자극하는 내용이 포함되어서는 않된다는 반응을 보였음. 끝

　　(대사-국장)

　　예고문 :91.12.31. 일반

일반문서로 재분류(19 PI. 12. 31.

국기국　　차관　　1차보　　2차보　　미주국

관리 번호	91-754

외 무 부

원 본

종 별 :

번 호 : JAW-4557

일 시 : 91 0809 0101

수 신 : 장관(국기,아일,정특)

발 신 : 주 일 대사(일정)

제 목 : IAEA 9월이사회

3기

　　대 : WJA-3515

　　연 : JAW-4526

　　1. 연호, 금 8.8 당관 박승무 정무과장은 외무성 사다오까 원자력과장을 접촉, IAEA 9 월 이사회시 북한의 핵안전협정 체결문제와 관련한 일측대책등을 문의하였던바, 동과장은 다음과 같이 설명함.

　　0 9 월 이사회시 북측은 핵안전협정에 서명은 할것으로 예상되나 서명이후에도 실질적인 조기 핵사찰을 수용토록 하기 위하여 일측으로서도 대책을 강구중에 있는바, 지난 6 월 이사회시는 의장성명으로 북한의 핵안전협정 체결을 촉구하였으므로 9 월 이사회시는 이보다 격을 높여 결의안을 채택하는 방안도 포함하여 대책을 검토중에 있음.

　　0 최근 호주측은 일측에 대해 9 월 이사회시 대책에 대한 협의를 해왔는바, 호주측이 생각하는 결의안의 기본적인 내용은 북측이 핵안전 협정을 조기 서명, 발효시켜 협정을 실행토록 촉구하는 것으로 알고 있음.

　　0 일측으로서는 '오따' 심의관의 방미시 미측과의 협의결과등을 종합적으로검토, 대처방안을 강구할 예정임.

　　2. 본건, 일측 대처방안등 파악되는대로 추보하겠음. 끝

　　(대사 오재희-국장)

　　예고:91.12.31. 일반

국기국 안기부	장관	차관	1차보	2차보	아주국	외정실	분석관	청와대

공 란

공　　　　　란

공 란

공　　　란

공   란

공   란

관리 번호	91-761

외 무 부

종 별 :

번 호 : USW-4006   일 시 : 91 0812 1809

수 신 : 장 관 (미일,미이,정특,정안,국기)

발 신 : 주 미 대사

제 목 : 미 학계인사 접촉(북한문제, 한미 학술교류)

  연: USW-3722, USWF-3934

  1. 금 8.12 당관 유명환 참사관은 당지 소재 CSIS 의 WILLIAM TAYLOR 부소장을 접촉(김영목 서기관 배석), 북한문제및 동인의 방한(8 차 한미의원 간담회)소감등 제반 관심사항에 대해 논의하였는바, 동 요지 다음 보고함.

  가. 북한 핵문제

  - 유참사관은 동인의 WP 지 기고(6.25 TIME TO DECLARE NUCLEAR FREE KOREA)에 언급, 현재 북한이 IAEA 안전협정안에 합의는 하였으나, 공식 서명및 이행 여부에 관해서는 상금도 불투명한 입장을 보이고 있고, 특히 사찰은 북한에 대한핵위협이 제거되어야 수락할수 있다는 주장을 계속하고 있음을 설명하고 이를 고무할 가능성이 있는 그릇된 신호는 피해야 한다고 지적하였음.

  - TAYLOR 부소장은, 자신은 우선 군사적 측면에서 동 문제를 다루었으며, 북한의 핵 안전협정 서명과 이행에는 어떠한 조건이 붙어서는 안된다는 점에는 동의하나, 결과론적으로 제반 상황은 자신의 주장과 유사하게 되지 않겠느냐고 반문함.

  - 유참사관은 7.30 한반도 비핵지대화 제안등 북한의 최근 동향을 상세히 설명하고, 북한에 대해서는 원칙에 입각, 계속 국제적 압력을 가해야 한다고 강조함. 특히 오는 남북 고위급 대화, 9 월 IAEA 이사회, 남북한 유엔 가입등 중요한 계기들을 앞두고, 한. 미 양국이 북한이 요구하는 그릇된 주장에 호응하는 듯이 보이려는 소지를 배제해야 된다는 점을 지적하였음.

  나. 북한에 관한 CSIS 정책 건의

  - 테일러 부소장은 조만간 CSIS 내부 정책 토론을 거쳐, 북한의 핵문제등에관한 CSIS 건의서를 채택할 예정이라고 하면서, 아측의 입장과 설명을 참고하겠다는 반응을 보였음.

미주국 외정실	장관 분석관	차관 청와대	1차보 안기부	2차보	미주국	국기국	외연원	외정실

- 동 부소장은 대북 압력 전력상, 어떠한 경우에도 북한의 '조건화' 기도에반응하는 듯한 입장 표시는 바람직하지 않다는 아측 설명에 공감을 표하면서, 북한의 핵 안전협정 이행시 북한이 얻을수 있는 '당근'을 보다 막연하고 일반적으로 표현하는 것으로 내부적 토론을 정리해 보겠다고 말함.

다. 한미 의원 간담회(제 8 차 NORTHEAST COUNCIL)

- 테일러 부소장은 미측 참석 의원들은 금번 방한시 토론이 생산적이었으며, 특히 노대통령께서 주신 오찬 기회가 매우 인상적이었다고 평가하고 있다고 밝힘.

- 동 부소장은 청와대 오찬시 노대통령께서 장시간 제반문제에 대해 솔직한견해를 표시하시고, 특히 한미 동반자 관계, 민주화에 대해서 확고한 결의를 보여주신 것에 대해 자신은 물론 미 의원들도 매우 깊은 인상을 받았다고 설명함.

- 또한 테일러 부소장은 미 의원들로서는 금번 방한시 아측 토론자들이 국가보안법의 현실적 필요성을 역설하면서도, 여건이 성숙되면 동 법에도 더 큰 변화가 있을수 있다는 견해를 보인 것을 평가하고, 아국의 상황을 보다 정확이 이해하게 된 것으로 평가한다고 말함.(남북 쌀 교역문제에 대해서도 아국 국민의 인식을 보다 깊이 이해하게 됨)

라. CSIS 프로젝트

- 한편, TAYLOR 부소장은 오는 9.12 CSIS 의 KOREAN TASK FORCE MEETING 이개최됨을 재확인하면서 본직의 참석등 협조를 요청하였음.

(동 TASK FORCE 는 ROTH 상원의원과 MURTHA 하원의원이 공동의장으로 주재하며, 본직은 9.12 조찬열설을 수락함)

- 동 부소장은 CSIS 주관으로 한미 현인그룹회의 제 1 차 회의를 10.3-4 간워싱턴에서 개최할 예정이라고 밝힘.(아측: 남덕우, 이건희, 조순, 금진호, 최종현, 구평회 회장, 미측: FRANK CARLUCCI 전 NSC 보좌관, ZBIGNIEW BRZEZINSKI 전 NSC 보좌관, WARREN CHRISTOPHER 전 국무부 부장관, DAVID RODERICK 전 USX 회장, TOM CLAUSEN 뱅크아메리카 회장 참석)

- 또한 오는 10.17-19 간 동 연구소가 주최하는 국제학술회의(LEADERSHIP 2000)에 이봉서 장관을 초청하였음을 알리면서, 동 장관의 참석 여부를 확인해 줄것을 요망하였음. 끝.

(대사 현홍주-국장)

예고: 91.12.31. 일반

일반문서로 재분류(1991. 12.31.)

원　본

관리 번호	

외　무　부

종　별 :

번　호 : CPW-2049　　　　　　　　일　시　91 0814 1200

수　신 : 장 관(미이,미일,아이,정부,정보, 기정)사본:주미대사,주홍콩총영사

발　신 : 주 북경 대표　　　　　　　　　-중계필-

제　목 : 중국의 NPT 가입 방침(미측 평가)

　　당관 윤해중 참사관은 8.13 당지 미대사관 KEYSER 참사관과 면담한바 금번 카이푸 일본수상의 방중시 중국측이 밝힌 NPT 가입 방침에 관한 당지 미대사관 평가를 다음 보고함.(이하 동인 언급 요지)

　　가. 중국은 NPT 가입을 원칙적으로 결정했다고만 발표하였는바 구체적인 시기 언급이 없는 점에서 기존의 "진지하게 검토중에 있다"는 정도 이상의 뜻이 없다고 봄.

　　나. 중국의 NPT 서명이 실제 언제 이루어질지 명확치 않으며, 서명하더라도조건을 부치거나 시간을 지연시킬 가능성도 있어 미국으로서는 중국측 움직임을 계속 주시할 것임.

　　다. 중국측이 이런식으로 발표한 이유는 NPT 가입의 장단점 비교분석 검토가 끝나지 않는 상태이나 가이푸 일수상의 방중 성과를 돋보이게하고 이를 통한 중국의 대외이미지 개선을 위한 것으로 봄.

　　라. 원칙적으로 서명방침을 결정한 이상 언제가는 서명할 것으로 보여 일단은 긍정적인 상황 발전으로 보며, 이는 북한의 IAEA 핵사찰 수락문제에 대한 태도 완화에도 긍정적 영향을 미칠것으로 봄.끝.

　　(대사 노재원-국장)

　　예고: 92.12.31. 일반　| 검토필 (19P，6.30.) 인 |

미주국 분석관	장관 청와대	차관 안기부	1차보	2차보	아주국	미주국	외정실	외정실

PAGE 1　　　　　　　　　　　　　　　　　　91.08.14　　13:13

　　　　　　　　　　　　　　　　　　외신 2과　통제관 BS

　　　　　　　　　　　　　　　　　　　　0037

관리 번호	91-766

외 무 부

종   별 :

번   호 : AUW-0630   일   시 : 91 0814 1730

수   신 : 장관(국기,아동,정특)

발   신 : 주 호주 대사

제   목 : 호주의 대 IAEA 대책

연:AUW-0575

1. 금 8.14 양공사와의 오찬시 COUSINS 외무성 군축부국장이 표제관련 호주대책에 관하여 언급한 내용을 아래와같이 보고함.

가. 작 8.13 주쏘 호주.일본.카나다 대사가 공동으로 소련외무성 MAJORSKI 군축국장을 면담, 호주등 서방측이 9 월 IAEA 이사회 제출준비중인 대북한관련 결의안을 제시하고, 이에대한 소련의 입장을 타진하였던바 MAJORSKI 군축국장은 서방측 결의안중 제 1 항 북한의 핵안전협정의 즉각서명, 비준을 요구하는 문안과 제 2 항 즉각적인 핵개발중지및 핵시설에대한 국제감시 수락을 요청하는 문안의 필요성은 인정하면서, 다만 결의안 마지막절인 제 3 항 IAEA 사무총장으로 하여금 북한의 상기 1.2 항 이행결과에 대한 보고서를 제출토록하는 항에대하여는 이의(OBJECTION)를 제기하는 반응을 보였다함.

나. 전기 서방측대표들 판단으로는 소련군축국장의 반응은 금년 6 월 IAEA 이사회시 호주등 서방국가가 제출하려던 결의안에 대한 초기반응에 비추어볼때 부드러운것으로서, MAJORSKI 국장자신이 금번 호주가 준비중인 결의안의 MILD MATURE 를 인정하였다 함.

다. 따라서 명 8.15 비엔나에서 호.일.카. 미국등 대표들이 회동, 소련측의전기 서방측결의안 시안에 대한 반응을 분석, 소련측이 지적한 제 3 항을 아마도 DELETE 시키면서 동결의안에 대하여 어떠한 나라도 반대할수 없는 형태로 문안을 작성, 다음주부터 영. 불.중.안보리상임이사국과 태국.인니.필리핀등 아태지역 IAEA 이사회 회원국을 상대로 동 결의안을 제시, 지지를 획득한후, 그다음단계로 각회원국에 공개지지를 요청하는 단계로 돌입할것이며, 이중간단계에서 주비엔나 한국대사와 접촉할것이라함(금주말경 동결의안 내용이 확정되는대로 COUSINS 부국장은 양공사에게

국기국   장관   차관   1차보   2차보   아주국   외정실   분석관   청와대
안기부

91.08.14   17:48

외신 2과 통제관 BA

0038

우선적으로 완성된 결의안 문안을 수교해주기로 약속했음)

2. 호주정부는 오는 9 월 IAEA 총회 첫날에 EVANS 외상을 파견시켜 동 외상으로 하여금 북한의 핵안전협정 체결및 국제 핵사찰 즉각수락을 촉구하는 강력한내용의 연설을 행할것이라고 COUSINS 부국장은 말하면서, 이는 EVANS 외상의 개인적인 집념뿐아니라 금추 유엔총회 연설시에도 EVANS 외상은 북한의 핵위협에대한 강력한 경고를 발하는것을 염두어 두고있다고함(EVANS 외상으 동 비엔나 회의참석을 전후하여 뉴델리에서 열리는 남아공 관련 영연방 외상급회의에 참석하고 브랏셀도 방문예정이라고함)

3. 한편 COUSINS 부국장에 의하면 호.일.카. 미 등은 전기한 대북한 결의안이 채택되는데 대하여는 자신하면서도, 북한이 핵안전협정에 서명할것이나 조만간 국제사찰을 허락하지는 않을것으로 판단하고, 이에대한 대책으로 현재 호주를중심한 상기 서방국가들은 다음과 같은 대북한 RED-LINE 을 설정하고 있다함. 즉 북한이 국제사찰에 응하지 않을것을 미리 예상하면서 무한정 또는 최소한 내년 2 월 IAEA 이사회까지 6 개월기간이라도 북한이 자체의 핵개발을 가속화시킬수 있는 시간적 여유를 주지않기 위하여 북한으로 하여금 핵안전협정체결과 동시에 자체의 핵시설 가동을 일단 중지시키는 안을 IAEA 가 북한측에 제시할수있는 마지막양보선(RED-LINE)으로 책정하는것이 현실적으로 더 현명한 대북한 대책이 아닌가 검토중에 있으며, 이러한 발상을 하게된데에는 북한의 핵시설가동현황이 향후 2-3 년의 문제가 아니라 6 개월이내라도 핵안보에 위협적인 상태로 발전할수 있는 단계라고 판단했기때문에, 북한의 핵시설가동을 현상태대로 동결시키는방향으로 대체하는것이 보다 현실적인 대응이라는 판단과 함께 북한이 이러한 선마저 어길때 IAEA, 유엔등에서 향후 보다 강력한 대응조치를 강구할수있는 명분을 축적할수 있을것이라고 말했음.

4. 양공사가 9 월 IAEA 이사회시 북한이 서방측의 결의안 봉과움직임을 사전 봉쇄하기 위하여 핵안전협정에 서명함으로써 동결의안 제출의 명분과 시의성을 상실되는 경우 대체방안에 대하여 문의한바, COUSINS 부국장은 그러한 경우 결의안 첫항에 북한의 서명에 대한 환영을 표시하면서 결의안의 본질인 협정비준및 즉각적인 국제사찰이행이 담긴 부분을 살려 계속 봉과시킬것이라고 말했음. 또한 호주는 소련측의 전기 결의안 3 항에 대한 반응을 고려, 결의안 자체에서는IAEA 사무총장 보고의무사항을 삭제하되 이사회 및 총회시 어떠한 형태로든지 IAEA 사무총장이

PAGE 2

0039

북한에 대하여 서방측의 전기한 입장을 전달, 확인, 보고하도록 각국대표연설 또는
기타방법으로 요청할것이라고 하였음(현재 하계휴가중인 BLIX 사무총장이 귀임한후
상세한 방법을 강구할것이라고 하였음). 끝.

　　(대사 이창범-국장)

　　예고:91.12.31. 까지.

일반문서로 재분류(19 PI. 12. 31.)

PAGE 3

0040

발 신 전 보

WAV-0858   910814 1821   DN

번   호 :   종별 :

수   신 : 주 수신처참조   대사. 총영사   WAU -0604   WJA -3599
                                                    WCN -1057   WUS -3671

발   신 : 장 관 (국기)

제   목 : IAEA 9월 이사회

연 : 수신처별 참조

1. 주한 호주 참사관 Mullin은 금 8.14(수) 국제기구과장을 방문,
연호관련 그간 진전사항을 다음과 같이 통보하여 왔는바 참고바람.

    가. 8.12(월) 소련주재 호주, 일본 및 카나다 3개국 대사는 소련 외무성
        군축국장 Majorski를 면담, 9월 IAEA 이사회에서 북한의 핵안전 조치
        협정체결 문제를 결의안으로 제기하는 내용을 위주로 협의하였는 바
        Majorski의 반응은 예상하였던 바와 같이 9월 이사회에서 북한만을
        겨냥한 결의안 제출은 불필요하다는 입장을 표명함.

    나. 그이유로서 Majorski는 북한이 소련측에게 핵안전협정을 즉각 서명
        하겠다고 약속한바 있는데 북한만을 지칭한 결의안을 채택한다는것은
        북한의 자존심을 손상하는 것으로서 바람직하지 않음을 내세웠음.

    다. Majorski는 북한이 협정에 서명하겠다고 큰 양보를 한 현 싯점에서
        미국이 상응하는 조치를 취하는등 양자관계의 차원에서 동 문제를
        해결하는것에 역점이 주어져야 함을 강조하였음.

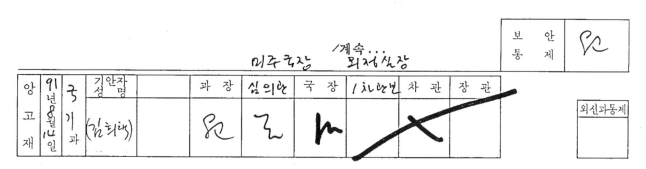

/계속...

| 보 안
통 제 | |

양 고 재	91 년8 월14 일	국 기 과	기안자 성명 (김희택)	과 장	심의관	국 장	심의관	차 관	장 관		외신과통제

0041

라. 우방 3개국 대사가 북한이 협정서명과 이행에 아무런 진전이
   없을 경우, 소련의 방침을 문의한데 대하여 Majorski는 오는 12월
   까지 아무런 변화가 없으면 12월 개최 IAEA 이사회에서 동건을
   논의할 수 있을것이라고 언급하였음.

   2. 상기 소련측 반응을 파악한 후 호주, 일본, 카나다 3개국은 비엔나에서
금 8.14 모임을 갖고 향후 대책을 협의할 예정인 바, 호주측이 생각하고 있는 대책
방향은 다음과 같음.

   가. 결의안 추진을 계속하되 가능한한 소련의 강한 반대가 예상되는
      요소를 완화시키는 내용으로 결의안을 수정하는것도 고려함.

   나. 상기 결의안을 영국과 불란서에 제시하여 지지교섭 협의를 하고
      이어 아세안 국가중의 이사국, 77그룹 이사국등의 순서로 협의대상
      국가를 확대함. (소련에도 진행사항을 정보로서 제공하며 미국은
      확실한 지지국으로 간주하지만 대외적 인식을 고려하여 표면에
      내세우지는 않음)

   3. Mullin 참사관은 상기 소련측 접촉시 3개국이 기 준비한 연호 내용의
결의안을 제시하였음을 뒤늦게 알려주면서 동 결의안을 추후 입수하는대로 당부에
전달하겠다 하였음.   끝.

일반문서로 재분류(1991. 12. 31)

예고 : 91.12.31 일반

                              (국제기구조약국장   문 동 석)

수신처 : 주 오스트리아(WAV-0842), 호주(WAU-0579), 일본(WJA-3516),
        카나다(WCN-1027), 미국(WUS-3571)대사

0042

외　무　부

관리 번호	91 - 934

종　별 :

번　호 : USW-4045　　　　　　　　　　일　시 : 91 0814 1850

수　신 : 장 관 (정안,미이,미일)

발　신 : 주 미 대사

제　목 : 중국의 NPT 가입관련 대변인 논평

대: WUS-3667

1. 대호, 중국의 NPT 가입에 대한 아국 입장관련, 당관 유명환 참사관은 8.14(수) 국무부 KARTMAN 한국과장에게 외무부 대변인 논평 내용을 설명한바, 미측은 아측의 여사한 조치가 매우 시의적절한 것으로서, 이는 북한의 핵안전 협정체결을 촉구하는 효과가 있을 것으로 본다고 말함.

2. 동인은 또한 불란서, 중국의 NPT 가입은 물론 아직 NPT 에 가입은 하지 않았으나 브라질, 알젠틴등도 자국의 핵관련 시설에 대한 IAEA 의 사찰을 수용할 예정으로 있어 오로지 북한만이 남게 될 것이라고 말함. 끝.

(대사 현홍주-국장)

예고: 91.12.31. 일반 고문에 의거 일반문서로 재분 됨

외정실 안기부	장관	차관	1차보	2차보	미주국	미주국	분석관	청와대

PAGE 1　　　　　　　　　　　　　　　　　　　91.08.15　　08:40
　　　　　　　　　　　　　　　　　　　　　　외신 2과　통제관 DO

0043

長 官 報 告 事 項

報 告 畢

1991. 8. 16.
國際機構條約局
國際機構課 (52)

題 目 : 호주, 9월 IAEA 이사회 제출 대북한 결의안 준비중

호주정부는 91.9.11-13간 비엔나에서 개최되는 9월 IAEA 이사회에서
지난 6월 이사회에서 시도한바 있는 북한의 핵안전협정 조속체결을
촉구하는 결의안 제출을 재 준비중에 있음을 보고드립니다.

우방이사국의 견의안 추진
1. 결의안 제출 배경

  o 91.6월 IAEA 이사회에서 호주, 일본, 카나다등은 북한의 조속한 핵안전조치
    협정체결을 촉구하는 결의안을 제출할 계획이었으나, 북한이 9월 이사회에서
    협정안 승인을 득한후 동 협정에 서명하겠다고 통보해옴에 따라 결의안 제출
    을 일단 유보

  o 91.7월 북한-IAEA간 핵안전협정문안협의 전문가회의에서 북한은 본질내용의
    수정없이 IAEA 표준문안대로 협정문안에 동의

  o 호주정부는 일본, 카나다, 미국등 우방국은 9월 이사회 이후
    북한이 동협정 비준절차의 지연 및 국제사찰에 조속히 응하지 않을
    것을 우려, 북한의 핵안전협정체결 및 핵사찰 즉각 수락을 촉구하는 결의
    안을 9월 이사회시 제출키로 결정

0044

2. 결의안 제출관련 소련과의 교섭결과

　　가. 결의안 초안 요지

　　　　o 제1항 : 북한의 핵안전협정의 즉각서명, 비준요구

　　　　o 제2항 : 북한의 즉각적인 핵개발중지 및 핵시설에 대한 국제감시 수락요구

　　　　o 제3항 : 북한의 상기 이행결과에 대한 보고서를 IAEA 사무총장이 작성제출

　　나. 교섭결과

　　　　o 8.13. 주쏘 호주, 일본, 카나다 대사가 공동으로 소련 외무성 Majorski
　　　　　　군축국장을 접촉 ~~상기결의안에 대해 협의한~~ 결과, 소련측은 상기 제
　　　　　　1,2항의 필요성은 인정하나 3항에 대해서는 이의 제기

　　　　o 또한 Majorski 국장은 북한이 핵안전협정을 서명하겠다고 약속한 만큼,
　　　　　　북한~~을~~ 지칭~~한~~ 결의안 채택~~으로 북한의 자존심을 손상시키는 것~~은
　　　　　　바람직하지 않다는 입장 표명
　　　　　　- 91.12월까지 북한의 협정서명 및 이행~~에~~ 관련~~하여~~ 아무런 진전이 없을
　　　　　　　경우 12월 IAEA 이사회에서 동건을 논의~~할 수 있을 것이라고~~ 언급

우방이사동의
3. 향후 추진계획

　　　　o ~~8.15.~~ 비엔나에서 호주, 일본, 카나다, 미국대표들이 회동하여 상기 소련측이
　　　　　　지적한 제3항을 삭제시키면서 ~~어떠한 나라도 반대할 수 없는~~ 새로운 결의안을 작성할
　　　　　　예정

　　　　o 내주부터 영국, 불란서, 중국(안보리 상임이사국)과 태국, 인니, 필리핀등 아
　　　　　　태지역 IAEA 이사국을 상대로 결의안 지지교섭을 전개한후, ~~그 다음 단계로~~
　　　　　　여타 이사국에 공개지지를 요청할 계획

　　　　o 호주는 91.9월 ~~개최될~~ IAEA 총회 ~~첫날에~~ 시 Evans 외상을 파견, ~~동 외상으로~~
　　　　　~~하여금~~ 북한의 핵안전협정체결 및 국제핵사찰 즉각수락을 촉구하는 강력한
　　　　　내용의 연설을 행할계획.　　　　　　　　끝.

예고 : 91.12.31 일반

- 2 -

0045

報告畢

長官報告事項

1991. 8. 16.
國際機構條約局
國際機構課 (52)

題 目 : 호주, 9월 IAEA 이사회 제출 대북한 결의안 준비중

> 호주정부는 91.9.11-13간 비엔나에서 개최되는 9월 IAEA 이사회에서
> 우방이사국(일본, 카나다, 미국등)과 함께 북한의 핵안전협정 조속
> 체결을 촉구하는 결의안 제출을 추진하고 있음을 보고드립니다.

1. 우방이사국의 결의안 추진배경

　　ㅇ 9월 이사회 이후 북한이 동협정 비준절차의 지연 및 국제사찰에 조속히
　　　 응하지 않을것을 우려

　　ㅇ 내년 2월 IAEA 이사회까지 북한이 자체 핵개발을 가속화시킬수 있는 시간적
　　　 여유를 주지 않기위해 IAEA의 대북한 최후 양보선(red-line) 구축상 필요

2. 결의안 제출관련 소련과의 교섭결과

　　가. 결의안 초안 요지

　　　　ㅇ 제1항 : 북한의 핵안전협정의 즉각서명, 비준요구

　　　　ㅇ 제2항 : 북한의 즉각적인 핵개발중지 및 핵시설에 대한 국제감시 수락요구

　　　　ㅇ 제3항 : 북한의 상기 이행결과에 대한 보고서를 IAEA 사무총장이 작성제출

- 1 -

0046

나. 교섭결과

　　o 8.13. 주쏘 호주, 일본, 카나다 대사가 공동으로 소련 외무성 Majorski
　　　군축국장 접촉 결과, 소련측은 상기 제 1,2항의 필요성은 인정하나 제 3
　　　항에 대해서는 이의 제기

　　o 또한 Majorski 국장은 핵안전협정을 서명을 약속한 북한에 대해 여사한
　　　결의안 채택은 바람직하지 않다는 입장 표명

　　　- 91.12월까지 북한의 협정서명 및 이행관련 아무런 진전이 없을 경우
　　　　12월 IAEA 이사회에서 동건 재 논의 가능성 언급

3. 우방이사국의 향후 추진계획

　　8.15.
　　o 호주, 일본, 카나다, 미국대표들이 비엔나에서 회동, 상기 제3항을 삭제한
　　　새로운 결의안 작성 예정

　　o 내주부터 영국, 불란서, 중국(안보리 상임이사국)과 태국, 인니, 필리핀등 아
　　　태지역 IAEA 이사국을 상대로 결의안 지지교섭 전개후, 여타 이사국에 공개
　　　지지를 요청할 계획

　　o 호주는 91.9월 IAEA 총회시 Evans 외상을 이찬서 파견, 북한의 핵안전협정체결 및
　　　국제핵사찰 즉각수락을 촉구하는 강력한 내용의 연설을 행할계획.　　　끝.

예고 : 91.12.31 일반

일반문서로 재분류(19 91. 12. 31

- 2 -

0047

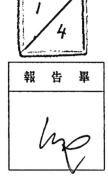

長 官 報 告 事 項

題 目 : 호주, 9월 IAEA 이사회 제출 대북한 결의안 준비중

> 호주정부는 91.9.11-13간 비엔나에서 개최되는 9월 IAEA 이사회에서
> 우방이사국(일본, 카나다, 미국등)과 함께 북한의 핵안전협정 조속
> 체결을 촉구하는 결의안 제출을 추진하고 있음을 보고드립니다.

1. 결의안 초안 요지

   o 제1항 : 북한의 핵안전협정의 즉각서명, 비준요구

   o 제2항 : 북한의 즉각적인 핵개발중지 및 핵시설에 대한 국제감시 수락요구

   o 제3항 : 북한의 상기 이행결과에 대한 보고서를 IAEA 사무총장이 작성제출

2. 교섭결과

   o 8.13. 주쏘 호주, 일본, 카나다 대사가 공동으로 소련 외무성 Majorski
     군축국장 접촉 결과, 소련측은 상기 제 1,2항의 필요성은 인정하나 제3항에
     대해서는 이의 제기

3. 우방이사국의 향후 추진계획

   o 내주부터 영국, 불란서, 중국(안보리 상임이사국)과 태국, 인니, 필리핀등 아
     태지역 IAEA 이사국을 상대로 결의안 지지교섭 전개후, 여타 이사국에 공개
     지지를 요청할 계획.   끝.

   일반문서로 재분류(19 91. 12. 31.)

예고 : 91.12.31 일반

0048

외 무 부

종 별 :

번 호 : AVW-0998   일 시 : 91 0819 1900

수 신 : 장 관(국기,정특,<u>미안</u>,기정)

발 신 : 주 오스트리아 대사

제 목 : 북한 외교부 성명

북한은 91.7.30. 자의 외교부 성명을 IAEA 이사회문서 (91.8.15.자)로 별전 (FAX)과 같이 배포하였음.끝.

국기국   1차브   미주국   외종실   안기부

0049

PAGE 1

AVW(F) - 0015

8/20 신

International Atomic Energy Agency

BOARD OF GOVERNORS

For official use only

GOV/INF/623
15 August 1991

RESTRICTED Distr.
Original: ENGLISH

〈 북한 외교부 성명 〉

STATEMENT OF 30 JULY 1991 BY THE MINISTRY OF FOREIGN AFFAIRS OF THE DEMOCRATIC PEOPLE'S REPUBLIC OF KOREA

The attached text of a statement made in Pyonyang on 30 July 1991 is being circulated to members of the Board of Governors at the request of the Resident Representative of the Democratic People's Republic of Korea.

4045280

91-03331

0050

ATTACHMENT

STATEMENT OF 30 JULY 1991 BY THE MINISTRY OF FOREIGN AFFAIRS OF THE DEMOCRATIC PEOPLE'S REPUBLIC OF KOREA

At present, the interest of mankind is concentrated on the subjects of reducing nuclear armaments, removing their danger and preventing the proliferation of nuclear weapons over the globe.

The colossal amount of nuclear weapons deployed on the soil of south Korea and the danger that they represent make the Korean peninsula a focal point of world attention.

The international response to the Joint Statement recently issued by the political parties and public organizations of the Democratic People's Republic of Korea clearly reflects the concern of the peace-loving peoples of the world about the snowballing nuclear threat on the Korean peninsula and their desire for the denuclearization of this region.

Despite changes in the situation in different parts of the world, on the Korean peninsula the situation continues to be aggravated — rather than alleviated. This is due entirely to the nuclear threat policy pursued by the United States against us and to the presence of her nuclear weapons.

The nuclear weapons deployed in south Korea not only pose a serious threat to the existence of our people, but also constitute a grave danger to peace and security in Asia and the world.

0051

GOV/INF/623
Attachment
page 2

Out of its noble desire to eliminate the danger of nuclear war on the
Korean peninsula and contribute to durable peace and security in our country,
in Asia and throughout the world, the Government of the Democratic People's
Republic of Korea has for a long time been engaged in peace initiatives,
including the proposal to establish a nuclear-weapon-free zone of peace on the
Korean peninsula, and making sincere efforts aimed at their realization.

Because of the changing situation, the establishment of a
nuclear-weapon-free zone on the Korean pensinsula is now an urgent matter that
brooks no further delay.

The major nuclear-weapon States, which consider the Korean peninsula
their operational theatre for a nuclear showdown, are moving from
confrontation to co-operation and reaching agreements on the reduction of
nuclear weapons. This new reality offers a clear opportunity for turning the
Korean peninsula into a zone free from nuclear weapons.

Recently, the United States has adopted the attitude of not objecting in
principle to the establishment of a nuclear-weapon-free zone as long as the
parties concerned reach an agreement thereon and has expressed support for the
proposal to establish nuclear-weapon-free zones in the Middle East, South Asia
and Africa.

We consider that, if the United States and the south Korean authorities
take an unprejudiced approach to our peace initiatives, join us in our sincere
efforts to make the Korean peninsula a nuclear-weapon-free zone and follow the
current of the times, the source of the danger of a nuclear war can be rooted
out without difficulty on the Korean peninsula.

It is with this expectation and conviction that the Government of the
Democratic People's Republic of Korea puts forward the following new proposal
for the denuclearization of the Korean peninsula.

0052

GOV/INF/623
Attachment
page 3

1.   The north and south of Korea shall agree on the establishment of a nuclear-weapon-free zone on the Korean peninsula and make a joint declaration thereon.

We consider that the north and south should negotiate all the legal and practical matters related to turning the Korean peninsula into a nuclear-weapon-free zone and adopt a joint declaration taking legal effect not later than the end of 1992.

We consider that the joint declaration should provide for a ban on the testing, manufacture and possession of nuclear weapons by the north and south, for the prohibition of the deployment and passage of nuclear weapons and of nuclear military exercises within the nuclear-weapon-free zone and for the verification of the nuclear-weapon-free status of the Korean peninsula through inspections in the north and south.

2.   The United States and the Soviet Union and China (the two nuclear-weapon States bordering on the Korean peninsula) shall legally guarantee the nuclear-weapon-free status of the Korean peninsula once an agreement is reached and a declaration is adopted to this effect.

The nuclear-weapon States should help speed up the process of establishing the nuclear-weapon-free zone by expressing their willingness not to hinder the Korean peninsula's becoming a nuclear-weapon-free zone, but to guarantee such status.

Within one year after the north and south of Korea jointly declare the establishment of a nuclear-weapon-free zone, the nuclear-weapon States should remove all elements contravening the nuclear-weapon-free status of the Korean peninsula and give security assurances that they will not use or threaten to use nuclear weapons, as required by international law.

0053

GOV/INF/623
Attachment
page 4

In particular, the United States, the country which has deployed nuclear
weapons in south Korea, must take measures to withdraw these weapons in
conformity with the requirement of denuclearization of the Korean peninsula.

3.   The non-nuclear-weapon States in Asia should support the
conversion of the Korean peninsula into a nuclear-weapon-free zone and respect
its nuclear-weapon-free status.

The Government of the Democratic People's Republic of Korea is ready to
hold bilateral or multilateral negotiations at any time to discuss the matter
of establishing a nuclear-weapon-free zone on the Korean peninsula.

This proposal is of great importance as a means of eliminating the
~~nuclear threat against us and strengthening the nuclear non-prolifera~~tion
regime on the Korean peninsula. Furthermore, it will make a substantial
contribution to consolidating peace and security in Asia and throughout the
world.

If the Korean peninsula is turned into a nuclear-weapon-free zone, it
will create a favourable basis for creating a nuclear-weapon-free zone in
north-east Asia through expansion of the nuclear-weapon-free zone on the
Korean peninsula to the north-east Asia region as a whole.

Proceeding from its anti-nuclear, peace-loving policy, the Government of
the Democratic People's Republic of Korea solemnly declares, at home and
abroad, its readiness to take all necessary measures to turn the Korean
peninsula into a nuclear-weapon-free zone.

0054

공   란

공　　　　란

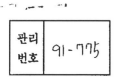

관리 번호	91-775

외 무 부

종 별 :

번 호 : CNW-1196

수 신 : 장 관(국기,미일,정특)

발 신 : 주 카나다 대사

제 목 : IAEA 9월 이사회

일 시 : 91 0821 1600

대 : WCN-1027

연 : CNW-1148

표제 관련 금 8.21. 백기문 참사관이 외무부 PAUL BARTON 원자력 과장 대리를 면담하였는바, 동인이 언급한 내용 아래 보고함.

1. 주 쏘 카나다 대사보고에 따르면, 지난 8.13. 주쏘 카나다,호주및 일본대사가 쏘 외무부 군축국장 면담시, 동 국장은 서방측 제시 결의안 내용의 필요성은 대체로 인정하면서도 그러한 결의안 채택시도는 국가적 자부심이 강한 북한을 자극, 오히려 북한의 핵안정협정 서명을 지연시킬 가능성이 있다고 하면서, 동 결의안 채택에는 반대하는 입장을 보였다 함.

2. 동 국장은 이어서 북한의 핵안전협정 서명이 선결 문제이고 동 협정 비준 문제는 당분간 뒤로 미루자는 입장을 보이면서, 북한이 협정서명후 12 월 까지 비준치 않는 경우 그때가서 IAEA 회의를 하루 개최하여 동 결의안 채택문제를 협의하자고 하였다 함.

3. 동 국장은 또한 쏘련은 현재 북한측에게 인기가 없고 일본측이 북한에 대해 영향력이 있으므로(FORCEFUL), 일본이 북한에 대해 핵안전협정 서명, 비준 및 이행문제를 촉구하는 것이 바람직하다는 의견을 제시 했다함.

4. 8.15. 비엔나에서의 관계국 대표회의에서는 동 결의안 내용을 영. 불.중. 태국.인니.필리핀등과 협의후, 동 국가들의 입장을 타진한후 다시 쏘측과 접촉 하기로 했음.

5. 따라서 지난 8.19.(월) 영, 불, 중, 태국, 인니, 필리핀 및 카이로 주재 카나다 대사관에 훈령하여 동 국가들에 주재하는 호주 및 일본 대사관측과 공동으로 주재국과 동결의안 문제를 협의하도록 하였음.

국기국 안기부	장관	차관	1차보	2차보	미주국	외정실	분석관	청와대

PAGE 1

91.08.22   06:10

외신 2과 통제관 CF

0057

6. 카측은 북한이 금년 9 월에 동 협정에 서명할 것으로 보나, 미국등과의 관계 개선등과 연계시키기 위해 동 협정 비준 및 이행 조치는 마지막 순간까지 지연시킬 가능성이 높은 것으로 보고있음. 끝

(대사-국장)

예고문:91.12.31.일반

일반문서로 재분류(19 91. 12. 31.)

발 신 전 보

번   호 : WUK-1528   910822 1126 BX 종별 :

WFR -1737	WTH -1277
WDJ -0891	WPH -0738
WCA -0575	WCP -1314

수   신 : 주 수신처참조   대사 . 총영사

발   신 : 장 관 (국기)

제   목 : IAEA 9월 이사회

연 : 수신처 참조

1. 표제이사회시 연호 결의안 제출관련 호주등 우방국의 그간 추진 경위를
아래 통보하니 귀관 업무에 참고바람.

　　　가. 대북한 결의안 초안 요지

　　　　　o 제1항 : 핵안전 협정의 즉각서명, 비준요구

　　　　　o 제2항 : 즉각적인 핵개발 중지및 핵시설에 대한 국제감시 수락요구

　　　　　o 제3항 : IAEA 사무총장, 상기 이행결과 보고서작성, 이사회에 제출

　　　나. 주쏘 카나다, 호주, 일본대사, 소련 외무성 군축국장 면담(8.13)결과
　　　　소련측의 입장은 다음과 같았음

　　　　　o ~~소련측은 상기 결의안 내용의 필요성은 인정하나~~ 결의안 채택

　　　　　　시도가 북한을 자극 북한의 협정서명을 지연시킬 가능성 언급

　　　　　o 따라서 91.12월까지 북한의 협정서명 및 이행관련 아무런 진전이

　　　　　　없을 경우 12월 IAEA 이사회에서 동건 재논의 하자는 입장

　　　　　o ~~경우 현재 북한측에 선언 여부~~ 북한측에 대해 영향력이 있는

　　　　　　일본이 북한에 대해 협정서명, 비준 및 이행을 촉구하는 것이

　　　　　　바람직

/계속...

보 안 통 제	

앙 고 재	91 년 8 월 22 일	3 과 기 화	기안자 성명 신종영		과 장 심의관		국 장 전결		차 관	장 관		외신과통제

0059

   2. 호주, 일본, 카나다, 미국 대표는 8.15 비엔나에서 회동결과, 상기
결의안 내용을 영, 불, 중국(안보리 상임이사국), 태국, 인니, 필리핀등(아.태
지역 IAEA 이사국)과 협의, 동국가들의 의견을 수렴후 다시 소련측과 협의할 예정
이라 함.   끝.

예고 : 91.12. 31 일반

                                    (국제기구조약국장 문 동 석)

수신처 : 주영국(WUK-1444), 프랑스(WFR-1633), 태국(WTH-1218), 인니(WDJ-0829),
       필리핀(WPH-0701)대사
       주카이로(WCA-0555)총영사, 북경(WCP-1200)대표

일반문서로 재분류(19 P1. 12. 31.)

0060

공   란

공　　　란

관리 번호	91-783

외 무 부

종 별 :

번 호 : CNW-1214

일 시 : 91 0823 1800

수 신 : 장 관(국기,미일,정북)

발 신 : 주 카나다 대사

제 목 : IAEA 9 월이사회

연 : CNW-1196

금 8.23. 당관 백참사관이 외무부 G. HOULDEN 북아과 부과장 면담시, 동인은 북한의 핵안전 협정 서명에 따른 대 북한 결의안 채택과 관련 8.22. 주중 카나다, 호주 및 일본 대사관 관계직원이 회합을 가졌으며, 3 개국 대사관 직원이 8.26.(월) 중국 외교부 국제기구국 직원을 접촉, 동 결의안 채택 추진문제를 협의하기로 되어 있다고 하면서, 동 접촉 결과 보고받는대로 알려 주겠다고 하였음.끝

(대사-국장)

예고문 : 91.12.31. 일반

일반문서로 재분류(1991.12.31.)

국기국   차관   1차보   미주국   외정실   청와대   안기부

91.08.24   07:42

외신 2과   통제관 BS

0063

공   란

공 란

관리 번호	91-788

외 무 부

종 별 :

번 호 : AUW-0665 　　　　　　　　 일 시 : 91 0826 1700

수 신 : 장관(국기,아동,정총)

발 신 : 주 호주 대사

제 목 : IAEA대책

연:AUW-0630

1. 주재국 외무성 COUSINS 군축부국장은 금 8.26 양공사에게 오는 9.12-13. IAEA 이사회시 호주등 우방국이 제출할 연호 북한 핵안전협정관련 결의안 초안을 송부해오면서, 동결의안은 현재 호주, 일본, 카나다대사의 JOINT DEMARCHE 에의거, 유엔안보리 5 개상임이사국과 IAEA 이사회 ASEAN 회원국및 에집트를 대상으로 지지획득중에 있다고함.

2. 호주측은 전기 결의안 확정및 지지교섭이 저간의 소련사태로 다소 지연되었다고 말하고, 그러나 영, 미 등 기존 서방측의 견해가 동 결의안이 INOFFENSIVE 하다하여 지지획득에 별 어려움이 없을것으로 보고있고, 소련사태가 상금 진행중이나, NEGAGIVE 하게는 흐르지 않을것으로 보며, 중국의 경우 최근 NPT 가입을 선언한 이상 안보리 5 개 상임이사국의 태도를 낙관하고 있다고 하면서, 에집트를 초기단계 협의대상국으로 포함시키는것은 동국의 IAEA 이사회에서의 비중을 고려한것이라 했음.

3. 주비엔나 아국공관과도 협조토록 지시보낸바 있다고 밝히는 한편, 동결의안 지지교섭을 금명간 본격전개할것이라고 주재국 외무성측은 다짐하고 있음을참고로 보고함.(결의안 문안은 별도 타전치 않음). 끝.(대사 이창범-국장)

예고:91.12.31. 일반

기록물 재분류(10 91.12.11 전

국기국	장관	차관	1차보	2차보	아주국	외정실	청와대	안기부

발 신 전 보

WAU-0641   910827 1328 FG   종별 :

번 호 :

수 신 : 주 호주   대사 . 총영사

발 신 : 장 관 (국기)

제 목 : IAEA 이사회 대책

대 : AUW-0665

본부 업무에 필요하니 대호 결의안 문안 보고바람.   끝.

(국제기구조약국장   문 동 석)

앙고재	91년8월27일	국제기구과 신용이	기안자성명		과 장 ☒	국 장 전진	차 관	장 관 ↙	외신과통제

0067

8/28 신
시설국오, 일

원 본

외 무 부

종 별 : 지 급

번 호 : AUW-0671

일 시 : 91 0827 1640

수 신 : 장관(국기,아동,정총)

발 신 : 주 호주 대사

제 목 : IAEA대책

대:WAU-0641

연:AUW-0665

대호 결의안 문안 아래 보고함.

(대사 이창범-국장)

예고:91.12.31. 일반.

THE CONCLUSION OF SAFEGUARDS AGREEMENTS DEMOCRATIC PEOPLE'S REPUBLIC OF KOREA

THE BOARD OF GOVERNORS

NOTING THAT A SAFEGUARDS AGREEMENT IN CONNECTION WITH THE TREATY ON THE NON-PROLIFERATION OF NUCLEAR WEAPONS(NPT) HAS BEEN NEGOTIATED BETWEEN THE DEMOCRATIC PEOPLE'S REPUBLIC OF KOREA AND INTERNATIONAL ATOMIC ENERGY AGENCY IN ACCORDANCE WITH DOCUMENT INFCIRC/153(CORRECTED):

1.WELCOMES THE SAFEGUARDS AGREEMENT BETWEEN THE DEMOCRATIC PEOPLE'S REPUBLIC OF KOREA AND THE INTERNATIONAL ATOMIC ENERGY AGENCY CONTAINED IN DOCUMENT GOV/AND AUTHORIZES THE DIRECTOR GENERAL TO CONCLUDE AND SUBSEQUENTLY IMPLEMENT THE AGREEMENT:

2. LOOKS FORWARD TO THE EARLY SIGNATURE, RATIFICATION AND FULL INPLEMENTATION OF THE AGREEMENT:

3. REQUESTS THE DIRECTOR GENERAL TO REPORT TO THE BOARD OF GOVERNORS IN FEBRUARY 1992 ON THE STATUS OF INPLEMENTATION OF THE AGREEMENT.END.

일반문서로 재분류(19P1.12.31.)

국기국	장관	차관	1차보	2차보	아주국	외정실	청와대	안기부

관리
번호 91-792

외 무 부

종   별 :

번   호 : USW-4278   일   시 : 91 0827 1910

수   신 : 장관(미이,미일,아일,국기,정특) 사본:주일,오지리대사(중계필)

발   신 : 주 미 대사

제   목 : 북한의 핵개발 문제

대: WUS-3830

연: USW-4106

1. 금 8.27 당관 김영목 서기관은 GARY SAYMOUR 핵확산 방지 담당 대사실 보좌관및 NORMAN HASTINGS 한국과 북한담당관을 접촉, 미측평가및 향후 대응 방침에 대한 실무견해를 타진하였는바, 동 요지를 다음과 같음.

가. 오오따 심의관 방미시 미.일 협의 평가

- 미측 관계관들은 공히, 대호 미.일 협의가 매우 건설적이었으며, 동 협의를 통해 미.일간의 인식차이를 좁히는 결과가 되었다고 평가함.

- HASTINGS 담당관에 의하면, 오오따 심의관은 일본의 지역정책 관계자들 보다 더욱 보수적인 시각을 보였으며, 북한의 '핵재처리' 문제가 어떠한 방법으로든지 해결되어야 한다는 분명한 문제 의식을 보였다고 하며, SAYMOUR 보좌관도 금번 협의시 미.일 양측은 북한의 핵 안전협정 서명및 비준만으로는 충분치 않다는데 인식을 같이 했다고 평가하였음.

- SAYMOUR 보좌관은 미 행정부내 일각에서는 일본의 대북한 국교 정상화는 북한의 핵재처리 포기 문제와 연계되어야 한다는 의견을 갖고 있었으나, 그간의 협의 과정을 통해 이러한 입장은 다소 비현실적이라는 자체 판단이 있었고, 일본측도 문제의 심각성을 인식하고 대처하고 있음에 따라, 일측의 단계적 대북한 관계 정상화및 재처리 포기 유도 방안에 대해 이해를 하고 있는 입장이라고 설명함.

- 동 보좌관은 일측의 구상은, 국교 정상화 과정(배상문제 포함)을 안전협정의 서명과 이행을 위한 압력수단으로 활용하되, 재처리 문제는 일측으로서 국교 정상화라는 법적 측면의 문제에 연계시키기 곤란하므로, 경제원조나 협력 특히 일본의 대외원조상의 원칙(일정비율 이상의 군비지출 국가에 대해서는 원조 제공 규제등)을

미주국 분석관	장관 청와대	차관 안기부	1차보 중계	2차보	아주국	미주국	국기국	외정실

PAGE 1

91.08.28   09:00

외신 2과 통제관 BN

0069

통해, 북한의 재처리 포기를 유도하겠다는 것으로 이해한다고 말함.(경제원조나 협력이 배상과 별개인지는 불분명함)

- 유엔 안보회의 특별 사찰 결의와 관련해서는, 북한이 협정의 서명과 비준이후, 재처리 시설을 성실하게 신고하는지 여부를 지켜본 다음 추진토록 한다는데 의견을 같이하였다고 함. SAYMOUR 보좌관은 김서기관이 동 문제에 대한 미측의 입장을 문의한데 대해, 현재로서는 북한의 서명과 비준을 촉구해야 하고, 이를 지연시킬 불필요한 구실을 주는 것은 바람직하지 않다는 견지에서 동 문제를 공개적으로 거론하는 것은 피하는 것이 좋겠다는 반응을 보임.

- 동 보좌관은 IAEA 측이 북한의 핵개발 문제에 대해 보다 분명한 인식을 할 수 있도록 HANS BLIX IAEA 사무총장에게 브리핑을 계획하고 있다고 말함.(일측의 위성사진 공개 제의에 대한 대안으로 보임.)

나. 일.북한 국교 정상화 문제

- 김서기관은 일본측이 국교 정상화의 조건으로서 안전협정의 완전한 이행을 염두에 두고 있는지, 아니면 단순한 비준 또는 이행하겠다는 선언만으로도 가능하다는 것인지 미측의 평가를 문의한바, SAYMOUR 담당관은 자신은 일측의 입장이 분명치 않은 것으로 보나, 미측은 여사한 경우, 일측에 대해 신중한 자세를 촉구하게 될 것이며, 일측도 북한에게 기만당하는 오류를 범하지 않도록 세심한 주의를 기울일 것으로 본다고 답변함.

- 이와관련, HASTINGS 담당관은 일본이 비교적 완화된 조건으로 일.북한 수교협상에 임한다고 해도, 배상문제를 매듭짓기 위해서는 장시간 시일이 소요될 것인바, 급속한 일.북한 수교는 이루어지지 않을 것이라는 견해를 보임.

다. 9월 IAEA 이사회 대처

- SAYMOUR 보좌관은 현재 일본과 호주가 북한의 IAEA 협정 서명및 조속한 이행을 촉진하는 결의안을 추진하고 있는 것은 매우 적절한 노력으로 본다고 하고, 동 결의안 추진에 일본, 호주가 앞장서 있는 것은 미국의 입장을 편하게 해주는 효과가 있다는 솔직한 의견을 표시함.

- 동 보좌관은 다만, 중.소가 결의안을 반대하게 되면 바람직하지 않기 때문에 금번 결의안 채택 여부는 이사회 개최가 임박해서야 결정될 수 있지 않겠느냐고 하면서 KENNEDY 대사가 비엔나에 도착하게 되면, 아측과 협의를 갖게 되기를 희망한다고 말함.

PAGE 2

0070

- 김서기관은 결의안 추진과 관련, 금번 이사회에서는 중.소의 입장변화 가능성이 있는 것으로 보는지 문의한바, 동 보좌관은 지난 6월 바도로뮤 차관 방중시 중국측의 소극적 반응을 보아 별 새로운 자세가 예견되지 않으며, 소련은 금번 쿠테타 실패후 미국과 서방측에 보다 협조적인 자세를 가질수 있다고 기대는 되나, 연방-공화국 문제등 자신들에게 시급한 문제의 대처 필요성으로 인해 적극적인 역할은 예상되지 않는다는 견해를 표시함. (한편, 최근 중국의 NPT 가입의사 표명은 적극적인 핵확산 방지 의지를 표시하는 것이기 보다는 미국과 일본의 중국에 대한 부정적 인상을 모면하기 위한 전술적 조치로 본다는 견해 제시)

라. 북한의 IAEA 안전협정 서명 전망

- HASTINS 담당관은 북한의 IAEA 안전협정 서명 전망에 대한 아측의 견해를 문의하면서, 오는 9월 이사회에서 북한측의 여하한 대응을 보일지에 대해 관심을 표시함.

- 동 담당관은, 만일 북한이 소련사태등 현재의 국제정세와 유엔가입 분위기를 고려, 최소한 서명을 하게 된다면, 미국으로서는 앞으로의 긍정적 자세를 고무해 나간다는 견지에서 작은 조치라도 취하는 것이 필요하다는 실무적 견해가있다고 하면서, 향후 북한의 개방 촉진을 위해 한.미.일 3국이 적절히 레버리지를 활용해야 할 것이라고 말함. 끝.

(대사 현홍주-국장)

예고: 91.12.31. 일반

일반문서로 재분류(19 PI. 12.31.)

외 무 부

종 별 : 지급

번 호 : CPW-2253   일 시 : 91 0830 1130

수 신 : 장관(미이,미일,아이,아동,국기,정안,정특,정보,기정)사본:US,AU,AV

발 신 : 주북경대사

제 목 : 북한 핵사찰관련 호주,북한 외교관 접촉

1. 당관 윤해중 참사관은 작 8.29(목) 당지 호주대사관 RIGBY 참사관과 접촉한바, 동인은 본국 정부의 지시에의거 8.26(월) 북한 대사관 박석균 참사관과 접촉, 북한의 IAEA 협정가입 및 이행에 관한 호주정부의 입장을 아래와 같이 전달하였다함.

가. 북한이 AIEA 핵안전 협정에 가입, 동 협정의 완전한 이행을 촉구

나. 북한이 핵시설을 추가 건설중이라는 최근 언론보도(UNCONFIRMED) 관련,동 보도가 사실이라면, 핵시설 추가건설을 중지해 줄것.

다. 핵사찰등 협정 이행은 당연한 의무로서 제 3 국의 핵(소위 남한내 미국의 핵 지칭) 문제와 연계시키지 말것.

2. 호주측이 이상과 같이 대북한 강경입장을 표명하게된 배경은 최근 북한이 주오지리 북한 대사의 공한 및 김영남 북한 외상의 호주 외상앞 서한을 통해 IAEA 협정 가입후 동 협정 이행은 소위 "남한내 미국의 핵" 문제와 연계할 것이라는 점을 강하게 시사해옴에 따라 호주 정부가 보다 분명한 입장을 밝혀두는 것이 좋겠다는 판단하에 취한 조치라 함.

3. 호주측 상기 1 항 입장 표명에 대해 북한측은 다음과 같은 반응을 보였다 함.

가. 북한은 IAEA 협정에 가입하고 이를 이행할 것임. 그러나 동시에 "남한내 미국의 핵"도 철수되어야 할것임.

나. 호주의 이러한 입장 표명은 미국이 시켜서 하는것이 아니냐고 반문

4. 호주측은 북한이 비록 IAEA 협정가입과 동 협정을 이행하겠다고 하지만 주한 미군의 핵문제와 연계하려는 인상을 강하게 받고 있다함.

(대사 노재원-국장)

예고: 92.12.31. 일반

검토필(1991. 12.31 .)乙

검토필(1992. 6.30.)乙

미주국 외정실	장관 외정실	차관 외정실	1차보 분석관	2차보 청와대	아주국 안기부	아주국 중계	미주국	국기국

0072

PAGE 1

관리 번호	91-810

외 무 부

종   별 :

번   호 : AVW-1063   일   시 : 91 0903 2000

수   신 : 장 관(국기)

발   신 : 주 오스트리아 대사

제   목 : 북한의 핵안전 협정문제(9월이사회)

대:WAV-0842, WAV-0910

연:AVW-0732(91.6.13)

1. 대호(0910) 결의안 추진에 관련하여 금 9.3(화) 오후 극동그룹회의 직후ENDO 일본대사는 본직과의 8.23(금) 접촉에 이어다시 본직에게 아래를 제보하였음.

가. 미국의 결의안에 대한 미온적인 태도는 결의안 추진국가들을 DISCOURAGE 시키고 있으며, 특히 북한에 동정적인 일부 이사국들의 입장에 보탬이 되고있음.

나. G-77 에 속하는 이사국들은 대체로 북한에게 협정 비준시까지 시간을 주어야 한다는 입장을 견지하면서 현시점에서의 결의안 채택에 소극적임.

다. 소련은 지난 6 월 이사회 당시에 비하여 결의안에 약간 적극적이나 아직 확실한 입장을 평가할수없음.

라. 상기에 비추어 9 월 이사회에서의 결의안 추진은 현재로서 낙관하기 곤란하나, 북한에 대하여 압력을 계속 넣는다는 관점에서 이사국들의 결의안에 대한 지지를 규합하고있음.

2. 한편, 북한의 협정안에 대한 서명시기에 관하여 본직과 ENDO 대사는 금차 제 35 차 총회 개막전에 서명할 가능성도 있음을 전적으로 배제할수는 없으나아마도 북한은 서명을 미루다가 내년 2 월 이사회 대책의 일환으로 서명을 시행하고 비준은 다시 그 이후로 미루는 전략을 갖고있을지 모른다는 점을 주시하였음(본직이 금일 오후 5 시 20 분 WILMSHURST 섭외국장과 접촉한 바에 의하면 협정서명 시기에 대한 어떠한 신호도 북한측으로 부터 아직 없다고 함)

3. 금차 9 월 이사회에서의 결의안 채택을 위해서는 미국의 적극적인 입장이 필수적이나, 9 월이사회가 결의안을 승인할 예정이고 그후 북한에 의한 서명과 비준을 한 동안은 지켜보아야 할 입장에 비추어 9 월 이사회에서의 결의안 채택은 시기적으로

국기국	장관	차관	1차보	2차보	외정실	분석관	청와대	안기부

어려움을 내포하고 있으며, 현재의 결의안 문구(WELCOME, LOOK FORWARD TO, REQUEST ... TO REPORT)로 보아 과연 압력의 효과를 발휘할수 있을것인지에 대하여 본직은 회의(SCEPTICISM)를 감추지 못하고있음.

4. 상기를 감안하여 미국의 입장을 가급적 높은 수준에서 타진한후 아국의 입장을 빨리 마련할 것을 건의함.

5. 동시에 미국 이외의 유엔안보리 상임 이사국, 아세안의 IAEA 이사국및 에짚트의 입장을 아국공관으로하여금 타진한 입장과 반응을 조속 알려줄것을 건의함. 끝.

예고:91.12.31 일반.

일반문서로 재분류(19 91. 12 .31 .)

발 신 전 보

번 호 : WAU-0667   910904 1729 FN   종별 :

수 신 : 주 호주 대사 ./총영사

발 신 : 장 관 (국기)

제 목 : IAEA 9월 이사회

대 : AVW-0665, 0671

표제회의시 대호 결의안 제출 관련 귀주재국 정부의 그간 지지 교섭결과를
파악 보고 바람.   끝.

예 고 : 91.12.31 일반

(국제기구국장   문 동 석)

일반문서로 재분류(1991. 12. 31.)

		보 안 통 제	82

앙고재	91년 8월 4일	국제기구과 신종영	기안자 성명		과 장		국 장		차 관	장 관	외신과통제

0075

분류번호	보존기간

발 신 전 보

WAV-0938   외 빈지참조

번   호 : _____   종별 : _____

수   신 : 주 수신처참조   대사 /총영사

발   신 : 장 관 (국기)

제   목 : IAEA 9월 이사회

주한 호주 대사관 Mullin 참사관이 금 9.5(목) 본부에 알려온 그간의 대북한 결의안 채택 지지교섭 상황을 하기 통보하니 참고 바람.

1. 소련이 결의안에 부정적이나 호주, 일본 및 카나다 3개국 정부는 소련이 결의안 내용에 반대하기 보다는 북한의 체면을 염두에 두면서 비생산적 이라고 하는것이기 때문에 소련이 반대공작은 하지 않을 것이라는 판단 하에 결의안 채택을 추진하기로 결정한 바 있음

2. 상기 결정에 따라 영국, 중국, 프랑스, 인니, 태국, 필리핀, 이집트 주재 호주 대사관은 지난 8.21 일본 및 카나다 대사관과 공동으로 주재 정부를 접촉하여 결의안 지지를 교섭하도록 지시받았으며 8.29. 여타 이사국 주재 호주대사관에 같은 지시가 나갔음

   동 교섭결과는 다음과 같으며 추가 교섭결과는 내주초 나오는대로 통보하여 주겠음

   가. 지지의사 표명 이사국 : 사우디아라비아, 독일, 벨지움, 폴투갈, 프랑스

   나. 지지가능의사 표명 이사국 : 이태리, 브라질

/계속...

보안통제
R2

앙고재	91년 9월 5일	국제기구과	기안자 성명 신종이	과장 R2	국장	차관	장관	외신과통제

0076

3. 호주측은 북한만을 지목하여 결의안을 채택하는 것이 바람직하지 않다는 일부의견에 대하여 지난 25년간 이스라엘과 남아공화국을 지목한 결의안이 채택되었으며 최근에는 이라크를 대상으로 한 결의가 있었기 때문에 선례가 없는 일도 아니라는 점과 북한의 미심쩍은 태도로 보아 금번 9월 이사회에서 온화한 결의안을 채택하는 것이 추후 동건을 재론하여 강력한 조치를 취하고자 할 경우에 큰 도움이 될것이라는 점을 교섭시 활용하고 있음

4. 결의안 제출 기한은 9.9인 바, 현재 다수결 확보는 문제되지 않고 콘센서스나 최대한 다수의 찬성으로 결의안이 채택되는 것을 추진하고 있음

5. 호주측은 상기 결의안 지지교섭시 다수 우방국이 9월 이사회에서 북한의 핵안전협정서명 및 이행문제를 거론하도록 아울러 교섭하고 있음. 끝.

예고 : 91.12.31 일반

(국제기구국장   문 동 석)

수신처 : 주오스트리아, 일본, 카나다, 미국, 호주, 영국, 불란서, 북경, 태국, 인니, 필리핀대사,   주카이로 총영사

0077

WAV-0938   외 별지참조

WAV-0938   910905 1856   FH

WJA -3978   WCN -1137   WUS -4046   WAU -0673   WUK -1631

WFR -1844   WCP -1459   WTH -1349   WDJ -0942   WPH -0784

WCA -0607

0078

공 란

공　　　란

공   란

공　　　란

공　　　　　란

공   란

공   란

공　　　　란

공 란

공   란

공   란

공   란

공   란

공 란

공   란

공   란

관리 번호	91-830

외 무 부

원 본

종 별 :

번 호 : CNW-1252

일 시 : 91 0905 1500

수 신 : 장 관(국기,미일)

발 신 : 주 카나다 대사

제 목 : IAEA 9 월 이사회

연 : CNW-1214

금 9.5. 백참사관이 외무부 HOULDEN 북아과 부과장 면담시, 동인은 북한의 핵안전 협정 서명에 따른 대북한 결의안 채택과 관련, 8.26. 북경주재 카나다, 호주 및 일본 대사관 직원이 중국 외교부 국제기구국 부과장 LI CHANG HE 를 면담한 결과를 아래와 같이 알려주었음.

1. 일본공사가 대북한 결의안 초안을 LI 부과장에게 수교하였으며, 동 부과장은 동 결의안 채택과 관련 아무런 구체적인 입장을 밝히지 않았다고 함.

2. 동 부과장은 중국은 북한이 IAEA 의 적절한 절차에 따라서 핵안전상의 의무를 이행하는 문제를 지켜 보고자 하며 북한이 더 이상 문제를 복잡하게 하지않기를 희망한다고 언급하였음. 끝

(대사-국장)

예고문 : 91.12.31. 일반

일반문서로 재분류(1991.12.31.)

국기국   차관   1차보   미주국   분석관   청와대   안기부

PAGE 1

원 본

외 무 부

종 별 :

번 호 : USW-4437 일 시 : 91 0905 1930

수 신 : 장 관 (미일,미이,국기,정특,아일)

발 신 : 주 미 대사

제 목 : 북한의 IAEA 안전협정 서명문제

1971.12.3에 예고문에
의거 일반문서로 재분류됨

연 : USW-4278

1. 당관 유명환 참사관이 최근 케네디 핵확산 방지 담당 대사실의 LEVIN 수석보좌관과 접촉기회에 9 월 이사회에서의 북한의 서명 여부에 대한 전망과 일.호 결의안 추진 문제에 대한 견해를 문의하였던 바, 동 보좌관은 다음 요지 답변하였음.

0 북한은 금번 이사회를 계기로 협정에 서명은 하되, 비준은 계속 지연시켜나갈 것으로 봄.

0 현재 동 대사실로서는 일.호측의 결의안 추진 노력을 평가하고는 있으나,동 결의안 추진시 부작용도 수반될 수 있다는 견지에서 신중한 입장을 취하고 있음.

0 소련측은 그간 북한에 대해 지나치게 압력을 가하는 것은 소위 '주체와 자주'를 강조하는 북한으로 하여금 반발케 하여 서명과 이행을 더 늦추게 하거나, NPT 자체를 탈퇴할지 모른다는 입장을 취해 왔으며, 이러한 정치적 배려를 하고 있는 소련, 중국외에 일부 제 3 세계 국가들이 결의안 채택에 반대할 경우 결의안 추진의 효과가 크게 손상될 우려가 있음.

2. 이어, 동 보좌관은 미측으로서는 북한이 서명만 하고 비준을 지체시킬 경우에 대비한 대책을 검토중에 있는바, 82 년 이후 북한이 조약에 가입한후 실제 비준을 하는데 어느정도의 시차가 있었는지 및 북한 국내법상 비준절차등에 대해 아측이 파악하고 있는 사항을 알려줄 것을 요청하였음.(82 년은 북한이 헌법개정을 한 해라고 함)

3. 이에대해 유참사관은 북한으로서는 결코 서명을 하더라도 조속한 비준절차를 취하지 않을 것으로 본다고 하고, 결의안 추진 문제에 대해서는 국제적 압력을 계속 유지해 나간다는 전술적 측면에서 좀더 긍정적인 검토가 필요할 것이라는 입장을 표시하여 두었음.

미주국 분석관	장관 청와대	차관 안기부	1차보	2차보	아주국	미주국	국기국	외정실

0096

PAGE 1

91.09.06 09:27

외신 2과 통제관 BW

4. 한편, 당관 김영목 서기관은 9.4 국무부 한국과 NORMAN HASTINGS 북한 담당관과의 접촉시, 동 결의안 추진 문제에 대한 한국과측의 견해를 문의한 바, 동 담당관은 상금 IAEA 이사회의 결의안 추진문제에 대해 미측 내부의 입장이 정리되지 않았다고 하고, 다만 한국과로서는 미국이 일본, 호주측의 노력을 적극적으로 지원치 않는다는 인상을 줄 경우 동국 정부들이 좌절감을 느낄 소지가 있어 향후 국제적 결속 유지에 부정적 측면이 있고, 또한 북한측이 스스로 승리감에도 취될 수도 있다는 문제점을 인식하고 있다고 말함.

5. 또한 동 담당관은 금번 이사회의 미측 수석대표인 케네디 대사와 핵담당기능국측에서 핵확산 방지 원칙에 대한 만장일치(UNANIMITY)원칙이 깨질 가능성에 대해 특별히 깊은 우려를 갖고 있는 것으로 안다고 말함.

6. 참고로 동 담당관은 북한의 안전협정 서명 전망에 대해 다시한번 관심을 표시하면서, 동 서명 경우, 미측이 취할 대안에 대해 아측이 특별한 의견이 없는지 비공식적으로 문의하였음. 끝.

(대사 현홍주-국장)

예고: 91.12.31. 일반
19. . . .에 예고문에 의거 일반문서로 재분류됨

분류번호	보존기간

발 신 전 보

번 호 : WUS-4068   910906 1854 FII   종별 :

수 신 : 주 미국   대사 .총영사

발 신 : 장 관 (국외)

제 목 : 북한 핵문제 ·

대 : USW-4437

대호 2항 관련, 아래와 같이 회보함

1. 북한 국내법상 국제조약 비준절차

　가. 현 북한 헌법상 국제조약의 비준은 주석(김일성)이 하도록 규정
　　　되어 있음

　나. 북한 헌법 제96조 : 조선민주주의 인민공화국 주석(President)은
　　　다른 나라와 맺은 조약을 비준 및 폐기한다

2. 북한이 주요 국제조약에 서명후 비준을 지연시키고 있는 사례

　가. 핵사고 조기통보에 관한 협약(Convention on Early Notification
　　　of a Nuclear Accident)

　　　1) 채 택 : 86.9.26

　　　2) 발 효 : 86.10.26(90.7.31 현재 52개 당사국)

　　　3) 북한은 86.9.26. 서명후 현재까지 비준치 않고 있음

　　　4) 아국은 90.7.10. 동협약 비준 발효

/계속...

보안통제	2

앙고재	91년9월6일	국제기구과	기안자성명 신종익	과장 2	국장	차관	장관	외신과통제

0098

나. 핵사고시 지원에 관한 협약(Convention on Assistance in the
case of a Nuclear Accident or Radiological Emergency)

1) 채 택 : 86. 9.26.

2) 발 효 : 87. 2.26(90. 7.31. 현재 46개 당사국)

3) 북한은 86.9.26. 서명후 현재까지 비준치 않고 있음

4) 아국은 90. 7.10. 동협약 비준 발효

3. 상기 2항 외에는 북한은 국제조약에 서명후 비준을 대체로 잘 이행하고
있는 것으로 파악되며, 특별한 조약상 의무 위반 사례는 발견되지 않음 (해양법 협약
조약의 경우, 남.북한이 모두 서명후 비준치 않고 있으나 동 조약은 82.12. 채택후
발효에 필요한 60개국의 비준을 얻지 못해 현재 미발효 상태에 있음).   끝.

예 고 : 91.12.31 일반

(국제기구국장   문 동 석)

	분류번호	보존기간

발 신 전 보

번 호 : WAV-0946   910906 1856 FH   종별 :

수 신 : 주   수신처참조   대사 . 총영사   WAU -0679   WJA -4007
                                    WCN -1146   WUS -4069
발 신 : 장 관 (국기)   WUK -1642

제 목 : IAEA 9월 이사회

연 : 수신처참조

금 9.6.(금) 주한 미대사관 Pierce 1등 서기관이 북미2과장에게 알려온
연호 결의안 추진 관련 IAEA 이사국 반응(8.31 현재 미국무부 파악)을 아래 통보하니
참고 바람.

가. 소련 : 결의안에 대한 확실한 입장 미표명. 일본이 대북 수교 대화에서
          북한의 핵사찰 이행을 촉구하는 것이 좋은 방안

나. 중국 : 현 시점에서 결의안 추진은 바람직스럽지 않음. 일본이 양자
          회담에서 대북한 압력을 가하는 것이 효과적.

다. 영국 : 결의안 추진을 반대. (이유 불명)

라. 불란서 : 결의안 강력히 지지

마. 태국 : 결의안 지지

바. 이집트 : 카이로의 입장은 소극적, 비엔나 주재대사가 최종 결정

/ 계 속...

북미2과장: 홍

		기안자 성 명	과 장	국 장	차 관	장 관	보 안 통 제
앙 고 재	91 년 9 월 6 일	신룡이					외신과통제

사 . 인니 : 결의안 지지

아 . 필리핀 : 마닐라에서 검토중. 지지예상.

자 . 체코 : 결의안 지지. 공동발의 희망

차 . 일본 : 영국.소련에 대한 결의안 지지 확보가 관건이 되고 있어, Endo

　　　　　대사는 미국이 영국.소련에 대해 로비해 줄것을 요청.　　끝.

예 고 : 91.12.31 일반

　　　　　　　　　　　　　　　　　　　　　(국제기구국장　　문 동 석)

수신처 : 주오스트리아(WAV-0938), 호주(WAU-0673), 일본(WJA-3978),

　　　　　카나다(WCN-1137), 미국(WUS -4046), 영국(WUK-1631)

일반문서로 재분류(10 PI . 12 . 11 .)

0101

관리 번호	91-1009		원 본

외 무 부

종 별 :

번 호 : AUW-0709

일 시 : 91 0906 1800

수 신 : 장관(미이,국기,정안)

발 신 : 주 호주 대사

제 목 : 북한 핵문제관련 호주입장

연:WAU-0710

1. 연호 9.6 양공사가 COUSINS 부국장 면담시 동 부국장은 북한의 핵개발 문제에 대처하는 호주정부의 전술적 입장을 아래와 같이 개진하여 주었음.

가. 호주는 지난 6 월 IAEA 이사회를 통하여 북한의 핵존재가 한반도 뿐만 아니라 아태지역 평화에 위협적 요소가 될수있다는 국제적 경각심을 불러일으키는데 성공하였다고 자부하고, 당시 그러한 국제적 압력이 주효하였기때문에 북한이 핵안전협정에 조건없이 서명하겠다고 공개 천명하게되는 단계에 이르렀으며, IAEA 와 협정문안 협상에 들어가 오는 9 월 이사회시 동문안에 대한 승인및 북한측의 서명단계에 이르게 된것으로 평가하고 있음.

나. 따라서 호주측은 계속적인 국제적 압력을 가중시켜 북한이 9 월 이사회시 핵안전협정에 서명하고, 즉각 또는 지체없이 협정을 완전 이행하는 절차를 밟도록하는것이 호주및 결의안 추진 우방국가들의 공통된 희망사항이나, 북한의 태도로도 미루어 협정안에는 서명하더라도 비준및 핵시설 사찰이행은 기피할것이라는 의구심이 강한 현시점에서, 한편 IAEA 를 통한 계속적인 공개압력을 결의안 채택 및 발언등을 통하여 행사하면서, 다른한편 순전히 양자관계에서(예:호.북한간 대화, 일.북한간 국교정상화 협상 또는 남북한대화등 채널을 통하여)북한측에게 즉각 핵안전협정 체결및 비준을 촉구함과 동시 신뢰구축 방법의 하나라 핵안전협정 비준발표이전이라도 현 핵시설의 가동중지, 건설중인 핵시설 설계도안제공, 핵재처리 과정추진 중단(STOP PROCEEDING TO THE NUCLEAR REPROCESSING PRODEDURE), 특별사찰(AD-HOC INSPECTION)등을 간접적으로 북한측에 전달하는 방법을 일.카. 미 등 결의안 추진 우방국과 긴밀 협의 검토하였다고 말하면서, 이는 어디까지나 북한이 핵안전협정을 이행하지 않는 기간의 상태를 무방비대책으로 바라만 보고 시간을

미주국 안기부	장관	차관	1차보	2차보	국기국	외정실	분석관	청와대

0102

PAGE 1

91.09.06 21:43

외신 2과 통제관 DO

보낼수 없고 또한 북한에 대하여 계속적으로 파상적인 국제압력을 가해야할 필요가 있을뿐아니라, 북한에게 다소의 ENCOURAGEMENT 를 제공해주면서 그들로하여금 REASONABLE 한 반응으 보일수 있도록 한 연후, 그래도 북한이 전혀 성의있는 조치를 취하지 않은경우 서방측은 오는 12 월 IAEA 기술전문가회의 및 내년 2 월 IAEA 이사회시 북한의 적나라한 무성의에 대한 가능한 많은 물적증거를확보, 보다 TOUGH 한 국제사회의 대북 압력을 가할수 있는 기초자료로 삼기위한 배려에서 CONFIDENCE BUILDING MEASURE 에 대한 제안을 고려한것이며, 호주측은 이러한 뜻을 주북경 대사관을 통해 북한측에 전달되도록 조치했다고 말했음(한편, 대북한 핵관련 강경한 입장을 취하고 있는 일본측이 일-북한간 국교정상화 회담시 전기한 '신뢰구축"안을 제기하였는지 여부에 대하여는 호주측은 상금 알지 못하고 있다고 하였음)

다. 양공사가 호주의 이러한 "STICK AND CARROT" 접근방식이 북한측으로 하여금 금번 서방측의 대북한 핵관련 결의(DETERMINATION)의 강도(FIRMNESS)에 대하여 오판하거나 또는 서방측의 태도가 INDECISIVE 하다고 느끼게 하여 북한이 오히려 국제압력의 비중을 자칫 소홀히 받아들여 핵안전협정에 서명은 하지만, 비준및 협정이행 의지를 약화시키는 결과를 초래하지 않을까 하고 표명한대 대하여 COUSINS 부국장은 AD-HOC INSPECTION 의 항목이 북한의 정식사찰을 지연시키는 다소의 구실을 제공해줄수 있을것이라는 우려에는 동의하면서도, 가장 중요한것은 전항에서 언급한바와같이 북한이 신뢰구측에 실패한 사례들을 가급적 많이 수집하여 내년 2 월이사회시 대북한 강경대응책을 마련하는데 있는것이라고 말하였음.

라. 금일 양공사와의 면담시 동 부국장은 한반도내의 NUCLEAR REPROCESSING-FREE ZONE 설치에 관하여서는 어떤 언급도 하지않은체 다만 북측에 제의한 신뢰구측안에는 북한이 핵처리 시설가동을 중단하는것이 포함되어있다고 언급하였음. 한편 배석한 ADAMSON 과장은 NUCLEAR REPROCESSING-FREE ZONE 설정문제는 남북한간에 상호 합의시만 가능한것으로 남북한 쌍방간에 그러한 문제를 검토해 볼수 있지 않을까 하는 생각이라고 부연했음.

2. 양공사는 금일 COUNSINS 부국장 면담시 대호 WAU-0645 전문에 언급된 본부 검토의견사항에 대하여는 상대방의 문의가 있지 않아 언급하지 않고, 동인들의 견해를 청취하는 입장이었는바, 호주의 대북 핵정책은 기본적으로 북한이 금번 안전협정에 서명할지 몰라도 협정의 비준 이행까지에는 상당한 기간이 걸릴것으로 보고, 또한 핵안전협정에 서명하고서도 이행하지 않는나라도 수개국에 이르러 북한만 SINGLE OUT

0103

할수만 없어서 나오는 고육지책으로서, 전기한 신뢰구측 조치안을 우방국과 협의 구상한것으로 간주되며, 이러한 실뢰구축안에 대하여도 북한측이 거부할것이라는 사실을 충분히 염두에 두고있으면서, 다만 북한의 MISOUNDUCT 사례들을 축척해두자는데에 금번 신뢰구측 조치안 제의의 의도가 있는것으로 보임을 참고로 첨언함. 끝.

(대사 이창범-국장)

예고:92.12.31. 일반.

0104

관리 번호	91-836

원 본

외 무 부

종 별 :

번 호 : AUW-0710 　　　　　　　　　　일 시 : 91 0906 1800

수 신 : 장관(국기)

발 신 : 주 호주 대사

제 목 : IAEA 9월이사회 결의안

대:WAU-0667

연:AUW-0665

1. 금 9.6 11:00 양공사는 COUSINS 군축부국장(ADAMSON 핵정책과장 배석)을 면담, 표제결의안 추진 중간 결과에 대하여 문의한바, 동부국장은 9.5 현재 호주측이 집계한각국반응을 별첨과 같이 알려주었음.

2. 동부국장은 지난 6월의 경험에 비추어볼때 각국 중간 반응은 고무적인것으로서 내주 IAEA 이사회시 각국의 보다 폭넓은 지지획득을 자신하면서, 한편 9.2-9.7 가나 아크라에서 열리는 77 비동맹 외상회의에서 일부 대표들이 북한이 핵안전협정을 서명하겠다고한이상 내년 2월까지 시간적 여유를 주는것이 좋을것이라는 의견이 나온것에 신경을 쓰면서도, 금번 9월이사회시 연호 결의안이 통과되는데는 별 문제점이 없는것으로 자신하였음.

3. 한편 COUSINS 부국장은 9.8 당지출발 에반스 외상과 합류 IAEA 이사회에 참석할것인바, 동회의 첫날에는 에반스외상은 (AUW-0640 참조)지체없는 북한의 핵안전협정 체결및 이행을강력 촉구하는 기조연설을 할것이라함(에반스 외상의 연설 전문은 동이사회 연설시기과 동시 당관에 전달되기로 했음. 끝.

(대사 이창범-국장)

예고:91.12.31. 일반.

일반문서로 재분류(19 91.12.11.2)

첨부:IAEA:PROPOSED DPRK RESOLUTION IN THE SEPTEMBER BOARD
SUPPORT

(YES):US, FRANCE, GERMANY, SAUDI, INDONESIA, THAILAND, BRAZIL, ARGENTINA, PORTUGAL, BEGIUM, MOROCCO, POLAND, PHILIPPINES, CZECHOSLOVAKIA, NIGERIA(15 개국)

국기국	장관	차관	1차보	2차보	정와대	안기부

(NO):CUBA

EGYPT-BECOMING MORE POSITIVE

CHINA-WILL CONSIDER DRAFT

SOVIET-QUESTIONED NEED

UK-RESERVED, IFF US AND USSR

ITALY-MILDLY FOR

CAMEROON-HAS DRAFT

VENEZUELA-PROBABLY

CHILE-UNDECIDED

INDIA-DOUBTFUL

URUGUAY-HAS DRAFT

TUNISIA-YES, TO BE CONFIRMED

UKRAINE-YES, TO BE CONFIRMED BY CAPITAL

SWEDEN-NON COMMITTAL

CO-SPONSOR

YES:GERMANY, PORTUGAL, BELGIUM, CZECHOSLOVAKIA(4 개국)

NO:EGYPT, UK, BRAZIL, ARGENTINA, INDIA, NIGERIA(6 개국)

CHINA-NO VIEW YET

SOVIET-UNLIKELY

FRANCE-POSSIBLY, WITH EC

ITALY-DOUBTFUL

SAUDI-NOT SPECIFIED

INDONESIA-NOT DECIDED

THAILAND-NOT DECIDED

MOROCCO-NO VIEW YET

CAMEROON-NO VIEW YET

VENEZUELA-PROBABLY

POLAND-WILL CONSIDER

CHILE-UNDECIDED

PHILIPPINES-UNDECIDED

PAGE 2

0106

END.

PAGE 3

0107

외 무 부

종 별 :

번 호 : AUW-0711   일 시 : 91 0906 1800

수 신 : 장관(국기)

발 신 : 주호주대사

제 목 : IAEA

　　　금 9.6 COUSINS 군축국 부국장은 당관 참고용으로 NPT 안전협정에 서명하지
않는국가들 명단과 서명은 하였으나 비준 발표하지 않는 국가들 명단과 이들에 대한
IAEA사무총장 명의 촉구 서한 사본들(91.2월자)을 별첨과 같이 수교하여 주었는바
참고로송부함.끝.

　　　(대사 이창범-국장)

국기국

PAGE 1   91.09.06   21:00 DQ

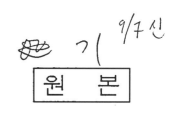

외 무 부

종 별 :

번 호 : AVW-1085   일 시 : 91 0906 1700

수 신 : 장 관(국기,미안) 사본:주일,주미,주영,주카나다,주호주,주소련대사

발 신 : 주 오스트리아 대사   -중계필

제 목 : 북한의 핵안전 협정문제(9월 이사회)

연:AVW-1063

대:WAV-0910

1.ENDO 일본대사는 금 9.6(금) 본직과의 오찬 면담에서 대호 결의안 추진 경과를 아래와 같이 알려주었음.

가. 결의안에 대한 적극적 찬성국가(16 개국)

불란서, 호주, 오스트리아, 벨지움, 카나다, 독일, 일본, 폴투갈, 인도네시아, 태국, 모로코, 뷰니시아, 베네주엘라, 사우디아라비아, 첵코슬로바키아, 폴랜드

나. 결의안을 지지할것으로 예상되는 국가(5 개국)

미국, 이태리, 필리핀, 나이제리아, 우루과이

다. 결의안을 결국은 지지할것으로 보나, 현재로서 회의적인 국가(4 개국)

영국, 에집트, 이란, 우크라이나

라. 기권할 것으로 예상되는 국가(2 개국)

중공, 인도

마. 불확실한 국가(7 개국)

소련, 스웨덴, 카메룬, 알젠틴, 브라질, 첼레, 이락

바. 반대할 국가(1 개국)

쿠바

2. 상기 점검은 금 9.6(금) 오전 당지의 호주대사관에서 가진 호주, 일본, 카나다의 핵심 3 개국간에 행하여 겼다고 하며(미국은 초청되었으나, 불참하였음) 현재로서 호주, 카나다, 일본, 벨지움, 독일, 포부갈, 베네쥬엘라, 첵코슬로바키아의 8 개국이 공동제안국이 되는데 동의하였으며, 폴랜드, 불란서, 우루과이, 오스트리아, 이태리의 5 개국이 추가로 참여하게 될것으로 본다고함.

국기국 안기부	장관	차관	1차보	2차보	미주국	외정실	분석관	정와대

3. 상기 핵심 3 개국은 내주초까지 결의안엔이한 지지국가를 더확보한후 9.10(화) 또는 늦어도 9.11(수) 결의안의 정식 상정여부를 결정할 예정인데, 현재로서는 미국이 미온적인 태도로 나오고 있는것이 가장 큰 장애이며, 영국의 소극적 태도와 소련의 불확실성도 부담이되고 있다함.

4. 한편 SOUTH AFRICA 와 IAEA 간의 핵안전 협정이 금차 이사회에서 승인되고, 동승인직후 서명과 동시에 발효하기로되어 있는것은 본건에 관련하여 유리한여건을 조성하는데 기여할 것으로 보고있음.

5. 그리고 ZELAZNY 이사회의장이 지난 9.3(화) 당지의 북한대사 전인찬과의 면담에서 핵안전 협정의 서명및 비준시기에 관한 일정(TIME-FRAME)을 제시할것을 요구한 것은 결의안 추진과 더불어 북한에 대한 압력을 가중시키고 있는것으로 풀이되고 있음(북한의 전인찬은 이사회 의장에게 서명및 비준시기에 대한 언질을 회피하고, 한반도의 비핵화 주장등 정치적 논의로 일관하였다함)

6. 그리고 ENDO 일본대사와 호주대사대리가 9.4(수) 당지의 G-77 의장인 GUTIERREZ 칠레대사를 칠레대사관에서 면담하였는데, 칠레대사는 곧 북한대사와 면담하여 협정의 서명및 비준시기에 대한 일정을 금차 이사회 기간중 제시할것을 요구할 것이며, 이는 결의안 추진에 관련하여 북한에 대한 압력으로 작용할 것으로 기대하고 있음.

7. 그러나 IAEA 제도를 구성하는 핵심국가인 미국, 소련, 영국, 3 개국 태도가 미온적이거나 소극적인 마당에서 압도적인 다수 이사국(지난 6 월이사회 당지 CLARK 영국대사는 결의안 지지국가가 29 개국은 되어야 한다고 언급한 바있음)의 지지를 확보하지 못할 경우에는 결의안 상정자체에 유동성이 있음을 부인하지 못하며, 인도등 일부 G77 국가들이 막후에서 소극적으로 로비하는 경우에는 적극지지로 현재 분석되고있는 남미국가, 중도국가, 아세안국가들도 동요할 가능성을 배제하지 못하는 것으로 ENDO 대사와 본직은 우려하였음.

8.BLIX 사무총장은 지난 6 월에 비하여 본건 결의안 구상에 다소 적극적이나 ZELAZNY 이사회의장은 아직 소극적 반응을 견지하고 있다함.

9. 일본은 미국무성의 고위층(차관보 보다 높은 수준)을 상대로 현재 미국의 입장을 타진중에 있다함.

10. 연호 3 항에 언급된 결의안의 문안을 포함하여 금번 결의안 추진에 대한 미국의 진의를 알아보는 동시에 과연 이런 결의안이 채택될 경우 북한에 대한 압력으로

작용할 것인가에 관하여 한, 미 고위 외교당국간에 속히 평가협의를가질 필요가
있다고 생각됨을 첨언함. 끝.

　　예 고:91.12.31 일반.

일반문서로 재분류(1991. 12. 31. 서)

외　무　부

종　별 :

번　호 : AVW-1085　　　　　　　　　　일　시 : 91 0906 1700

수　신 : 장 관(국기, 미안) 사본:주일,주미,주영,주카나다,주호주,주소련대사

발　신 : 주 오스트리아 대사　　　　　　　　　　-중계필

제　목 : 북한의 핵안전 협정문제(9월 이사회)

　　연:AVW-1063

　　대:WAV-0910

　　1.ENDO 일본대사는 금 9.6(금) 본직과의 오찬 면담에서 대호 결의안 추진 경과를 아래와 갈이 알려주었음.

　　가. 결의안에 대한 적극적 찬성국가(16 개국)

　　불란서, 호주, 오스트리아, 벨지움, 카나다, 독일, 일본, 포부갈, 인도네시아, 태국, 모로코, 뮤니시아, 베네주엘라, 사우디아라비아, 첵코슬로바키아, 폴랜드

　　나. 결의안을 지지할것으로 예상되는 국가(5 개국)

　　미국, 이태리, 필리핀, 나이제리아, 우루과이

　　다. 결의안을 결국은 지지할것으로 보나, 현재로서 회의적인 국가(4 개국)

　　영국, 에집트, 이란, 우크라이나

　　라. 기권할 것으로 예상되는 국가(2 개국)

　　중공, 인도

　　마. 불확실한 국가(7 개국)

　　소련, 스웨덴, 카메룬, 알젠틴, 브라질, 첼레, 이락

　　바. 반대할 국가(1 개국)

　　쿠바

　　2. 상기 점검은 금 9.6(금) 오전 당지의 호주대사관에서 가진 호주, 일본, 카나다의 핵심 3 개국간에 행하여 겼다고 하며(미국은 초청되었으나, 불참하였음) 현재로서 호주, 카나다, 일본, 벨지움, 독일, 포부갈, 베네쥬엘라, 첵코슬로바키아의 8 개국이 공동제안국이 되는데 동의하였으며, 폴랜드, 불란서, 우쿠과이, 오스트리아, 이태리의 5 개국이 추가로 참여하게 될것으로 본다고함.

국기국 안기부	장관	차관	1차보	2차보	미주국	외정실	분석관	청와대

PAGE 1

3. 상기 핵심 3 개국은 내주초까지 결의안엔이한 지지국가를 더확보한후 9.10(화) 또는 늦어도 9.11(수) 결의안의 정식 상정여부를 결정할 예정인데, 현재로서는 미국이 미온적인 태도로 나오고 있는것이 가장 큰 장애이며, 영국의 소극적 태도와 소련의 불확실성도 부담이되고 있다함.

4. 한편 SOUTH AFRICA 와 IAEA 간의 핵안전 협정이 금차 이사회에서 승인되고, 동승인직후 서명과 동시에 발효하기로되어 있는것은 본건에 관련하여 유리한여건을 조성하는데 기여할 것으로 보고있음.

5. 그리고 ZELAZNY 이사회의장이 지난 9.3(화) 당지의 북한대사 전인찬과의 면담에서 핵안전 협정의 서명및 비준시기에 관한 일정(TIME-FRAME)을 제시할것을 요구한 것은 결의안 추진과 더불어 북한에 대한 압력을 가중시키고 있는것으로 풀이되고 있음(북한의 전인찬은 이사회 의장에게 서명및 비준시기에 대한 언질을 회피하고, 한반도의 비핵화 주장등 정치적 논의로 일관하였다함)

6. 그리고 ENDO 일본대사와 호주대사대리가 9.4(수) 당지의 G-77 의장인 GUTIERREZ 칠레대사를 칠레대사관에서 면담하였는데, 칠레대사는 곧 북한대사와 면담하여 협정의 서명및 비준시기에 대한 일정을 금차 이사회 기간중 제시할것을 요구할 것이며, 이는 결의안 추진에 관련하여 북한에 대한 압력으로 작용할 것으로 기대하고 있음.

7. 그러나 IAEA 제도를 구성하는 핵심국가인 미국, 소련, 영국, 3 개국 태도가 미온적이거나 소극적인 마당에서 압도적인 다수 이사국(지난 6 월이사회 당지 CLARK 영국대사는 결의안 지지국가가 29 개국은 되어야 한다고 언급한 바있음)의 지지를 확보하지 못할 경우에는 결의안 상정자체에 유동성이 있음을 부인하지 못하며, 인도등 일부 G77 국가들이 막후에서 소극적으로 로비하는 경우에는 적극지지로 현재 분석되고있는 남미국가, 중도국가, 아세안국가들도 동요할 가능성을 배제하지 못하는 것으로 ENDO 대사와 본직은 우려하였음.

8. BLIX 사무총장은 지난 6 월에 비하여 본건 결의안 구상에 다소 적극적이나 ZELAZNY 이사회의장은 아직 소극적 반응을 견지하고 있다함.

9. 일본은 미국무성의 고위층(차관보 보다 높은 수준)을 상대로 현재 미국의 입장을 타진중에 있다함.

10. 연호 3 항에 언급된 결의안의 문안을 포함하여 금번 결의안 추진에 대한 미국의 진의를 알아보는 동시에 과연 이런 결의안이 채택될 경우 북한에 대한 압력으로

PAGE 2

작용할 것인가에 관하여 한. 미 고위 외교당국간에 속히 평가협의를가질 필요가 있다고 생각됨을 첨언함. 끝.

예 고:91.12.31 일반.

일반문서로 재분류(19 91 . 12 .31 .)

공   란

공   란

9월 IAEA 이사회시 대북한 결의안 추진

91. 9. 7.
국제기구과

o 91.9.11-13간 비엔나 개최 9월 IAEA 이사회에서 호주, 일본, 카나다등 우방 이사국
   들은 북한의 핵 안전협정조속체결 촉구결의안 채택 추진중

o 현재까지 35개 이사국들에 대한 결의안 채택 지지교섭결과 16개국이 찬성 입장
   이나, 소련, 중국, 쿠바등이 반대, 미국및 영국도 미온적인 입장을 보이고 있어
   이사회에서 결의안 통과는 불투명한 상황임 (아홍은 이사국이 아님)

o 금번 IAEA 이사회에서 91.7. 북한이 IAEA와 합의한 협정문안이 승인되어, 서명이
   예상되고 있는 현시점에서 IAEA 이사국이 아닌 우리나라과 등 결의안 추진에
   결국 동참하는 것은 북한에 대해 불필요한 자극을 초래, 유엔등서 가입과 고위급
   회담등으로 이어지는 남북대화 진행에 부정적 영향을 끼칠것을 우려 우리로는
   일단 예의 주시하는 입장을 취하고 있음

o 그러나 금번 IAEA 총회에서 우리가 이사국에 당선될 것으로 예상앉으로는
   북한의 협정체결 및 의무이행 과정을 철저히 주시하면서 수방이사국들과 협조
   북한에 대한 최대한의 압력을 가할 수 있을 것으로 봄.   끝.

                    0117

9월 IAEA 이사회시 대북한 결의안 추진

91.9.7.
국제기구과

o 91.9.11-13간 비엔나 개최 9월 IAEA 이사회에서 호주, 일본, 카나다등 우방 이사국
  들은 북한의 핵 안전협정조속체결 촉구결의안 채택 추진중이나, 소련, 중국,
  쿠바등이 반대하고 미국과 영국이 미온적인 입장을 보이고 있어 결의안 채택은
  불투명한 상황임 (아국은 이사국이 아님)

o 금번 IAEA 이사회에서는 91.7. 북한이 IAEA와 합의한 핵 안전조치협정문안을
  승인할 예정이나 북한의 협정서명과 발효를 위한 비준시기 역시 현재로서는
  불투명한 상황임.

o 한편 금번 IAEA 총회에서 우리나라는 북한, 베트남과 함께 극동지역 그룹국가에
  배정된 1개 지역이사국에 입후보 하고 있는 바, 현재까지의 교섭 내용을 감안
  할 때 우리나라의 이사국(임기2년) 진출이 무난시 됨.   끝.

0118

356 IAEA 핵안전조치협정 체결 3

<h1 style="text-align:center">참 고 자 료</h1>

o 8. 20 Gribble 대사 제안 요지

- 남·북 고위급 회담시 북한의 핵안전조치협정 시행전 아래와 같은 사전 신뢰 구축 조치 요구

  . 비사찰 대상 시설의 가동 중지

  . 건설중인 핵시설의 설계 정보 제공

  . IAEA 의 특별 사찰 수용

  . 한반도내 재처리 금지 지대 가능성 검토

o 호주 제안 동기

- 호주측은 IAEA 를 통한 다자적인 외교 압력의 한계를 의식, 양자적인 맥락에서의 압력 방안으로 제의

o 대응 입장 자료(언급 요지)

- 그간 호주등이 주도한 외교적 압력의 결과, 북한은 금번 이사회를 계기로 핵안전협정에 서명할 것이라는 견해가 지배적이며, 북한이 정상적으로 국내 절차를 취할 경우 내년초에는 핵사찰 실시가 가능할 것으로 예상함

- 따라서 내년초까지가 북한의 진의를 파악할 수 있는 중요한 단계라고 생각하며, 북한에게 새로운 구실이나 핑계를 제공하는 일은 가급적 피하는 것이 좋다고 봄

0119

- 또한, 현재까지의 대북한 외교적 압력이 성공한 것은, 우리측의 입장이
  북한의 NPT 의무 이행 촉구라는 객관적 논리에 기초하였기 때문임을
  간과해서는 안될 것임

o 호주측 제안중 특별 사찰 수용이나 재처리 금지 지대 설치등은 NPT 체제를
  벗어나는 것으로서, 북한만을 single out 하여 특별한 의무를 요구하는 것임

o 따라서, 북한이 이에 반발할 우려가 있으며, 이 경우 북한의 핵사찰 수락
  이라는 일차적 목표 달성에 부정적 영향을 미칠 소지도 배제할 수 없음

o 우리로서는 일단 북한의 진의가 보다 분명해질 내년초까지는 IAEA의 전면
  핵사찰 수용과 충실한 이행만을 목표로 하여 외교적 노력을 계속하는 것이
  바람직하다는 의견임

0120

관리 번호	91-854

외 무 부

종 별 :

번 호 : AVW-1094   일 시 : 91 0909 2030

수 신 : 장 관(국기)

발 신 : 주 오스트리아 대사

제 목 : IAEA북한 대표단

1. 당지 외무성에 의하면 표제회의 관련하여 아래의 4 인에게 오스트리아 입국비자를 발급하였다고함.

   가. 오창림(OH CHANG RIM, ▮▮▮▮ 생) 외교부 본부대사

   나. 최종선(CHOI JONG SUN, ▮▮▮▮ 생) 원자력 공업부 국장

   다. 김수길(KIM SU GIL ▮▮▮▮ 생) 외교부 연구관

   라. 정승일(CHONG SONGIL ▮▮▮▮ 생)

2. 당지 유엔로비에서 유포되고있는 루머에 의하면 김영남 외교부장이 금차IAEA 회의에 참석 할것이라고함.

3. 금일현재 인도, 큐바및 이락이 북한 관련 결의안에 반대하고 있으며 여타 G-77 국가들은 관망적인 자세를 견지하고 있는것으로 알려지고있음. 끝.

   예고:91.12.31 일반.

일반문서로 재분류(1991. 12.31.)

국기국	장관	차관	1차보	2차보	분석관	청와대	안기부

분류번호	보존기간

발 신 전 보

번 호 : WUS-4124 910910 1027 FO 종별 : 2급 WAV-0458

수 신 : 주 미국 대사 /총영사 (사본:주오스트리아대사)

발 신 : 장 관 (국기)

제 목 : IAEA 9월 이사회

    연 : WUS-3571

    대 : USW-4278, 4437

    귀주재국 국무부 고위 당국자를 접촉하여 9.11-13. 개최 IAEA 9월 이사회
에서의 연호 호주, 일본, 카나다의 대북한 결의안 채택 추진에 대한 주재국의 입장을
지급 타진 보고 바람.   끝.

    예 고 : 91.12.31 일반

                                        (국제기구국장 문 동 석)

                        일반공개 문동석 ('91.12.31.)

		보 안 통 제	92

앙고재	91년 9월 10일	국기과	기안자 성명 (신동익)	과 장 82	국 장 전결		차 관 ㅁ	장 관	외신과통제

0122

공   란

공　　　란

외 무 부

종 별 : 지 급

번 호 : AVW-1100   일 시 : 91 0910 1730

수 신 : 장 관(국기,미안)사본 : 사본처 참조

발 신 : 주 오스트리아 대사

제 목 : 북한의 핵안전 협정체결에 관한결의안

1. 호주, 오스트리아, 벨지움, 카나다, 체코, 일본, 폴랜드, 포부갈, 스웨덴 9개국 공동제안국은 표제 결의안을 별전(FAX)과같이 금 9.10(화) 오전 정식으로 제출하였음.

2. 상기 결의안은 명 9.11(수) 오전 개최되는 IAEA의 1991년도 9월 이사회에 상정되어 의제1항(D)(안전조치 협정체결)하에서 토의될 예정임.

3. 금차이사회는 북한,남아공화국, ST VINCENT AND THEGRENDAINES 3개국과의 안전조치 협정안을 승인할 예정임.

4. 의제 1항(SAFEGUARDS)하의 세부 항목은 아래와같음.

A) THE STAFF OF THE DEPARTMENT OF SAFEGUARDS TO BE USED ASINSPECTORS

B) JOINT NOTIFICATION

C) OTHER SAFEGUARDS ISSUES

D) THE CONCLUSION OF SAFEGUARDS AGREEMENTS.

별첨 : AVW(F)-016 1매. 끝.

사본처 : 주 호주, 벨쥬움, 카나다, 체코, 일본, 폴란드, 폴부갈, 스웨덴 대사

국기국   미주국

AVW(下)-016 10910 (730

AVW-1100 의 별첨

International Atomic Energy Agency

GOV/2543
10 September 1991

BOARD OF GOVERNORS

RESTRICTED Distr.
Original: ENGLISH

For official use only

Sub-item 1(a) of the provisional agenda
(GOV/2537)

SAFEGUARDS

(a) The conclusion of safeguards agreements

Draft resolution submitted by Australia, Austria, Belgium, Canada, Czechoslovakia, Japan, Poland, Portugal and Sweden

The Board of Governors,

Noting that a safeguards agreement in connection with the Treaty on the Non-Proliferation of Nuclear Weapons (NPT) has been negotiated between the Democratic People's Republic of Korea and the International Atomic Energy Agency in accordance with doucment INFCIRC/153 (Corrected),

1. Welcomes the safeguards agreement between the Democratic People's Republic of Korea and the International Atomic Energy Agency contained in document GOV/2534 and authorizes the Director General to conclude and subsequently implement the agreement;

2. Looks forward to the early signature, ratification and full implementation of the agreement; and

3. Requests the Director General to report to the Board of Governors in February 1992 on the status of implementation of the agreement.

4097206

0126

THE BOARD OF GOVERNORS

Noting that a Safeguards Agreement in connection with the Treaty on the Non Proliferation of Nuclear Weapons (NPT) has been negotiated between the Democratic People's Republic of Korea and the International Atomic Energy Agency in accordance with Document INFCIRC/153 (corrected),

1.   Welcomes the Safeguards Agreement between the Democratic People's Republic of Korea and the International Atomic Energy Agency contained in Document GOV/and authorizes the Director General to conclude and subsequently implement the Agreement,

2.   Looks forward to the early signature, ratification and full implementation of the Agreement,

3.   Requests the Director General to report to the Board of Governors in February 1992 on the status of implementation of the Agreement.

0127

외 무 부

종 별 :

번 호 : AVW-1104　　　　　　　　일 시 : 91 0910 1930

수 신 : 장 관(국기,미안)

발 신 : 주 오스트리아 대사

제 목 : 북한의 핵안전협정 체결에 관한 결의

　　연:AVW-1100

　　연호 별전(FAX)의 표제 (A)THE CONCLUSION OF ...를 (D) THE CONCLUSION OF ..
로 정정하시기바람.끝.

국기국　　　미주국

PAGE 1　　　　　　　　　　　　　　　　　　　91.09.11　　07:26 ED

　　　　　　　　　　　　　　　　　　　　　　　외신 1과 통제관

　　　　　　　　　　　　　　　　　　　　　　　　0128

IAEA 이사회 대북한 결의안 추진 현황

- 9.11 (수) 오전 10:30
- 북미2과장/Mullin
  호주참사관 통화

1. 결의안 제출 : 9.10 (화) 기 제출함

2. 결의안 지지 현황 (9.11 오전 현재)

   가. firm support : 호주, 일본, 카나다, 불란서, 독일, 사우디,
   인니, 태국, 폴투갈, 벨지움, 모로코, 폴란드,
   칠레, 필리핀, 체코, 미국, 오지리, 알젠틴
   (18개국)

   나. likely support : 나이제리아, 튀니지아, 우크라이나, 이집트,
   소련, 영국, 이태리, 베네주엘라, 우루과이,
   스웨덴 (10개국)

   다. probable support : 브라질 (1개국)

   라. unknown : 중국, 카메룬, 이란 (3개국)

   마. negative : 쿠바, 이라크, 인도 (3개국)

3. 호주측 평가 : - 현지에서 호주, 일본이 지지 확보 노력 계속중에 있으며
   압도적 다수 지지 확보 가능시 됨
   - 결의안은 표결없이 의장에 의해 컨센서스로 채택될
   것으로 보임

0129

관리번호 91-1344

	분류번호	보존기간

발 신 전 보

WAV-0970   910911 1455 FH

번   호 : _____   종별 : _____

수   신 : 주 오스트리아   대사·총영사

발   신 : 장 관 (국기)

제   목 : 대북한 결의안

대 : AVW-1100

1. 금 9.11(수) 주한 호주대사관은 호주측이 대북한 결의안을 ~~9.10까지~~ 대호와 같이

IAEA 이사회에 제출하였다면서 동 결의안에 대한 그간 지지교섭 ~~평가~~ 결과를 아래와 같이

통보하여 왔음

　　　　　가. 지   지 : 아르헨티나, 호주, 일본, 카나다, 프랑스, 독일, 사우디,
　　　　　　　　　　　　 인니, 태국, 폴투갈, 벨지움, 모로코, 화란, 체코, 비율빈, 미국, 칠레
　　　　　　　　　　　　 오스트리아 (이상 18개국)

　　　　　나. 지지예상 : 나이제리아, 튜니시아, 우크라이나, 이집트, 소련,
　　　　　　　　　　　　 영국, 이태리, 베네주엘라, 우루과이, 스웨덴(이상
　　　　　　　　　　　　 10개국)

　　　　　다. 지지가능 : 브라질

　　　　　라. 미   상 : 중국, 카메룬, 이란, (이라크)

　　　　　마. 반   대 : 쿠바, 인도, (이라크)

2. 호주측은 상기 교섭결과를 감안할때 핵안전협정 의제에 관한 토의 연기가

없는한 금 9.11(수) IAEA 이사회 토의시 동 결의안이 콘센서스 또는 압도적 다수로

채택될 것으로 전망하였음   일반문서로 재분류(19 PI. 12.31)

3. 상기관련 이사회 토의결과가 있는대로 지급 보고 바람.   끝.

(국제기구국장 문 동 석)

	보 안 통 제	ℛℛ

앙고재	91년 9월 11일 국제기구과	기안자 성명 신종03		과장 ℛℛ		국장		차관	장관 W		외신과통제

0130

외 무 부

종 별 :

번 호 : AVW-1109

일 시 : 91 0911 1500

수 신 : 장 관(국기,과기처)

발 신 : 주오스트리아대사

제 목 : 북한의 핵안전 협정안(9월 이사회경과)

　　　　연:AVW-1100

　　1. BLIX 사무총장은 금 9.11(수) 오전표제에 관하여 별전(FAX) 과 같이
보고하였음.

　　2. 이사회는 금일 오전 의제 1항하의 (A)및 (B)에 대한 심의를 끝내고,
특별사찰제도를 중점적으로 다루는 (C)항에 대한 심의를 진행중임.

　　3. 금일 오후 늦게 의제 1항 (D)안전조치협정 체결문제를 다룰 예정임.끝.

　　별첨: AVW(F)-017 2매.

국기국	장관	차관	1차보	외정실	분석관	청와대	안기부	과기처

PAGE 1

AVW(A)-012· 10911 1500

수신: 국기, 과기처

AVW-1109의 첨부

The Conclusion of Safeguards Agreements

Three safeguards agreements are submitted to the Board for approval, one
with St. Vincent and Grenadines, one with the Democratic People's Republic of
Korea and one with South Africa. All three follow the standard text for
agreements concluded by NPT parties, but the circumstances in which the
agreements were finalised and the way that they will come into effect differ.

The agreement with St. Vincent and the Grenadines (Gov/2538) was
negotiated by correspondence; it is concluded nearly seven years after
adherence to the NPT (November 1984), and it will come into force upon
signature, which is expected within the next few weeks.

St. Vincent 내용 없음.

The agreement with the Democratic People's Republic of Korea (GOV/2534)
has been under negotiation since 1989, and the Board has paid a good deal of
attention to these negotiations in the last two years. The conclusion of the
agreement comes six years after adherence to the NPT (August 1985). Entry
into force is to occur upon ratification, subsequent to signature. There is a
world wide interest in a full and early operation of this agreement.

한 내용 없음.

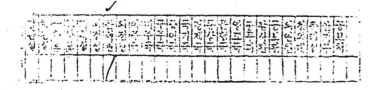

2-1   0132

Although the agreement with the DPRK is based upon the standard text for
NPT-type safeguards, the Secretariat has received questions on three points
before this Board meeting and I should like briefly to respond to these
questions. Article 9(b) reads: "The Agency shall, as far as compatible with
the other terms of this agreement, respect legal procedures and regulations of
the Democratic People's Republic relevant to such steps". This sentence, that
goes beyond the standard text, has given rise to some comment. Our reading is
that the sentence requires no more of the Agency than is normally required of
diplomatic representatives, namely to respect local legal procedures and
regulations. It is qualified by the phrase "as far as compatible with the
other terms of this agreement", and these terms - like the Convention on
Diplomatic Relations - specify rights which are untouched.

A second comment concerns the existence of a text in Korean in addition
to those in English and Russian. This follows the precedent of INFCIRC/252,
an INFCIRC/66 agreement with the DPRK. The agreement provides that in case of
divergencies the English text shall prevail.

A third comment concerns the phrase in paragraph 4 of GOV/2534 - "It is
expected that the application of this agreement will not involve the Agency in
any readily identifiable extra cost for the time being". Until the agreement

enters into force - by ratification - it may not be possible to identify extra
costs which might be caused by additional facilities of which the Secretariat
is not yet aware. Let me add the hope that the cost-free period will be short.

0133

원 본

관리번호	91-863

외 무 부

종 별 :

번 호 : AVW-1117

일 시 : 91 0911 2000

수 신 : 장 관(국기,미안,과기처)

발 신 : 주 오스트리아 대사

제 목 : 북한의 핵안전협정안(9월 이사회)

연:AVW-1109

1. 금 9.11(수) 오후 IAEA 이사회는 연호 의제 1 항(D)에 대한 토의(5:35-6:10)를 가졌으나 끝내지 못하고 명 9.12(목) 오전 속개키로 하였음.

2. 화란대표는 EC 제국을 대표하여 호주, 일본, 오스트리아등이 공동제안한 북한관계 결의안을 지지하였는데, 이에대한 본격적인 토의는 9.12(목) 동결의안에 대한 제안 설명을 호주가 행한후에 있을것임(의장의 사회미숙으로 순서에 약간의 혼선이 있었다고 알려졌음)

3. 북한관계 결의 공동제안국들은 부표가 행하여질 경우 24-28 개국 찬표가있을 것으로 내다보고있음.

4. 한편 남아공과 IAEA 와의 안전조치 협정과 관련하여 이집트, 모로코, 나이제리아, 튜니지아 4 개국은 아프리카 그룹을 대표하여 9.11 별전(FAX)와 같이 결의안을 제출하였음.

5. 미국은 남아공에 관한 결의안이 불필요하다는 입장을 표시하면서, 그러나 CONSENSUS 로 채택될수 있는 경우에는 반대하지 않겠다고 언급함.

6. 인도는 남아공에 관한 결의안에 반대 입장을 표하였는데 그이유는 인도의 핵개발에 관한 국제적 관심속에서 남아공이 NPT 체제내에 들어 온후에는 인도의 핵무기 개발이 다음표적이 될것이라는 고려가 작용하였음에 틀림없을 것이라는것이 당지 옵서버들의 평가임.

7. IAEA 사무국측은 북한및 남아공에 관한 두개 결의안이 모두 비생산적이라고 평하고 있고, EC 제국중 독일도 소극적인 입장을 표시하고 있는데 남아공에 관한 결의안은 통과되기가 힘들것이라는 것이 중론이고, 북한관계 결의안은 통과될 가능성이 많으나 명일 오전 회의 분위기에 따라서는 그전망이 유동적인 면도 있음을

국기국	장관	차관	1차보	미주국	외정실	분석관	안기부	과기처

91.09.12   06:27

외신 2과   통제관 BW

0134

배제하지 못함.

별첨:AVW(F)-018 1 매.끝.

예 고:91.12.31 일반.

PI. 12.31

PAGE 2

IVW(F) - 018   / 0911

수신처 : 국기. 미안. 과기처

International Atomic Energy Agency

BOARD OF GOVERNORS

GOV/2547
11 September 1991

RESTRICTED Distr.
Original: ENGLISH

For official use only

Sub-item 1(d) of the provisional agenda
(GOV/2537/Rev.1)

SAFEGUARDS

(d) The conclusion of safeguards agreements

**Draft resolution submitted by Egypt, Morocco, Nigeria and Tunisia
on behalf of the African Group**

The Board of Governors

1.   Takes note of document GOV/2539 concerning the agreement of the
Government of South Africa to conclude a safeguards agreement with the IAEA;

2.   Requests the Director General to verify ~~and ensure — through all the
measures available to the Agency, including special inspections~~ — the
comprehensiveness of the inventory of South Africa's nuclear installations,
equipment and materials;

3.   Urges all Member States to assist and co-operate with the Director
General to this end ~~and~~

~~4.   Requests the Director General to keep the matter under review and report
on the implementation of this resolution to the Board at its June 1992 session.~~

4411206

관리 번호	91-861

외 무 부

종   별 :

번   호 : UKW-1861   일   시 : 91 0911 1500

수   신 : 장 관(국기,구일,정북)

발   신 : 주 영 대사

제   목 : 북한 핵안전협정 문제

　　대: WUK-1642

　　연: UKW-1209

　　1. 대호 IAEA 총회시 북한의 핵안전협정 체결촉구 결의안 책택문제와 관련, 당관 이서기관이 9.10(화) 외무성 군축과 P.BATEMAN 담당관 및 극동과 I.DAVIES 한국담당관을 접촉하였는 바, 상기 결의안 추진에 대한 주재국의 입장을 아래와 같이 보고함.

　　가. 영국은 북한의 핵안전협정 서명을 전적으로 지지하며, 지난 6 월 이사회에서 상기 결의안이 상정될 경우에는 영국은 이를 지지하고자 했음..(연호참조). 그러나 북한이 이미 동 협정에 가서명한 현시점에서 상기 결의한 채택문제를 IAEA 총회에 상정하는 것이 북한의 동 협정서명 촉구를 위한 최선의 방안이냐 하는데에는 이론의 여지가 없음.

　　나. 즉, 소련측 주장과 같이 상기 결의안이 표결에 붙여져 압도적 다수의 찬성으로 통과되지 않을경우, 북한은 이를 동 서명을 지연하는 구실로 삼을수 있고, 표결에 의한 압도적인 다수 또는 CONSENSUS 방식으로 채택될 경우에도 북한이 이에 고의적으로 반발하여 결국 협정서명이라는 목적에 불리한 영향을 미칠수있음.

　　다. 이상을 감안, 주재국측은 전략적인 차원에서, 북한의 동 협정서명 및 비준등을 촉구하는 강력한 내용의 의장선언문을 채택하는 것이 더욱 바람직할지도 모른다는 의견을 호주, 일본, 캐나다측에 전달한바 있음.

　　라. 주재국의 IAEA 총회시 취할 입장에 관한 질문에 대하여, 주재국 대표는회의장에 참석, 각국의 반응을 총체적으로 파악한후, 북한의 핵안전협정의 서명을 가장 효율적으로 촉구할 것이라고 판단되는 조치를 취할것임.

　　2. 동건관련 당지 호주대사관 MS KARINA CAMBEL 공사와 통화한 내용을

국기국	장관	차관	1차보	2차보	구주국	외정실	분석관	청와대
안기부								

PAGE 1

아래보고함.

가. 상기 결의안은 IAEA 총회에서 CONSENSUS 방식으로 봉과, 채택될 것으로전망됨.

나. 영국은 사태를 관망하고 있으나, 현재 미온적인 태도를 취하고 있는 미국, 소련등과 함께 결국은 동 결의안 채택을 지지할 것으로 보임.끝

(대사 이홍구-국장)

예고: 91.12.31 일반

일반문서로 재분류(19 91. 12. 31.

외 무 부

종 별 : 긴 급

번 호 : AVW-1119   일 시 : 91 0912 1500

수 신 : 장 관(국기,과기처)

발 신 : 주 오스트리아 대사

제 목 : 북한의 핵안전 협정안 승인 및 결의안 채택

연: AVW-1100

1. 금 9.12(목) 오전및 오후(1018-1316)에 개최된 이사회는 연호 결의안을 찬성 27, 반대 1(큐바), 기권 6(중공,인동,알젠친,브라질,이란,이락), 불참 1(카메룬)로 호명 투표(큐바가 요청함)에 의하여 봉과 시켰음.

2. 금일 오전 회의 도중 의장은 남아공화국이 협정안의 이사회 승인 직후 서명의사를 밝힌 것처럼 북한도 서명, 비준에 관한 입장을 천명하기를 바란다는 것이 다수 이사국 들의 요망임을 북한에 대하여 상기 시키면서, 북한에게 발언을 요청하였음. 이에 따라 북한은 아래 요지로 말하였음(TEXT 전문 FAX 송부):

가. 협정안을 이사회가 승인하면 조성될 유리한 환경과 조건에 따라, 발효를 위하여 최선을 다하겠음.

나. 그러나 일부 국가들이 북한에 대하여 결의안을 제출한 것은 북한에 대한일방적 압력행사이며 북한의 국내문제에 대한 간섭임.

다. 따라서 결의안의 철회를 강력히 요구함.

라. 결의안이 채택된다면, 협정체결에 추가 난관을 조성하게 될 것임.

3. 북한은 상기 1항의 결의안 통과후(1305경) 다시 발언권을 얻어 아래와 같이 말하였음.

가. 결의안 채택에 유감을 표함.

나. 결의안을 거부하며, 결의안을 지지한 국가들은 그 결과에 대하여 충분한책임을 져야함.

다. 북한에 대하여 미국의 핵위협이 있다는 것을 결의안 지지 국가들은 무시하였음.

라. 결의안은 북한의 주권침해이며, 협정 체결에추가 난관을 조성할 것임.

국기국 안기부	장관 과기처	차관	1차보	구주국	상황실	외정실	분석관	정와대

0139

PAGE 1   91.09.12   22:37 DU

외신 1과 통제관

4. 미국은 상기 3항에 관련, 북한에 대하여 핵위협이 되지않고 있다고 응수하였고, 독일은 북한이 NPT에 따른 약속을 지켜야한다('PACTA SUNT SERVANDA') 고 강조하였음. 벨지움은 결의안 제안국들이 충분한 책임을 져야한다고 하는데 무슨 책임인지를 물으면서, 북한의 협박적인 자세에 실망을 표시하고 북한의 발언을일축하였음.

5. 중공은 북한과의 협정 체결을 승인한다고만 짤막하게 발언하였고, 소련은 북한이 승인된 협정안을 지체없이 서명,비준,이행하기를 요구하였으며 이태리는 상기 북한 발언을 듣고 실망하여 결의안 공동제안국이 되겠다고말하였음.

6. 본직은 결의안에 대한 표결 직전 별전(FAX)과 같이 연설하였음.

7. 남아공화국에 관한 결의안은 찬성 28, 기권6(알제리,브라질,큐바,인도,이란,이락), 불참1(카메룬), 반대없이 통과되었음.

    별첨:AVW(F)-019 2매

    AVW(F)-020 2매.끝.

HHW(万)-020 10912 15H

수신: 국기, 과기처

AVW—1119 의 별첨   2 매

Remarks made by HE Amb Chang-Choon Lee of the Rep of Korea
at the Board of Governors Meeting, IAEA
on 12 September 1991, Vienna

My delegation would like to express its sincere appreciation to the

Director General and members of his staff for the untiring efforts

they have made to table an NPT safeguards agreement with the DPRK before

this Board for approval. My delegation also appreciate earnest endeavours

of all Governors who have pursued an earlier conclusion of the questioned

agreement with the DPRK over the last two and a half years. My delegation

also commend the DPRK for compliance with its commitments made at the time

of the June Board meeting. Indeed, approval by this Board of the much delayed

agreement between IAEA and the DPRK is a significant step toward putting

unsafeguarded nuclear facilities in North Korea under international inspections.

My delegation takes this opportunity to urge the DPRK to promptly and

fully fulfil all the legal obligations that the DPRK undertook nearly six

years ago under the Treaty on the Non-Proliferation of Nuclear Weapons.

The next immediate step the DPRK has to take is to sign the approved agreement

without delay.

My delegation would like the DPRK to further verify that it is becoming

a responsible member of the international community by abiding by its legal

commitments faithfully. Linking its obligations under international law to

other irrelevant issues is counterproductive to a normal international life

which the DPRK is bound to live in the wake of the fundamental changes taking

place in the world's political climate. In a world becoming transparently

real and revealing at an unprecedented tempo, old patterns of manipulation

have no ground to stand. North Korea should know a threatening gesture

as shown in the DPRK's intervention this morning is not condusive to

improving its international standing.

0141 -1-

~2-'

My delegation appeals to the DPRK to fulfil its international obligations in the normal way. The remaining procedures to be taken now by the DPRK under the NPT obligations are to sign promptly the safeguards agreement approved by today's Board, ratify it without delay and implement it in good faith. By taking these procedures in the normal way, the DPRK will be able to provide a proof that it deserves to normalize its relations with the outside world.

In the meantime, my delegation attaches paramount importance to strenthening the IAEA safeguards system. My delegation fears for a recurrence of violation of an NPT safeguards agreement similar to the case of Iraq which has given rise to the question of the effectiveness and credibility of the Agency's safeguards system. My delegation believes that it is vitally important to restore confidence in the IAEA safeguards system by taking an urgent action with regard to statutory as well as operational deficiencies and incompleteness. In the view of my delegation, the system of special inspections can be developed and reinforced by prescribing unequivocal mandate and procedures for the competent organs of the Agency and setting up a separate standing unit within the Secretariat to take charge of special inspections. My delegation is also of the opinion that the system of IAEA special inspections should be coupled with the action of the Security Council of the United Nations. My delegation pledges to cooperate with the other members of the Agency toward a firm establishment of the system of special inspections.

0142²⁻

AVW(希)-019 10912 1500
수신: 국기. 과기처   DPRK
   AVW-1119의 전문 그때 북한의 발언문
                                    (1991.9.12)

Mr. Chairman,

The Democratic People's Republic of Korea has agreed
to the draft agreement based on the standard safeguards
agreement of the IAEA and finalised the rewording of the draft
agreement as it pledged at ~~the above-mentioned~~ June. Session and
consequently this draft agreement has been presented for
the approval at this current Session of the Board of
Governors.

I think the purpose of a discussion on the agenda 1 at
this Session of the Board of Governors is to examine and
approve the safeguards agreement on which our country and the
IAEA have agreed.

My delegation only hopes that the current Session of
the Board of Governors will successfully examine and approve
the draft agreement.

After the Board's approval of our safeguards agreement
we will do our best to bring   it into effect
                and conditions
       along with favourable ~~circumstances~~ which will be
created.

Mr. Chairman,

My delegation really regrets that certain countries have
presented the unjustifiable "resolution" bringing unilateral
pressure to bear upon us at the time when consequently the
aforementioned agreement is being considered and approved
at the current Session of the Board of Governors.

0143

1   ㄴ-/

This is an intervention in the internal affairs of our country.

This also is an unjustifiable extortion to the concluding of treaty and, at the same time, a maneuver to tarnish the international prestige of our country and bring the international pressure upon us.

Therefore my delegation strongly demand the withdrawal of this "resolution".

If such the "resolution" is adopted, it will create additional difficulties in our conclusion of the agreement.

0144

관리 번호	91-864

원 본

외 무 부

종 별 :

번 호 : AUW-0736   일 시 : 91 0912 1700

수 신 : 장관(국기, 아동)

발 신 : 주 호주 대사

제 목 : 북한핵문제

연: AUW-0709.

1. 금 9.12 양공사는 외무성 BENSON 아주국부국장을 면담, 연호 CONFIDENCE BUILDING MEASURE 관련 호주측이 주북경대사관을 통해 북한측에 전달한 입장에 관하여 북한측으로부터 어떠한 반응이 있었는지 문의한데 대해 동부국장은 호주가 북한측에게 그러한 제의를 한것은 핵개발에 대한 북한의 숨은 의도를 샅샅이 파헤쳐(FLUSH THEIR REAL INTENT OUT) 92.2 IAEA 이사회 대책 마련에 참고키 위한것이었다고 전재하고, 상금 북한측으로부터 전혀 어떤 신호도 없다고 말했음.

2. 또한 동부국장은 일 외무성이 국내 특수정치상황하에서 일부 여론을 DIVERT시키기 위해 북한에 대해 다소 유연한 태토를 보이려는 암시가 있었으나 CONCERN 을 일으킬정도가 아니라고 판단되어 북한핵관련 공동보조를 취하고 있는 호주로서는 별다른 관심을 두지 않으나, 북한이 핵관련하여 신빙성이 있는 어떤 조치를 전혀 취하고 있지 않는 상태에서 일본이 북한에 대해 SERIOUS 한 조치를 취하게 된다면, 지금까지 대북한 핵공동 보조를 취하고 있는 호주로서도 일본의 움직임을 주의깊게 관찰하여 대응할 사항일것이라고 말하고 DISCOUREGE 하는 방향으로 일측 태도를 지켜보자고 말했음을 참고로 보고함. 끝. (대사 이창범-국장)

예고:91.12.31. 일반.

일반문서로 재분류(19P1.12.31)

국기국	장관	차관	1차보	2차보	아주국	청와대	안기부

II 91. 9.13 작성후
시행 보류

IAEA 이사회의 북한 핵 안전협정안 승인 및 결의안 채택

외 무 부 당 국 자 논 평

1. 우리는 금번 국제원자력기구(IAEA)의 이사회가 북한과 IAEA간의 핵 안전
   조치협정문안을 심의한 후 9.12 이를 승인한것을 환영한다.

2. IAEA 이사회는 아울러 상기 협정의 조속 서명,비준 및 이행을 위한 북한의
   조치를 기대한다는 강력한 희망을 압도적 찬성의 결의문으로 채택(35개
   이사국중 찬성 27, 반대 1, 기권 6, 불참 1)하였는 바, 북한은 핵무기
   비확산 조약(NPT)의 당사국으로서 더이상 지체없이 핵 안전 협정의 이행을
   위한 최선의 조치를 취함으로써 세계여론에 부응하고 유엔 회원국이 되는
   자격을 발휘하기 바란다.   끝.

0146

1. 國際原子力機構(IAEA) 理事會, 北韓의 核安全措置 促求 決議案 採擇

o 비엔나에서 開催되고 있는 表題會議는 9.12(목) IAEA.
  北韓間의 核安全協定 文案을 承認하는 한편, 北韓에 대해
  同 協定의 早速한 署名.批准.履行을 促求하는 決議案을
  27個國의 贊成으로 通過시켰음.

   * 反對 1 (쿠바)

     棄權 6 (중국, 인도, 알젠틴, 브라질, 이란, 이락)

     不參 1 (카메룬)

o 北韓代表(本部大使 오창림)는 상기 決議案이 採擇된 후
  同 決議案이 北韓의 主權侵害이며, 北韓에 대한 美國의
  核威脅을 무시한 것이라고 말함으로써 가까운 시일내
  核安全協定의 署名, 批准意思가 없음을 分明히 함.

o 우리대표(駐오스트리아 李長春大使)는 北韓이 지체없이
  核安全協定에 署名하고 이를 批准.履行할 것을 强力
  促求하면서 特別 核査察制度의 導入을 支持하는 發言을
  하였음.

   * 北韓은 核安全措置問題를 對美.對日 關係改善 協商에 最大限 活用할

     意圖인 것으로 觀察됨.

                                    (駐오스트리아 大使 報告)

- 1 -

외 무 부

종 별 :

번 호 : AVW-1123　　　　　　　일 시 : 91 0912 1630

수 신 : 장 관(국 기)

발 신 : 주 오스트리아 대사

제 목 : 결의안 채택

연: AVW-1119

1. 연호를 IAEA 이사국 상주 아국 공관에 타전하여 주기바람.

2. 북한의 핵문제에 관한 결의안에 관련하여 발언한 국가중 특히 아래를 연호4항및 5항에 추가하여 참고바람.

　　가. 인도네시아

북한에 의한 협정의 조기 서명, 비준및 이행을 촉구함.

　　나. 에짚트

북한에 관한 결의안의 주절 제1항이 'WELCOME'이라고 되어 있는데, 북한이 협정체결을 지연시켜 왔기 때문에 적절하지 못하므로 다른 용어로 대체 되어야함.

　　다. 큐바

이사회는 협정안의 승인 문제만 심의해야 하고, 안전조치 제도의 자발적 성격(VOLUNTARY NATURE OFSAFEGUARDS SYSTEM)을 유념하여 회원국의 주권 침해가 없어야함.

　　라. 인도

현행 핵사찰 제도의 자발적 기초를 존중해야 하며 IAEA 헌장에 없는것은 정당화될 수 없음.

　　마. 오스트리아

핵안전 문제는 국내 문제에 대한 간섭으로 볼 수 없음.

　　바. 불란서

남아공화국의 경우와는 달리 북한의 핵개발로 실질적 위협이 상존하고 있다고 보며, 따라서 결의안을 지지함.

　　사. 영국

국기국 안기부	장관	차관	1차보	2차보	구주국	외정실	분석관	청와대

남아공화국이 NPT 당사국이 된후 9주년만에 핵안전 협정 교섭을 완료 하였음을
참조 하여,북한은 가능한 빨리(WITH ALL POSSIBLESPEED)협정을 서명,비준, 이행해야
함.끝.

발 신 전 보

WAV-0989   910913 1049 FG   종별: 지급

번   호 :

수   신 : 주 오스트리아   대사. 총영사

발   신 : 장 관 (국기)

제   목 : IAEA 이사회 대북 결의 채택

　　대 : AVW-1119

　　향후 대책 수립에 참고코자 하니 하기사항 보고 바람.

　　1. 그간 귀지에서 대북한 결의안을 발의한 우방이사국들과 협의한 내용 및 결의안 채택과정에서의 특기사항

　　2. 금번 이사회 결정에 대한 핵심이사국들의 평가(특히 향후 북한 태도 관련)

　　3. 기타 참고사항.　　　　　끝.

　　　　　　　　　　　　　　　　　(국제기구국장   문 동 석)

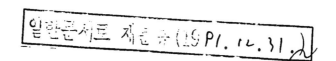

		보 안 통 제	인

앙고재	91년 8월 13일 국제기구과 신용의	기안자 성 명		과 장 신○○	국 장		차 관	장 관		외신과통제

0150

발 신 전 보

	분류번호	보존기간

번 호 : EM-0027　　910913 1115　FG 종별 :

수 신 : 주 수신처참조　　대사. 총영사

발 신 : 장 관　(국기)

제 목 : IAEA 9월 이사회

　　1. 비엔나에서 9.11-13간 개최되고 있는 표제회의는 9.12(목) IAEA-북한간의

핵안전 협정문안을 승인하는 한편, 북한에 대한 결의안을 아래와 같이 통과시켰음

　　　가. 결의안 표결 결과

　　　　　o 찬성(27) : 미국, 소련, 프랑스, 독일, 영국, 일본, 카나다, 호주, 스웨덴,
　　　　　　　　이집트, 우루과이, 칠레, 베네수엘라, 오스트리아, 폴투갈,
　　　　　　　　벨기에, 이태리, 우크라이나, 폴란드, 체코, 모로코,
　　　　　　　　나이제리아, 튜니지, 사우디, 인니, 태국, 필리핀

　　　　　o 반대(1) : 큐바

　　　　　o 기권(6) : 중국, 인도, 알젠틴, 브라질, 이란, 이락

　　　　　o 불참(1) : 카메룬

　　　나. 결의문안중 본문 (Operative part)

　　　　　1) Welcomes that a safeguards agreement between the Democratic
　　　　　　People's Republic of Korea and the International Atomic
　　　　　　Energy Agency contained in document GOV/2534 and authorizes
　　　　　　the Director General to conclude and subsequently implement
　　　　　　the agreement ;

　　　　　2) Looks forward to the early signature, ratification and full
　　　　　　implementation of the agreement ; and

　　　　　3) Requests the Director General to report to the Board of
　　　　　　Governors in February 1992 on the status of implementaion of
　　　　　　the agreement. "

/계속...

	보 안 통 제	80

앙고재	91년9월13일	국제기구과	기안자성명 신중이		과 장	국 장		차 관	장 관	외신과통제

0151

2. 상기 결의안 채택에 대해 북한대표는(오창림 본부대사)는 아래 내용으로 반박함

    o 결의안 채택을 거부하며, 결의안 지지국가들은 그 결과에 대해 충분한 책임을 져야함

    o 북한에 대해 미국의 핵위협이 있다는 것을 결의안 지지국가들은 무시하였음

    o 결의안은 북한의 주권 침해이며, 협정체결에 난관을 조성할것임.

3. 아국대표(주오스트리아 대사)는 북한이 지체없이 핵안전협정에 서명하고 이를 비준. 이행할것을 강력히 촉구하면서 특별사찰제도의 도입을 지지하는 발언을 하였음.   끝.

(국제기구국장 문 동 석)

수신처 : 駐대사주재 공관장 (단 카이로총영사 포함)

0152

9/13 신
1. AUW-0729 ?
2. 회의 회신 경로
→ UN. 핵실태상
행태미서 검토함
의결결재

관리 번호	91-867

외 무 부

종 별 : 지급

번 호 : AUW-0738   일 시 : 91 0913 1040

수 신 : 장관(국기,아동,정복)

발 신 : 주 호주 대사

제 목 : IAEA 대북한 결의안 통과

1. 금 9.13 09:00 외무성 BENSON 부국장은 양공사에게 작 9.12 IAEA 이사회결과를 상세 브리핑 해주면서, 호주가 주도한 대북한 핵안전협정이행 촉구결의안이 찬성 27, 반대 1 (쿠바), 기권 6(알젠틴, 브라질, 이락, 이란, 인도, 중국),불참 1(카메룬)로 통과된것에 만족을 표시하고, 금번 결의안 통과가 IAEA 북한대표의 반발적이고 BLACKMAIL 적인 발언에도 불구, 향후 대북한 핵관련 국제압력을 가중시키는 발판이 될것이며, 금번 유엔총회 연설시 각국이 동 결의안을 원용,국제압력을 가속화 시키기를 희망했음.

2. BENSON 대사는 중국이 뒤이어 채택된 대남아공 핵안전협정 이행촉구 결의안에는 찬성하고, 대북 결의안에는 기권한것이 북이점일뿐, 대북 결의안이 소련을 비롯한 전 동구권및 광범위한 지지를 획득했음을 평가하고, 여담으로 북한대표들의 BLACKMAIL 적(결의안 공동제안국들이 책임저야한다는등의)발언에 자극받아 이태리가 맨나중으로 결의안 공동제안국이 되었다고 알려주었음.

3. 금번 IAEA 대북결의안 통과에 있어서는 같은 추진국들이었던 일.카. 미등의 미온적 또는 도중 다소 AMBIVALENT 한 태도가 있었음에도 호주외무성의 초지일관한 집념과 결의가 결의안의 압도적 통과를 유도했다고, 평가되는바, 금번 호주측의 외교적 성과를 아측에서 적절히 ACKNOWLEDGE 함은 물론 AUW-0729 호주 외무성 핵심 POLICY MAKER 들이 표명한 향후 한-호 양국간의 긴밀한 외교협력에 관해 차제 적극적 자세로 아측에서 임할것을 건의함. 끝.

(대사 이창범-국장)

예고:91.12.31. 일반.

국기국 안기부	장관	차관	1차보	2차보	아주국	외정실	분석관	청와대

외 무 부

종 별 : 지 급

번 호 : JAW-5264

일 시 : 91 0913 1259

수 신 : 장관(아일,국기,정북)

발 신 : 주 일 대사(일정)

제 목 : 북한 핵안전 협정 서명 거부 표명

빈에서 개최중인 IAEA 이사회에서 북한측 대표가 주한 미군의 핵철거가 없는한 핵안전 협정에 서명치 않겠다고 표명한것과 관련, 금 9.13(금)조간 보도 논조를 아래 보고함

1. 아사히

0 북한의 핵안전협정 거부로 핵사찰 실현을 조건으로 하고 있는일.북국교정상화 교섭에 영향을 미칠것임.

0 또한, 일본정부는 북한의 유엔가입을 계기로 북한에 대한 국가승인을 검토하고 있는바, 금번 핵안전협정서명 거부로 북한승인은 더욱 멀어지게 될것임.

0 한편, 북한이 핵사찰 문제로 강경한 입장을 견지하는한 미국등 서방과의 관계개선 전망은 열리지 않을것이며, 금후 북한의 핵사찰 수락에 대한 국제적 압력이 강화될것으로 보임.

2. 요미우리

0 9.17 북한의 유엔가입을 계기로한 북한에 대한 국가승인이나, 일.북 국교정상화 교섭등에 필히 영향을 미치게 될것임.

0 외무성 관계자는 북한측의 금번처사에대해"유감이며 앞으로도 핵안전협정의 조기서명 및 이행을 계속 끈질기게 촉구할것"이라고 하면서 실망을 감추지 못하고, 북한에 대한 국가승인과도 관련"이러한 상황에서는 하기 어렵다"고 언급하였음.

0 북한측이 주한미군 핵철거와 미국과의 2 국간 교섭을 재촉구한점에서 대미접촉 채널을 확대하고자 하는 북한측의 강한 의도를 엿볼수 있는바, 이는 대미관계 개선을 위해 "핵" 카드를 최대한 유효하게 활용하고자 하는 생각을 시사하는 것이라고 할수 있음. 그러나, 미국은 지금까지 북한의 핵시설 폐기를 촉구하는 한편, 주한 미군과 핵사찰 문제 연결은 인정하지 않는다는 방침으로 일관하고있어 금후 북한의 핵을

아주국	장관	차관	1차보	국기국	외정실	분석관	청와대	안기부

0154

91.09.13   13:42

외신 2과 통제관 BN

둘러싼 미북간의 정치적 흥정이 계속될 것으로 보임.

3. 넛케이

0 금번 북한측의 강경태도는 북한에 대한 핵사찰 요구 결의안 채택으로 인한것이지만, IAEA 이사회 관계자에 의하면 북한측이 당초부터 조기서명의 의사가없었던것 같다함.

0 북한의 핵사찰 수락은 일.북 국교정상화의 전제조건이 되어있어 북한이 언젠가는 핵안전협정 서명에 응할 것이라는 견해도 있으나, 현싯점에서는 미.북관계 개선용 카드로서 동협정 서명을 최후까지 미루고자하는 속셈인것 같음. 북한은 유엔가입을 계기로 한반도의 비핵지대화등을 더욱 강하게 주장할 것으로 보여 금후 미국과의 정치흥정이 본격화 될것 같음. 끝

(대사 오재희-국장)

원 본

암호수신

외 무 부

종 별 : 지 급

번 호 : JAW-5281

일 시 : 91 0913 1716

수 신 : 장관(국기,아일, 정특)

발 신 : 주 일 대사(일정)

제 목 : 북한 핵사찰

연:JAW-5264

연호 , 북한의 핵안전협정서명 거부에 대해 주재국 나까야마 외상 및 사까모또 관방장관이 금 9.13(금) 기자회견을 통해 각각 언급한 내용을 아래 보고함.

1. 나까야마 외상

0 일본은 일.북 국교정상화 교섭에서 북한의 핵사찰을 주장해 오고 있는바,금번 북한의 조치를 대단히 유감으로 생각함.

0 북한이 국제사회에서 기대되는 모습이되지 맛하고, 일본의 종래 주장이 인정을 받지 못하게 되었음.

0 이제 북한이 유엔에 가입하게 될것인바, 일본정부는 북한이 IAEA 의 핵사찰 수락등 국제 관해을 준수하기를 진심으로 기대함.

2. 사까모또 관방장관

0 9.12 IAEA 이사회시 북한의 보장조치 협정 체결을 촉구하는 결원안이 채태된 것과 관련하여, 북한 대표단은 기자회견을 갖고 주한미군의 핵 무기가 철수되지 않는한 협정에 서명을 하지 않겠다고 발언함.

0 일본은 종전부터 북한에 대해 북한이 NPT 상의 의무로서 지고 있는 핵안전 협정을 조기에 무조건 체결하고, 동 협정의 완전한 이행을 하도록 일.북교섭 및 IAEA 드에서 촉구하고 있음.

0 북한이 부당한 조건을 붙여서 국제법상의 의무 이행을 거부하는 것은 유감임.끝

(대사 오재희-국장)

국기국 안기부	장관	차관	1차보	아주국	외정실	외정실	분석관	정와대

0156

91.09.13   17:47

외신 2과   통제관 BW

외 무 부

종 별 : 지 급

번 호 : JAW-5281

일 시 : 91 0913 1716

수 신 : 장관(국기,아일, 정복)

발 신 : 주 일 대사(일정)

제 목 : 북한 핵사찰

연:JAW-5264

연호 , 북한의 핵안전협정서명 거부에 대해 주재국 나까야마 외상 및 사까모또 관방장관이 금 9.13(금) 기자회견을 통해 각각 언급한 내용을 아래 보고함.

1. 나까야마 외상

0 일본은 일.북 국교정상화 교섭에서 북한의 핵사찰을 주장해 오고 있는바, 금번 북한의 조치를 대단히 유감으로 생각함.

0 북한이 국제사회에서 기대되는 모습이되지 맞하고, 일본의 종래 주장이 인정을 받지 못하게 되었음.

0 이제 북한이 유엔에 가입하게 될것인바, 일본정부는 북한이 IAEA 의 핵사찰 수락등 국제 관해을 준수하기를 진심으로 기대함.

2. 사까모또 관방장관

0 9.12 IAEA 이사회시 북한의 보장조치 협정 체결을 촉구하는 결의안이 채택된 것과 관련하여, 북한 대표단은 기자회견을 갖고 주한미군의 핵 무기가 철수되지 않는한 협정에 서명을 하지 않겠다고 발언함.

0 일본은 종전부터 북한에 대해 북한이 NPT 상의 의무로서 지고 있는 핵안전 협정을 조기에 무조건 체결하고, 동 협정의 완전한 이행을 하도록 일.북교섭 및 IAEA 드에서 촉구하고 있음.

0 북한이 부당한 조건을 붙여서 국제법상의 의무 이행을 거부하는 것은 유감임. 끝

(대사 오재희-국장)

공 람	안보정책과 확인인	담 당	과 장	심의관	부신장	신 장

국기국 안기부	장관	차관	1차보	아주국	외정실	외정실	분석관	청와대

0157

PAGE 1

91.09.13   17:47

외신 2과   통제관 BW

외 무 부

종 별 :

번 호 : USW-4597   일 시 : 91 0913 1805

수 신 : 장 관(미일, 미이, 아일, 국기, 정특)

발 신 : 주 미 대사

제 목 : 북한의 IAEA 협정 서명 거부

　　금 9.13 국무성 정례 브리핑시 북한의 IAEA협정 서명 거부와 관련한 질문 응답이
있었는 바, 주요 내용 하기 보고함. (동 발표문은 USWF-3732 편 송부함.)

　　. (일본의 북한 승인 연기 이유 및 사전 협의가 있었는지에 대해서)

　　동 문제에 관하여 일본정부와의 접촉이있었는지 확인해 보아야 하겠음.
IAEA이사회의 결정에서 볼수 있듯이 국제사회는 북한이 IAEA 안전협정 의무를 전면
이행할 필요성에 전적으로 동감하고 있음.

　　. (북한의 IAEA 협정 서명 거부에 대해서)

　　먼저 IAEA 이사회가 북한의 안전협정 서명 및전면 이행을 촉구한 결의안을
통과시킨 것을 환영하며, 북한은 핵 비확산 조약의 당사국으로서 IAEA 안전 협정에
서명하고 동협정 의무를 즈각 전면 이행할 무조건적인 의무가 있으며, 이는 북한과
미국간의 양자문제가 아닌전 국제사회 공통의 문제로서 향후에도 계속해서 국제사회가
북한에 압력을 가해야 한다는 미국의 입장에 변화가 없음.

　　(대사 현홍주 - 국장) iAX 네뜨덜

미주국	1차보	아주국	미주국	국기국	외정실	분석관	청와대	안기부

공 란

공   란

공   란

공   란

공   란

공　　　란

공   란

외 무 부

종 별 :

번 호 : CAW-0993

일 시 : 91 0915 1555

수 신 : 장관(해기,해신,국기)

발 신 : 주 카이로 총영사

제 목 : 북한 협정서명 거부

대:AO-0027

주재국 일간지 THE EGYPTIAN GAZETTE 는 북한의 핵협정 거부 관련기사를 다음과 같이 보도했음.

. 제목: N.KOREA REFUSES TO SIGN NUKE SAFEGUARDS ACCORD

. 일자: 1991.9.15

. 크기: 2 단 X 10CM

. 출처: 동경연합

. 요지: 북한이 IAEA 핵안전협정 서명에 거부한것은 일본을 실망시켰으며 북한을 인정하려는 일본에 큰영향을 줄것이라고 일본외무성의 소식봉이 밝혔음. 일본은 북한이 IAEA 핵안전협정에 서명하고 유엔가입후 국가로 인정하려는 계획이었다고 동 소식봉이 말했음. 북한은 한국에서 미국의 핵무기를 철수하지 않는한 핵협정동의에 서명하지 않겠다고 말하고 있음. 끝.

(총영사 박동순-관장, 국장)

공보처   1차보   국기국   분석관   안기부   공보처

91.09.16   00:09
외신 2과 통제관 DO
0166

관리 번호	91-870

외 무 부   원 본

종 별 :

번 호 : AUW-0744   일 시 : 91 0916 1720

수 신 : 장관(국기, 연일, 아동)

발 신 : 주 호주 대사

제 목 : 유엔총회 연설시의 북한 핵거론

연: AUW-0745

연호 9.16 주재국 외무성 군축부국장대리는 양공사에게 금번 유엔총회에서의 각국대표 연설과 관련, 호주 외무성은 자국 전재외공관에 훈령을 보내 자국대사가 주재하는 정부대표가 금추 유엔총회 연설시 가급적 금번 비엔나 IAEA 외사회에서 통과된 대북한 결의안을 원용, 북한의 핵안전협정 서명및 이행에 관하여 국제 여론을 환시키는 방향으로 발언해줄것을 요청하였다하니 참고 하시기 바람.

(대사 이창범-국장)

예고:91.12.31. 일반.

일반문서로 재분류(19 91. 12. 31)

국기국 안기부	장관	차관	1차보	2차보	아주국	국기국	분석관	청와대

PAGE 1   91.09.16   17:18

외신 2과 통제관 CD

0167

면 담 요 록

1. 면담일시 : 1991. 9. 17(화) 10:00-10:45

2. 면담장소 : 외무차관실

3. 참 석 자

　o 아　측 : 유종하 차관(장관대리)

　　- 배석 : 장만순 제 1차관보

　　　　　　권영민 구주국장

　　　　　　이수혁 동구1과장

　　　　　　조백상 동구1과 사무관 (기록)

　o 소 측 : 메드배데프 대통령 특사

　　- 배석 : 소콜로프 주한 대사

　　　　　　파데에프 외무부 극인국 부국장

　　　　　　고스테프 대외경제은행 부총재

　　　　　　이르게바에프 주한 소련대사관 참사관(통역)

4. 면담요지

　o 차　관

　　- 방한을 환영함.

　o 특　사

　　- 큰 사명을 갖고 방한하였음.

　　- 대통령을 예방하여 친서를 전달하고 경제관계 정부인사도 면담할
　　　애정임.

0168

- 이 방문시기는 양국에 있어 주요사건이 이루어진 때에 이루어진
  것으로서 바로 9.17 오늘 남북한이 UN에 가입하게된 역사적인 날임.
  차관께 축하드림.

ㅇ 차 관
- 한국이 UN에 가입하기까지 40여년을 기다렸는데, 그간 많은 우방국이
  도움을 주었으며, 특히 소련의 "고"대통령이 중요한 기여를 했다고
  생각함. 우리정부와 국민은 이를 감사히 여기고 있음.

ㅇ 특 사
- 차관의 말씀을 "고"대통령께 보고하겠음.
- 이 자리를 빌어 판킨 장관의 인사를 전함.
- 판킨 장관도 본인의 방문에 많은 노력을 하였음.

ㅇ 차 관
- 양국 외무장관이 UN에서 만나 많은 문제를 협의하게 될 것을 기대하고
  있음.

ㅇ 특 사
- 그렇게 되도록 협조할 예정임.

ㅇ 소콜로프 대사
- 소련측은 그런 희망을 이미 한국정부측에 전달하였고, 면담일자를
  정하는 문제만 남았음.

ㅇ 차 관
- 제시된 일자가 이상옥 장관께서 뉴욕에 부재중이라 양국 UN대표부를
  통해 상호 일자를 협의토록 하였음.

ㅇ 특 사
- 최근 양국관계가 급속히 발전되고 있음을 감안할때 양국 장관이 만나면
  유익한 대화가 있게 될 것임. 양국은 오랜동안 걸어야 할 길을 단기간

내에 걸어왔음. 상호 적대관계에서 긴밀한 파트너 협력관계까지 발전해왔음.

- 물론 이렇게 되기까지 노대통령과 "고"대통령의 기여가 컸음.

- 짧은 기간내 3번이나 정상회담이 있었음. 이것은 세계적으로도 전례가 없는일임.

- 본인이 특히 강조하는것은 우리의 어려운 시기에 양국관계가 어떻게 역할을 하고 있느냐 하는점임. 이를 계기로 양국 관계를 더욱 깊고 심화시킬수 있다고 생각함.

- 어제 양국간 어업협정이 체결되었는바, 이는 양국관계 증진에 좋은 진전이라고 보고있음.

- 또한 양국간 선린협력조약 체결도 추진하는것이 매우 바람직하다고 생각함.

- 본인은 오늘 '노'대통령과 만날때 경협문제도 언급하겠지만 이러한 점을 언급할 예정임.

ㅇ 차 관

- 한.소 양국관계에 대한 언급에 대해 대통령 뿐아니라 중요 각료와 국민도 공감하리라 생각함.

- 지난 8월 소련에 정변이 발생했을때 노대통령께서는 큰 관심을 가지고 매시간마다 소련사태를 주시하였으며 우리국민과 국내 언론도 우리 일처럼 관심을 가져왔음. 불법 쿠데타가 실패하고 소련이 헌법 질서를 회복하게 되어 우리는 소련국민에 대해 존경을 하게 되었으며, 한.소 양국관계도 더욱 발전할 가능성이 있다고 느끼게 되었음.

- 오늘 대통령께서는 특사에게 우리의 원칙적 입장을 말씀하실것임. 경협문제에 대하여는 그간 정부 관계부처 각료가 모여 협의한 결과, 특사의 얘기를 듣고 우리의 방침을 결정하기로 하였음.

0170

- 외무부로서는 한.소 관계가 아무 굴곡없이 원만하게 진전하게 되는 것을 바라는 입장임.
- 경제문제는 기획원, 재무부, 상공부등 경제각료의 책임하에 있으므로 관계장관들을 만나시고 유익한 의견교환 하시기 바람.
- 지난번 본인은 1주일간 평양을 다녀왔음. UNCTAD 77 그룹회의 참석차 10명의 대표단을 이끌고 방북했는데 북한의 전반적인 분위기가 상당히 경직되었다는 인상을 받았음.
- 지난번 소련사태는 우리뿐 아니라 북한에도 큰 영향을 줄 것으로 생각됨.
- 북한이 개혁과 개방으로 나와 남북 관계진전에 도움이 될 것으로 우리는 확신함. 북한의 개방과 개혁에 대해 우리는 소련의 건설적 역할을 기대하고 있는데 특사의 생각은 어떠하신지 ?

ㅇ 특 사
- 차관께서도 잘 아시다시피 소련 및 동구에서의 개혁은 어느 특정 국가의 주관적 희망에 의한 것이 아니라 객관적 사건이었음.
- 우리는 개혁의 필요를 느껴 85년부터 개혁을 시작했는데 좀더 일찍 시작했으면 더욱 좋았을 것으로 생각함.
- 우리가 85년 개혁을 시작할때 우리는 다른나라에 대해 우리의 개혁을 강요하지 않았음. 개혁문제는 각국들이 알아서 결정할 사항으로 생각함.
- 우리는 이것을 순전히 내부적문제로 보고 있고, 이러한 원칙을 다른 국가와의 관계에서 지켜오고 있음.
- 이 문제로 다른나라에 충고나 지시를 할 입장은 아니라고 생각함.

ㅇ 차 관
- 북한측 인사와 접촉한 결과 2가지 점을 느꼈음. 즉, 북한은 소련 및 동구의 변혁에 대하여 정치적으로는 주체사상으로 대처해 나갈

0171

것이나, 경제적으로는 금후 어려운 난관에 처하게 될 것을 우려하고
있다는 점임. 북한 무역의 50% 이상을 차지하는 소련과의 교역과
중국과의 교역을 과거에는 barter로 했으나, 양국 모두 경화로 결제할
것을 요구하고 있어 외화가 부족한 북한으로서는 금후 경제관계에
대해서 큰 우려를 갖고있음.

○ 특 사
 - 우리는 솔직히 말하여 우리의 우방국과의 무역 결제에 있어 경화로
   전환하는 문제를 깊게 생각하지 않았던 것 같음.
 - 원칙적.장기적으로는 옳으나 그러한 급속한 변화가 우리에게 이익이
   되지는 않을것으로 생각함.
 - 그결과 동구와의 교역이 1/2로 축소되었고 소련과 동구는 서로 필요한
   상품을 갖지 못하게 되었음.
 - 이러한 결재방식 전환을 점진적으로 하였으면 좋았을 것으로 생각함.
 - 소련은 이문제를 재검토하고 있음.
 - 북한과의 교역관계에서도 점진적으로 조치를 취하는 것이 옳았다고 봄.
 - 우리는 이 문제에 대해 좋은 해결책이 나올것으로 보며 여타 소.북한
   간에 형성된 기업관계에 큰 손해를 가하지 않고 처리될 것이라고
   생각함.
 - 차관님의 질문에 보충적으로 말씀드리면 내부적.국내문제를 가지고
   북한에 충고를 한다해도 소련은 큰 영향력을 갖고 있지 못하므로,
   이점에 대해 한국정부가 과대 평가하지 않기를 바람.
 - 그러나 남북한 관계에 대해 말하면, 우리는 언제나 북한측에 대해
   남북 관계개선이나 남북한 화해가 이룩되기를 바라고 있으며 또
   이는 외교적.국제적 문제이므로 북한에 대한 내정간섭도 아니란
   점을 북한측에 얘기하고 있음.
 - 또한 경제적 측면에서도 남북한이 서로 접근하면 좋으리라고 생각함.

0172

- 만일 남북한간 경제적 협력관계가 이루어질때 소련은 제 3국으로서 돕고자 함.
- 에컨대 북한의 영토를 통과하는 송유관 설치같은 문제에 대한 소련 정부의 지지입장은 명백함.

o 차 관
- 우리는 소련이 한반도에서의 안정과 화해를 위해 노력해주고 특히 2가지 방향에서 협조해 주기를 바라고 있음. 첫째, 우리가 동구변화가 북한에 미치는 변화를 볼때 북한이 이런 변화에 현명하게 대처하는 것이 북한뿐 아니라 우리에게도 매우 중요하다고 생각함.
- 만일 북한이 바깥의 개혁에 현명히 대처하지 못하고, 이를 거부하기만 하여 루마니아 처럼 큰 변혁이 초래된다면 이는 북한의 혼란뿐 아니라 우리에게도 바람직하지 못한 사태 전개일 것임.
- 북한은 우리가 독일처럼 흡수통일을 원한다고 생각하고 있으나, 우리는 북한과의 큰 차이(경제, 문화, 의식) 때문에 일순간 갑자기 통합되는것은 남북한 모두에게 유익하지 못하다는 생각을 갖고있음.

o 특 사
- 물론 독일통일의 경험은 깊이 연구할 필요가 있음.
- 우리는 한국이 독일의 경험을 깊이 분석하고 있다고 생각하며, 우리도 시장경제로의 이행을 위한 경험으로써 이를 연구하고 있음.

o 차 관
- 북한이 한국과의 관계를 발전시키고 우리의 우방과의 협력관계 증대에 반대하고 있지 않으나, 문제는 북한이 IAEA에 대한 비협조로 이들과의 관계개선이 이루어지기 어려운 상황이란 점임.
- 우리는 소련이 대북한 영향력이 얼마가 있든지간에, 소련 정부가 이 문제와 관련하여 북한측에 문제점을 지적하여 주기를 희망하고 있음. 둘째, 남북한간의 경제교류가 증대되도록 북한의 가장 큰 교역 상대국인 소련 정부가 많은 영향력을 행사해 주기를 바람.

0173

o 특 사

 - 이 두가지 문제에 대해 차관께서 소련정부 입장을 잘 알고 계시리라
   생각함. 남·북한 경제교역 증대는 이미 환영하고 있고, 우리도 몇가지
   구체적 제안을 갖고있음. 소련외 제 3국도 필요시 참여시킬수 있을
   것임.

 - 에컨대 북한, 중국, 소련 접경지역에 자유경제지대 설치문제도 검토할
   수 있음.

 - IAEA 문제와 관련, 우리는 핵무기에 대해서 IAEA가 모든 국가에 대해
   통제력을 가져야 한다는 입장임. 우리는 IAEA와 북한의 핵안전협정
   서명에 관한 교섭을 알고있음.

o 차 관

 - 북한은 IAEA와 서명할 듯 하였으나 금번 회의에서 외국의 압력에
   의해서는 서명할 수 없다고 하여 서명을 거부하였음.

 - 금일 저녁 만찬 기회에 의견교환을 계속하기 바람.

- 끝 -

0174

관리번호 91-105b

외 무 부

종   별 :

번   호 : USW-4682   일   시 : 91 0918 1806

수   신 : 장 관 (미일,정안,미이,기정) 사본:주유엔대사경유 장관

발   신 : 주 미 대사   사본:주 라성 총영사경유 주미대사(각 직송필)

제   목 : BUSH 대통령 유엔 연설

연: USW-4661

대: WUS-3877

1. 연호관련, 당관 유참사관은 9.18(수) 백악관 NSC 의 PAAL 보좌관을 면담, BUSH 대통령이 유엔총회 연설을 통해 한국의 유엔가입을 축하하고 한반도 긴장완화를 위해 북한의 건설적 대화자세 촉구및 NPT 당사국으로서의 의무 이행을 촉구하는 것이 작년 총회에서 한국의 유엔가입을 지지한 취지와도 부합되며, 더우기 이를 마무리 하는 계기가 될 것이라고 지적하고 적극 노력하여 주도록 촉구함.

2. 이에대해 동 보좌관은 자신도 전적으로 동감으로 생각한다고 하면서, 가급적 한반도 사항을 별도로 언급할 수 있도록 노력중이며, 북한에 대해서는 핵뿐만 아니라 위험무기 확산방지도 촉구하도록 노력중인바, 금번 북한의 핵안전협정서명의 거부로 인하여 더욱 더 북한에 대한 경고를 분명히 하도록 해야 할 것이라고 답변함. 끝.

(대사 현홍주-국장)

예고 :91.12.31. 일반
19. . .에 예고문에
의거 일반문서로 재분류됨

미주국 안기부	장관	차관	1차보	미주국	국기국	외정실	분석관	정와대

PAGE 1   91.09.19 0175 08:51

외신 2과 통제관 BS

외 무 부

종   별 :

번   호 : AVW-1165

일   시 : 91 0918 2030

수   신 : 장 관(국기,정이,기정,과기처)

발   신 : 주 오스트리아 대사

제   목 : 제35차 IAEA 총회

1. 금 9.18(수) 오후 북한 순회대사 오창림은 기조연설을 통해 북한의 원자력 평화적 이용분야를 장황하게 늘어놓으면서 한반도 비핵지대 제안을 주장하였음.

   - 오창림은 북한은 핵무기 개발의사와 능력이 없으며 남한에 배치된 핵무기가 한반도 평화에 위협이 되고 있는바, 한반도의 비핵지대화를 위해 미군 핵무기를 조속 철수하고 합동군사 훈련 중지하여야 한다고 말하였음.

   - 미국이 한반도의 핵안전문제에 과연 진지한자세를 가졌다면 핵무기를 즉각 철수해야 한다고하면서, 북한은 비엔나 또는 제네바에서 미국과공식의 정부간 협상을 개최할 것을 제의한다고말하였음.

   - 또한 미국의 핵무기를 주둔시키고 있는(INVITE)남한은 핵안전 문제에 대한 토의자격이 없다고 하면서 남한은 미국의 핵무기를 철수시키도록 해야 할것이라고 부언하였음.

2. 9.18 본회의시 각국의 기조연설 요지는 다음과 같음.

   가. 화란EC 12개국은 북한의 IAEA와의 핵안전협정의 체결,서명,비준및 이행이 오래 지연되고있는것을 우려하며, 북한이 이사회에서 승인된 핵안전 협정을 조속히 조건없이 발효,이해시키기를 희망함.

   나. 폴랜드

   북한 NPT가입후 6년동안이나 핵안전협정체결을 지연시켜왔는바, 지난주 이사회의결의를 따라 조속히 협정에 서명, 비준하고 이행할것을 촉구함.

   다. 벨지움

   - 최근 세계 정세변화로 과거의 양극적인 핵억제력이 약화되어, 핵안전조치에 대한IAEA의 역활이 더욱 중요하게 되었음.

   - 북한이 IAEA와 오랫동안 지연되어 온 핵안전조치 협정에 합의한 것은

국기국	1차보	미주국	구주국	외정실	분석관	정와대	안기부	과기처

공람	안보정책과	년인일	담당	과장	심의관	부실장	실장

PAGE 1

0176

91.09.19   09:37 BE

외신 1과 통제관

긍정적인것으로 봄.북한은 핵안전조치 협정을 조속히 서명,비준,이행함으로서 협정준수 의사를 보여야 할것임.

　라.태국,필리핀

IAEA와 북한의 핵안전협정 체결 합의를 환영함.

　마.스위스

북한의 핵개발은 국제적 관심사인바.북한,IAEA간 핵안전 협정 체결 합의를 환영하며, 북한의 조속한 협정 이행을 희망함.

　바.놀웨이,터어키북한,IAEA간 핵안전 협정체결 합의를환영하고, 동 협정이 조속히 서명,비준,발효하기를바람.

　사.이집트

NPT 미가입국의 동 협정 가입을 촉구함.

　3.9.18(수) 전체위원회에서는 금번 총회에서채택할 결의안 준비를 위한 토론을 갖고 그중 경제적 식용수 생산계획, 사무국 직원 채용및 헌장 6조 개정(제34차 총회 결의와 동일내용)에관한 결의안 내용에 합의하여 통과시켰음.

　4.또한 오전에 개최된 지역협력사업(RCA)위원회에서는 92-97년간 RCA협정 연장과RCA사업에 대한 UNDP자금지원 촉구안에 합의하였으며, 제14차 RCA실무회의는 92년 일본에서 개최키로 하였음.(아국대표는 91.10 '아국개최 원전계획훈련과정'에 대해 설명함)

　5.이사국 선거(총회 의제10)관련. 본회의는 명일(9.19) 오전까지 지역그룹 국가들이 이사국 추천에 합의하지 못할경우 무표를 할 예정함.끝.

PAGE 2

0177

외　무

증　별 :

번　호 : AVW-1173

수　신 : 장 관(국기)

발　신 : 주오스트리아대사

제　목 : 제35차 IAEA총회(북한대표 연설문)

일　시 : 91 0919 1450

연:AVW-1165

작 _9.18(수) 행한 북한대표의 연설문이 금일 배포되었으므로 그 전문을
별전(FAX)로 송부함.

별첨: AVW(F)-025 4 매.끝.

국기국　　1차보　　의정실　　분석관　　청와대　　안기부

PAGE 1

91.09.20　　08:57 DQ

외신 1과　통제관

0178

EMBASSY OF THE REPUBLIC OF KOREA

Praterstrasse 31, Vienna
Austria 1020 (FAX : 2163438)

No : AVW(万)-025	Date : 10919 1950
To : 장관 (국기)	
(FAX No :)	
Subject : AVW-11ㄨ3 호의 천부	

Total Number of Page : ㅈ 1매

0179

Check against delivery

INTERNATIONAL ATOMIC ENERGY AGENCY
GENERAL CONFERENCE

THIRTY-FIFTH REGULAR SESSION · SEPTEMBER 1991

STATEMENT

DEMOCRATIC PEOPLE'S REPUBLIC OF KOREA

Esteemed Mr. President,
Dear Delegates,

First of all, on behalf of the Delegation of the Democratic People's Republic of Korea, I would like to extend my congratulations to you on your election as President of this General Conference.

May I also express my deep thanks to Director General Mr. Hans Blix and the officials of the Secretariate of the Agency for their efforts to ensure the success of this Conference.

My delegation recognizes that the IAEA fully carried out its mission to promote the peaceful use of atomic energy for world peace and welfare of the people last year and also supports the Agency's annual report for the year 1990.

Last year the Agency exerted great efforts for safe production of electricity at atomic power plants, development and use of nuclear methods and technology, protection of man and environment from radiation damage, nuclear safety, safeguards and technical co-operation to the developing countries.

As a result, nuclear energy is being introduced more widely for the development of the national economies on a world wide scale and the demand for atomic energy is increasing further.

Mr. President,

Today, in the Democratic People's Republic of Korea the building of the independant national economy is being accelerated more vigorously than ever before and the country's economic construction and the growth of the production urgently demand more energy and broader use of nuclear energy.

The Government of the Republic has set a goal to generate annually 100 Billion kilowatt hours of electricity by building power plants of various energy sources including hydropower

0180

— 1 —

stations, thermopower plants and nuclear power plants in the period of 3-rd seven years plan (1987-1993). The project for construction of nuclear power plant with capacity of 1.76 million kw is being implemented and siting problems are being solved at last stage.

At the same time, we are making great efforts to introduce nuclear methods into industry, agriculture, public health and other fields of national economy. Many factories and enterprises widely use radioactive isotopes in the survaillance and control of production processes, quality control of products and in analysis. Local made radioactive flaw detectors, densimeters and various kinds of radiation instruments have been introduced to give possitive effects to the management of production processes.

In agriculture different tracers are used to study effectiveness of fertilizers which are of significant importance in increasing the grain yield and their effects to the growth of plants.

In public health various radioisotopes are effectively used in diagnosis and treatment of diseases.

Demands for radioactive isotopes for medicine are increasing in our public health system in which a complete free medical care has been enforced and whose first task is the people's long life in good health. To meet increasing demand for isotopes in medicine several steps have been taken to develop domestic production of it particularly short-live isotopes. The completion of construction of cyclotron which is underway with the technical co-operation of the Agency will greatly help us in producing and providing by our own efforts short-live isotopes for medical use.

Wide utilization of nuclear methods and isotopes in various fields of national economy requires to pay deep attention

0181

- 2 -

to the nuclear safety and protection of environment. Therefore,
we are working systematically to enhance the technical standard
of officials dealing with radioactive materials and to train
specialists in this field.

Regulatory rules for nuclear safety and radiological
protection has been stipulated and revised in accordance with
new requirements.

In this regard I wish to mention particularly two
training courses namely,"the National Worshop on State Infra-
structure for Nuclear Safety and Radiation Protection" and
"the National Training Course on Non-Destructive Testing" held
in summer this year in Pyongyang with the technical assistance
of the International Atomic Energy Agency. These national
training courses made substantial contribution to increase
utilization of nuclear methods and isotopes for development of
national economy.

Dear Delegates,
At present we can not emphasize only the positive side
of nuclear energy, which mankind is benefited from it, but also
pay due caution to the negative side which derives from the
military use of nuclear energy.

The Korean nation which sufferred greatly, after
Japanese nation, from the nuclear disaster in August 1945
categorically oppose nuclear weapons.

Therefore, of late out of its noble desire to remove
the danger of nuclear war from the Korean peninsula and contri-
bute to the durable peace and security in our country, Asia and
the rest of the world, The Government of the Democratic People's
Republic of Korea advanced a proposal to turn the Korean penin-
sula into a nuclear weapon free zone and is making every sincere
effort for its realization.

- 3 -

0182

This proposal illustrated that the north and south of Korea should agree on the establishment of a nuclear weapon free zone on the Korean peninsula and made a joint declaration thereof, that the United States and the Soviet Union and China, the nuclear weapon states neighboring on the Korean peninsula, should legally guarantee the nuclear weapon free status of the Korean peninsula, once an agreement is reached and declaration is adopted to this effect, and that the non-nuclear weapon states in Asia should support the conversion of the Korean peninsula into a nuclear weapon free zone and respect its nuclear weapon free status as well as the ways, most reasonable and possible, to realize conversion of the Korean peninsula into a nuclear weapon free zone at an earliest possible date.

The nuclear weapons deployed in south Korea pose a serious threat to the existence of our nation and constitute a great danger to peace and security in Asia and the world. Therefore, immediate withdrawal of nuclear weapons from the south of the Korean peninsula and the early stop of all military exercises including the provocative nuclear military exercises are the urgent task today which brooks no further delay for turning the Korean peninsula into a nuclear weapon free zone.

Converting the Korean peninsula into a nuclear weapon free zone is of significant importance in removing nuclear threat against us and strenghening the system of non-proliferation of nuclear weapons in the Korean peninsula and furthermore, will make a substantial contribution to consolidating peace and security in Asia and the world.

If the Korean peninsula is turned into a nuclear weapon free zone, it will create a favourable phase, for establishing a nuclear weapon free zone in the Northeast Asia.

My delegation expresses firm conviction that all peace-loving countries will pay deep attention to our proposal and extend full support to and solidarity with our people's

- 4 -

0183

struggle to prevent the danger of nuclear war, ease the tension
and turn the Korean peninsula into a nuclear weapon free zone.

Mr. President, Dear Delegates,

It is regrettable for my delegation that several dele-
gations have raised the safeguards issue of our country and
nuclear activities in DPRK during the general debate.

The Democratic People's Republic of Korea on many occa-
sions declared that it had no intention to develop nuclear wea-
pon and that had no capability to do so.

To conclude the safeguards agreement we asked the
United States of America to remove the nuclear threat posed
on DPRK, which is directly linked to the matter of our nation's
right to survive. This our demand is by no means not contradic-
tory to the ideas of Non-Proliferation Treaty.

Removal of nuclear threat from the Korean peninsula
is an urgent problem for elimination of danger of nuclear war
in that region of Asia, as well as, for consistent implemen-
tation of the Non-Proliferation Treaty and thus for strenghe-
ning of the non-proliferation regime as a whole.

The United States of America who has direct responsi-
bility for removal of nuclear threat posed upon us stil fails
to take any positive measures in this regard.

We several times proposed to hold negotiation with
the United States in order to resolve this issue.

My delegation has the view that if the United States
has sincere interest to settle safeguards issue with the DPRK,
it should, first of all, to withdraw nuclear weapons from so-
uth Korea and make us legally binding commitment not to use
nuclear weapons. In this regard, the Democratic People's
Republic of Korea is willing to hold official intergovern-
mental negotiations with the United States either in Vienna
or in Geneva.

- 5 -

0184

Any attempt to exert international pressure on the DPRK, the country which values its sovereignty as most precious and the country which consistently endevours to implement its obligations undertaken by the NPT, will be not conducive to the solution of the safeguards issue of the DPRK, but, on the contrary, it will cause only difficulties.

The south Korean delegate mentioned about our safeguards agreement matter in his statement. But the south Korean authorities, in contrary to the desire of all Korean people, have invited foreign nuclear weapons into the Korean peninsula and thereby led our nation's right to survive to a dangerous situation.

Therefore, the south Korean authorities have lost the right to discuss the nuclear issue on the Korean peninsula and should take full responsibility for conversion of south Korea into a base of nuclear weapons of foreign country.

If the south Korean authorities are really interested in the conclusion of our safeguards agreement it should, first of all, demand withdrawal of US nuclear weapons deployed in south Korea and join in our efforts to turn the Korean peninsula into a nuclear weapon free zone. This is only a way for the south Korean authorities to contribute to a earlier solution of safeguards matter of the DPRK.

Mr. President,

In conclusion my delegation confirms that the Democratic People's Republic of Korea as in the past so in the future, will do its best to further develop the co-operatice relations with IAEA and faithfully carry out its obligations assigned to it.

Thank you.

- 6 -

0185

제35차 IAEA총회 북한대표 연설 요지

북한은 제3차 7개년 계획기간(1987~1993)에 수력, 화력, 및 핵발전소를 포함한 각종 에너지源 발전소 건설을 통해 1천만 KW 의 전력 생산을 목표로 설정. 농업, 공중보건 및 기타 국가경제분야에 핵 방법을 도입하기 위해 최선의 노력 경주중. 특히, IAEA 의 기술협력으로 건설중인 실험용 원자핵 타비장치 (cyclotron)가 완성되면 자체능력으로 의학용 단기동위원소 생산·공급에 큰 도움을 받는것임.

국가 경제각 분야에 있어서의 핵 방법 이용 방법에는 핵안전과 환경보호에 대한 세심한 주의가 요망되는 바, 금년에도 IAEA 의 기술 지원으로 평양에서 "핵안전과 방사능보호를 위한 국가 하부구조에 대한 워크숍", "비타미진 실천에 관한 연수코스" 등을 개최하는 바 있음.

1945년 8월의 핵 참사에 의하여 일본민족 다음으로 큰 고충을 당한 조선 민족은 핵무기에 철저히 반대하는. 북한정부는 한반도를 비핵지대화 하자는 제안을 제출한 바 있으며 그실현을 위해 모든 진지한 노력을 다하고 있음.

남한에 배치된 핵무기는 민족의 조엄에 심각한 위험을 제기하며 아시아 및 세계 평화와 안전에 큰 위험을 이룸. 그러므로 핵협박으로 남쪽으로부터 핵무기의 즉각 철수 와 팀스피리트 핵 군사연습을 포함한 모든 군사연습의 포기중지 등이 한반도의 비핵지대화를 위해 지연시킬수 없는 긴박한 과제임.

북한은 여러 경우에 있어서 핵무기 개발 의도로 없으며 그걸 능력도 없음을 천명한 바 있음. 북한에 대한 미국의 핵 위협 제거를 미래에 요망하는 바 있는데, 이는 핵안전규정 체결을 위해 우리와 우리민족의 생존권 과 직결된 문제임. 우리의 요구는 NPT 취지 에다 상반되는 것이 아님. 보수

미국이

우리는 핵문제를 해결하는 의지 미국과의 협의를 개최한것은 우주차게 배의한바 있음.

만일 미국이 DPRK와 핵안전 문제를 개방하는게 진지한 관심이 있다면 미국은
우선 남으로부터 핵무기를 철수해야하고 핵무기를 사용치 않겠다는 법률적으로
구속력있는 공약을 우리에게 해야 함. 이와같고 북한은 비진나 같은 제네바에서
미국과 정부간 회담을 개최할 용의가 있음.

우리에 따라 국제원자력행사 하려는 어떤 시도도 북한의 핵안전 문제 해결에
유통하지않는 것이며 반대로 어려움을 야기할 뿐.
남조선 당국은, 전 민족의 염원에 반하여 한반도에 외국 핵무기를 끌어들어
우리민족의 생존 권을 위협한 지경에 이르게 했으므로
남한당국은 한반도에서의 핵문제를 돌리할 권리를 상실 했고
남한을 외국의 핵무기 진지로 전환시켜 모든 책임을 져야함.

만일 남한 당국이 북한의 핵안전협정 해결에 진정으로 깊은 관심이 있다면,
무엇보다도 먼저 남한에 배치된 미국 핵무기의 철수를 요구하고
한반도 비핵지대화를 위한 우리의 노력에 동참해야 하는.

0187

제35차 IAEA총회 북한대표 연설 요지
====================================

(북한의 핵에너지 이용 현황)

o 북한은 제3차 7개년 계획 기간(1987-1993)에 수력,화력 및 핵발전소를 포함한
   각종 에너지 발전소 건설을 통해 연간 1천억 Kw/h의 전력생산을 목표로 설정함.
   176만 Kw 용량의 핵발전소 건설이 현재 진행중에 있으며, 입지문제가 마지막
   단계에서 해결되었음.

o 농·공업, 공공보건 및 기타 국가경제분야에 핵방식을 도입하기 위해 최선의
   노력을 경주중임. 특히, IAEA의 기술협력으로 건설중인 실험용 원자핵 파괴장치
   (Cyclotron)가 완성되면 자체노력에 의한 의료용 단기 동위 원소 생산 및 공급
   에 큰 도움을 받을 것임.

o 국가경제 각 분야에 있어서의 핵방식 이용에는 핵안전 및 환경보호에 세심한
   주의가 요망됨. 금년 여름 IAEA 의 기술지원으로 평양에서 아래의 연수회를
   개최함.
   - "핵안전과 방사능 보호를 위한 국가 하부구조에 관한 전국 워크숍"
   - "비파괴적인 실험에 관한 국내 연수코스"

(핵무기에 대한 정부입장)

o 북한정부는 한반도를 비핵지대화 하자는 제안을 제출한 바 있으며 그 실현을
   위해 온갖 진지한 노력을 다하고 있음. 남한에 배치된 핵무기는 민족의 존립에
   심각한 위협을 제기하며 아시아 및 세계 평화와 안전에 큰 위험이 됨.

o 남한에서의 핵무기의 즉각철수와 도발적인 핵 군사연습을 포함한 모든 군사연습
   의 조기 중지등이 한반도의 비핵지대화를 위해 지연시킬 수 없는 긴급한 과제임

o 북한은 핵무기개발 의도도 없으며 그럴 능력도 없음을 수차례 천명한 바 있음.

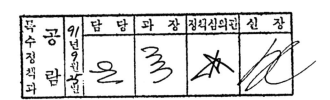

0188

(대미협상 제의)

o 우리는 핵안전협정 체결을 위해 우리에 대한 핵위협 제거를 미국에 요청한 바
  있으며 핵문제 해결을 위한 미국과의 협상 개최를 수차례 제의한 바 있음.

o 만일 미국이 우리와 핵안전 문제를 해결하는데 진지한 관심이 있다면 우선
  남한으로부터의 핵무기 철수 및 우리에게 핵무기 불사용에 관한 법적 구속력
  있는 공약을 해야 함. 이와 관련, 북한은 비엔나 또는 제네바에서 미국과
  공식적인 정부간 협상을 개최할 용의가 있음.

(남한의 핵무기 토의자격)

o 남한당국은 한반도에 외국 핵무기를 끌어들여 민족의 생존권을 위험한 지경에
  이르게 했으므로 한반도에서의 핵문제를 토의할 권리를 상실했으며 남한을
  외국의 핵무기 기지로 전환시킨데 대한 모든 책임을 져야 함.

o 만일 남한당국이 북한의 핵안전협정 체결에 진정한 관심이 있다면, 무엇보다도
  먼저 남한에 배치된 미국 핵무기의 철수를 요구하고, 한반도 비핵지대화를
  위한 우리의 노력에 동참해야 함.

0189

대 한 민 국
주 오스트리아 대사관

게기

오스트리아 20332-904

수 신 : 장관

참 조 : 국제기구국장

제 목 : IAEA 이사회 결의안 채택 관련 북한대표 기자회견

1991. 9. 24.

(보존기간 :   )

연 : AVW - 1123, 1119

1991.9.12. IAEA 이사회의 연호 북한에 대한 핵안전조치 협정 체결 및 이행 촉구 결의안 채택과 관련 북한 순회대사 오 창림이 행한 기자회견 요지 (IAEA 사무국 작성)를 별첨 송부합니다.

첨부 : hfm/ss 1991-09-12   끝.

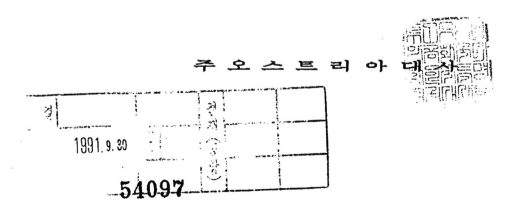

주 오스트리아 대사

1991. 9. 30

54097

0190

NOTE TO FILE

Subject: Statement of Mr. O Chang Rim, Ambassador at Large
of the Democratic People's Republic of Korea to
the Press on 12 September 1991 at 1:15 p.m.

At the end of the morning session of the Board of Governors on 12 September 1991 the Ambassador at Large, Mr. O Chang Rim, requested me to provide a room where he could give a statement to the Press.

Present were exclusively Journalists from the South Korean and Japanese media plus some members of the Japanese Board of Governors delegation.

Ambassador O Chang Rim read the full statement he gave in the Board to the Journalists. During the question and answer period he made the following statements:

"The signature of the NPT safeguards agreement of the Democratic People's Republic is directly related to the removing of the nuclear threat of the USA to the DPRK. The USA must remove the threat from our country."

"As long as the nuclear threat to our country persists, the question of the signing of the Safeguards agreement cannot be solved."

"The condition for the signing of the Safeguards agreement is not created yet."

"I am sure that the US will withdraw their nuclear weapons from South Korea and give so the condition for the signing of the Safeguards agreement."

"The DPRK has no nuclear weapons. We have no ability and do not plan to develop nuclear weapons."

cc: DG
    DDG's
    Mr. Sanmuganathan
    DIR-ADEX
    DIR-ADLG
    DIR-ADPI

hfm/ss
1991-09-12

0191

공　　　란

정 리 보 존 문 서 목 록

기록물종류	일반공문서철		등록번호	2020010103	등록일자	2020-01-16
분류번호	726.62		국가코드		보존기간	영구
명 칭	북한.IAEA(국제원자력기구) 간의 핵안전조치협정 체결, 1991-92. 전15권					
생 산 과	국제기구과/국제연합1과		생산년도	1991~1992	담당그룹	
권 차 명	V.7 유엔을 통한 체결 촉구, 1991.10월					
내용목차	★ 유엔을 통한 북한 핵안전협정 체결 촉구					

0001

10/4 신 3기고

외 무 부

종 별 :

번 호 : AVW-1253

일 시 : 91 1002 1700

수 신 : 장 관(국기,아이,정북,미이) 사본:주북경대사:중계필

발 신 : 주 오스트리아대사

제 목 : 중공외상에대한 북한 핵문제 거론 유도

대:WAV-1067 및 1072

1. 전기침 중공외상의 당지 방문(10.3-10.5)을 맞아, 주재국 정부당로자와 IAEA 사무총장이 각각 북한의 핵안전협정 채결 지연문제를 중공외상에게 건론하여, 중공의 이에대한 입장을 묻고, 중공이 북한에 대하여 조기협정 서명 비준을 위해 영향력을 발휘해 주도록 주재국 정부와 IAEA 사무총장을 상대로 당관이 교섭중임.

2. 본직은 BLIX 사무총장과의 금일 오후(1600) 전화 통화에서 부시 대통령의 9.27 핵무기 정책연설에 따르는 북한의 대호 반응을 설명해 주었으며, 명 10.3(목) 오후 그와 중공외상간의 면담시에 상기 1 항과 같이 거론할것을 당부하였는데, 사무총장은 동 거론후 면담결과를 알려 주겠다고 말하였음.

3. 한편, 주재국 외무성측과도 상기 1 항에 관해 현재 접촉중인바, 결과가 나오는대로 추후 보고 위계임.끝.

예 고:91.12.31 일반

일반문서로 재분류(19P1.12.31.)

국기국 안기부	장관 중계	차관	1차보	아주국	미주국	외정실	분석관	정와대

91.10.03   02:21

외신 2과 통제관 CH

0002

공 란

공 란

원 본

외 무 부

종 별 :

번 호 : AVW-1267   일 시 : 91 1004 1830

수 신 : 장 관(국기,아이,미안) 사본:주북경대사-필

발 신 : 주 오스트리아 대사

제 목 : 중공외상과 IAEA 사무총장 면담

연:AVW-1253

1. 작 10.3 오후 (1630-1710)에 있었던 표제 면담(영어와 중국어로 의사소통)에 관하여 금 10.4(금) 본직이 BLIX 사무총장및 WILMSHURST 섭외국장(면담배석)과 각각 접촉하여 탐문한 결과를 아래 보고함.

가. 중공외상의 언급

1)중공은 북한에 대하여 핵기술과 물질을 공급한 일이 없음을 다짐함(ASSURED)

2)재한 핵무기의 철수와 NPT 에 따른 안전조치협정 체결을 연계(LINK)시킬수 없다는 것을 북한측에 지적해오고있음.

3)북한의 핵문제에 관하여 진전이 곧 있을것으로 기대함.(EXPECT PROGRESS SOON)

4)금년 여름 평양을 방문했을때 북한은 핵무기 개발의사가 없고 재정적으로 그리고 기술적으로도 능력이 없다는 것을 말하였음.

5)조선인들은 자부심이 강하여 압력을 받는것을 꺼려하며, 그때문에 속도가느림.

6)중공은 한반도(남북을 막론하고)가 핵무기를 보유하는 것을 원하지 않고있음.

나.BLIX 사무총장의 언급

1)부시대통령의 핵무기 정책발표에 비추어 북한이 핵안전 협정안에 조속히 서명해야함.

2)세계 정치의 여건이 개선되고 있고 특히 남아공화국등이 NPT 체제에 들어온 새로운 시대를 맞아 각국의 안보상 위협이 뚜렷이 줄어들고 있음에 비추어, 강대국들은 중소국가들이 핵재처리 시설과 우라늄 농축 시설을 보유하는것을 용인하지 않을것임(독일의 경우에도 핵재처리 시설을 폐기하고 있음을 상기 시켰음)

2. 상기 1. 과.3)항에 관련하여, 곧 진전을 기대할만한 근거를 중공이 제시하였다고 보는가에 관하여 본직이 WILMSHURST 국장에게 물은데 대하여, 동국장은 그러한

국기국   장관   차관   1차보   2차보   아주국   미주국   청와대   안기부
중계

PAGE 1   91.10.05   06:41
                                                 외신 2과 통제관 CF
                                                    0005

근거 없이 중공외상이 감지하고 있음을 표현한것으로 풀이하였음.

　3. 한편, 당지의 국제기구 상주 SHIQIU CHEN 중공대사는, 이임 뉴질랜드대사를 위한 10.2(수) 호주대사 주최 만찬 기회에, 북한에대한 중공의 핵물질및 기술 원조는 없었다고 본직에게 말하면서, 소련이 대북 핵지원을 중단하였다면 북한이 핵무기를 개발할수 있는 자체 능력을 갖출수 없다고 본다는 견해를 피력하였음. 끝.

　예고:91.12.31 일반.

일반문서로 재분류(1991. 12. 31 기)

외 무 부

종 별 :

번 호 : AVW-1271

일 시 : 91 1004 2330

수 신 : 장 관(국기)

발 신 : 주 오스트리아 대사

제 목 : 핵안전조치 강화(91.9.11이사회 결정)

대:WAV-1076

연:AVW-1199

1. 표제에 관련된 91.9.11 이사회 속기록을 별전(FAX)로 송부함.

2. 상기 1 항및 총회 결의(XXXV) 999 에 따라 본직은 연호와 같이 문제를 제기하였던 것임.

3. 금일 있었던 대이락 핵사찰 관련 비공식 브리핑에서도 특히 특별사찰보완의 필요성이 사무총장에 의해 PASSING REFERENCE 이지만 언급되었고, 사무국은관련 연구문서를 11 월 초순에 완료배포 예정임을 첨언함.

별첨:AVW(F)-037 3 매.끝.

국기국	장관	차관	1차보	구주국	외정실	분석관	청와대	안기부

AVW(方)-032   11004 2330

수신: 국기

제목: 핵안전조치강화

3 매

92.   The CHAIRMAN, summing up the discussion, said that several Board
members had stressed the importance of taking early steps to increase the

0008

3-1

efficiency and effectiveness of Agency safeguards and had called for
Secretariat studies in which the ideas put forward on the five safeguards
issues already considered as well as on additional issues would be elaborated
and refined with a view to formulating proposals on whose basis decisions
could be taken in February 1992, or even earlier, after due consultations.
Particular mention had been made of certain issues, including: special
inspections, especially of undeclared facilities; the setting up by the
Agency of a universal register of exports and imports of equipment covered by
INFCIRC/254; the obligatory declaration by States of all civil nuclear
materials, including yellow cake; and the obligatory declaration at least
180 days before the commencement of construction of new facilities, and the
immediate declaration of facilities under construction.

93.   A few speakers, however, had expressed concern about the scope of the
proposed discussion, which in their view should relate to changes in the
system operating under INFCIRC/153.

94.   He took it to be the Board's wish that the present item should remain
before it and should be placed on the agenda for its February session at the
latest.

95.   Mr. VILAIN XIIII (Belgium) and Mr. ENDO (Japan) wished to know
whether the possibility mentioned by the Director General of adding the
present item to the agenda for the Board's meeting in December had now been
excluded. If not, it should perhaps be specifically mentioned by the Chairman
in his summing-up.

96.   The CHAIRMAN said that the Board would discuss the item in
December only if there had been sufficient time by then for the Secretariat to
prepare and distribute documents and for Permanent Missions to consult fully
with their governments. He therefore preferred to retain the wording "for its
February session at the latest".

97.   Mr. WALKER (United Kingdom) supported the wording proposed by the
Chairman and stressed that if it were indeed decided to take up the item in
December the relevant documents would have to be distributed well in advance
to give participants sufficient time for preparation.

0009

3 - 2

GOV/OR.761
page 30

98.   The <u>CHAIRMAN</u> asked whether his summing-up, including the formulation "for its February session at the latest", was acceptable to the Board.

99.   <u>It was so decided.</u>

0010

2 — 3

공   란

공   란

기 (사본:1.과 10/9선

관리
번호 91-9/9

외 무 부

종   별 :

번   호 : AVW-1283   일   시 : 91 1008 1530

수   신 : 장 관(국기,아이,구이,정특,미이,기정) 사본:주북경대사:중계필

발   신 : 주 오스트리아 대사

제   목 : 중공-오스트리아 외상회담(남북한 문제)

　　연:AVW-1253,1267

　　10.7 조창범공사가 외무성 MAGERL 아.태담당대사와 면담, 전기침 중공외상의 당지 방문중 MOCK 외상과의 회담(10.4) 내용을 탐문한 결과를 아래 보고함(이하 MAGERL 언급요지)

　　1. 북한 핵문제

　　가.MOCK 외상이 북한의 IAEA 핵안전협정 조기 체결 필요성을 강조하고 중공측의 입장을 타진하였던바, 중공외상은 연호(1267) 1 항과 같은 의견을 피력하였음.

　　나. 이에 MOCK 외상은 북한의 핵안전 협정체결 문제와 재한 미핵무기 문제는 별개의 문제이며 북한은 NPT 조약상의 의무에 따라 조속히 협정을 체결해야 한다는 점을 거듭 강조하였음.

　　다. 전기침 외상은 미.북한간에 이미 하위 레벨이긴하나 직접 접촉이 있어 왔으며 이문제도 협의 될것으로 본다고 하고, 중공측은 금번 김일성 방중시 북한측에 대해 핵문제를 거론케 될것이며 앞으로 진전상황이 있으면 알려주겠다고 하였음(상기 내용은 양측 전체 회담시에 참석자가 많은 점을 고려, 양외상의 단독 면담시 거론되었다함)

　　2. 한. 중관계

　　가. 중공외상은 아. 태지역문제(캄보디아, 베트남등)를 설명하는 과정에서 최근 중국과 한국의 관계가 점차 좋아지고 있다면서 과번 뉴욕에서의 동 외상과 이상옥 외무장관과의 회담이 유익하였다고 말하였음.

　　나. 또한 동 외상은 91.11 월 서울 아. 태각료회담에 대만도 TAIPEI CHINA 로 참가할것으로 기대한다면서 차기 각료회의를 북경에서 개최코자 한다고 말하였음.

　　다. 중공외상은 또한 10.22 남북 고위급회담에서 남북대화가 진전되어 한반도

국기국	장관	차관	1차보	2차보	아주국	미주국	구주국	외정실
분석관	정와대	안기부	중계					

PAGE 1

긴장완화에 도움이 되길 바란다고하고 중공은 일.북한간의 관계 개선에 관심이 크며 이는 한반도 평화와 안정을 위해 도움이 될것이라고 말했음.

3. 기타 쌍무 관계, 국제정세 별전보고.끝.

예 고:91.12.31 일반.

일반문서로 재분류(1991. 12. 31.)

원 본

외 무 부

종   별 :

번   호 : AVW-1284   일   시 : 91 1008 1530

수   신 : 장 관(국기,아이,구이,정북,미이,기정)

발   신 : 주 오스트리아 대사

제   목 : 핵문제에 대한 북한대사 태도

연:AVW-1283

1. 연호 면담에서 MAGERL 대사는 10.2 당지 북한대사가 동인을 방문, 남북대화 문제, 팀스프리트 훈련, 한반도 비핵지대화등에 관한 북한측의 입장을 장황하게 설명하면서, 부쉬대통령의 9.27 제의와 관련 남한에서의 미국의 핵무기가 실제 철수될때까지 북한은 IAEA 와의 핵안전 조치협정을 체결할 의도가 없음을 시사하였다고 말하였음.

2. 특히 북한대사는 북한의 핵안전 협정 체결문제가 남한에서의 미핵무기 철수등 한반도 안보정세 전반과 분리해서 다룰수없는 포괄적이고 복잡한 문제라고 강조하였음에 비추어 MAGERL 대사는 현재로서 북한이 핵안전협정을 체결할 생각이 없는것으로 감촉되었다고 함. 끝.

예고에 예고:91.12.31 일반..
일반문서로 재분류   인

정 토 필 1991.12.31.)

| 국기국
분석관 | 장관
정와대 | 차관
안기부 | 1차보 | 2차보 | 아주국 | 미주국 | 구주국 | 외정실 |

외 무 부

종 별 :

번 호 : SVW-3800

수 신 : 장관(아이,동구일)

발 신 : 주 쏘 대사

제 목 : 김일성 방중

일 시 : 91 1010 1200

대:AM-214

당관 서현섭 참사관은 표제관련 10.9(수) 외무성 극인국 BELI 중국담당 부국장을 면담한바, 동인은 아직 주북경 대사관으로부터 최종적인 보고를 접수치 못했다 전제하고 아래 요지로 언급하였음을 보고함.

1. 방문성격

가. 금번 방문은 형식적으로는 90.3 강택민 총서기 및 91.5 이붕총리의 방문에 대한 답방임. 한편 중국측은 김일성의 방중이 아세아에서의 중국, 북한등을 중심으로한 사회주의 국가 블럭형성의 일환이라는 인상을 주지 않도록 신경쓰고 있다함.

나. 양측은 소련 정변 발생등 급변하는 정세변화를 인식하면서 사회주의 체제 유지라는 공통의 입장과 결속을 대내외에 과시하고자 한다 함.

2. 주요 논의 사항

가. 북한측은 최근 남북한 유엔가입,91.11 APEC 에의 전기침 외상의 방한등으로 한. 중수교가 의외로 앞당겨질 것을 우려, 중국측에 수교를 서둘지 말것을 요청했을 것이라 함. 이에 중국측은 북한측의 요청을 수용하는 일방 북한측에 고립적인 태도에 집착하지 말고 남북대화 및 일.북한 국교 정상회담에 보다 신축성있게 대응할 것을 촉구한 것으로 보인다 함.

나. 핵사찰 수용관련 중국측은 동양적인 표현을 사용, 북한측의 핵안전 협정 서명을 촉구했을 것이라 함. 한편 금번 방문시 김일성이 핵개발의 불가피성을 설명하고 중국측의 이해와 협력을 요청할 것이라는 보도도 있었음. 이와 같은 요청 유무는 아직 확인할 수 없으나 NPT 가입을 표명한 중국의 입장과 미.일등과의 관계를 고려할때 중국측은 이런 요청에 부정적일 것이라함.

아주국 안기부	장관	차관	1차보	2차보	구주국	외정실	분석관	청와대

PAGE 1

91.10.10   21:47

외신 2과 통제관 CF

0016

다. 북한측은 경제 상태 악화, 최근 소.북한간의 경협 및 봉상관계 부진등을 설명하고 새로운 신용공여 등을 요청한 것으로 보이나, 중국측은 홍수 등 재해 발생등으로 대규모적인 협력 공여에 어려움을 표명하고 일부 품목에 대해 협력을 약속한 것으로 알려졌다함. 특히 북한측은 소련으로부터의 대폭적인 원유공급 삭감에 대한 대응책으로 에너지 분야의 협력을 강하게 요청했을 것이라 함.

3. 전망

가. 금번 방문을 통해 양측은 제반분야에서의 협력을 강화하려는 계기로 삼고 특히 북한측은 금년말 또는 내년초 김정일의 방중을 실현시켜 김정일 체제에 대한 중국측의 확고한 지지를 확보하고자 할 것임.

나. 북한은 중국으로부터 정치적, 정신적 지지를 확보해 나가야 하는 일방 소련 으로부터는 무기 부품등의 하드웨어를 공급받아야 하는 입장임. 따라서 중국과의 관계 강화를 배경으로 인적. 물적 교류에 있어 소강상태에 있는 소.북한간의 관계를 활성시키기 위해 연형묵 총리 또는 김영남 방소를 추진할 가능성이 잇다함. 끝

(대사-국장)

91.12.31 까지

외 무 부

종 별 :

번 호 : USW-4999   일 시 : 91 1010 1838

수 신 : 장 관 (미일,미이,정안,기정)

발 신 : 주 미 대사

제 목 : 북한의 IAEA 안전협정 서명

1. 당관 유명환 참사관은 10.10(목) 국무성 한국과 HASTINGS 북한담당관및 백악관 PAAL 보좌관과 만난 기회에 북한의 핵개발 저지 문제에 관해 의견교환을 갖은바, 미측은 최근 중국의 북한의 핵에 대한 입장변화가 매우 긍정적이라고 평가함.

2. 동 국무부 북한 담당관은 10.3. 중국 전기침 외상이 비엔나에서 IAEA 사무국의 BLIX 총장과 면담시, 중국은 이미 지난 6 월 북한에 대해 IAEA 핵 안전협정 서명과 미국의 핵무기 문제는 별개의 문제라는 입장을 표시한바 있다고 밝힌 것은 매우 관심있는 일이며, 9 월 하순 유엔에서의 미.중 외상회담시 북한의 핵개발이 중국에게도 위협이 된다고 인정한 것은 앞으로 중국이 보다 적극적으로 북한에 대해 압력행사 가능성을 암시하고 있는 것이라고 말함.

3. 이와관련, 백악관의 PAAL NSC 보좌관도 중국의 이와같은 긍정적인 입장변화와 소련의 최근 정세변화등을 잘 활용할 경우, 한. 미 양국은 북한으로 하여금 외교적 압력에 굴복하도록 효과적으로 유도할수 있을 것이라고 언급함.

4. 한편, HASTINGS 담당관은 명년 2 월까지는 IAEA 가 보다 실효성 있고 구체적인 핵사찰 방안을 성안할 것으로 본다고 하면서, 북한의 핵 안전협정 서명문제를 유엔 안보리에서 거론하는 문제는 그 이후에나 검토될 것으로 보이며 아직 국무부내에서는 그에대한 구체적 검토는 없는 것 같다는 개인적 견해를 표명함. 끝.

(대사 현홍주-국장)

예고: 91.12.31. 일반

미주국	장관	차관	1차보	미주국	외정실	분석관	정와대	안기부

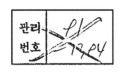

외 무 부

종 별 :

번 호 : SVW-3833   일 시 : 91 1011 1730

수 신 : 장 관(정특,동구일,기정)

발 신 : 주 쏘 대사

제 목 : 소북한관계

당관 서현섭참사관은 10.11 러공 이바노프 아태국장 면담시 대북한 관계등을 타진한바, 동인의 언급요지 아래 보고함.

1. 정변이후 당지 북한대사관측에서 여러가지 형태로 러공 외무성과의 접촉을 강화하려는 움직임이 뚜렷하다 하면서 최근 손성필대사가 쿠나제 차관을 면담한바 있다 함. 러공측은 북한외교관 접촉 기회에 북한의 핵사찰 수락이 북한의 대외 관계 증진에 긴요하다고 설명, 조속한 핵안전 협정을 촉구하고 있다 함.

2. 종래의 소.북한 관계는 이념에 기초를 둔 것으로 정세 변화에대한 김일성의 주관적 평가및 감정적 요인에의해 기복이 심하였다 하고 최근 양국 관계는 한. 소 수교및 양국 경제 상태 악화로 인해 제반 분야에서의 정체 상태를 면치 못하고 있으며 종전의 관계를 회복하기는 어려울 것으로 전망함.

3. 북한측이 금년들어 종전에비해 각 공화국과의 교류를 강화(91.4 하바로프스크 당지구 책임자 방북, 91.6 황해도 대표단의 원동지역 방문 등)해왔으며 당지 북한 대사관원의 지방 출장이 빈번하다 함. 끝

(대사공로명-외정실장)

91.12.31 까지

외정실   장관   차관   1차보   2차보   구주국   분석관   청와대   안기부

PAGE 1   91.10.12   02:10

외신 2과 통제관 FM

0019

분류번호	보존기간

발 신 전 보

WAV-1109   911012 1147 FD

번 호 :   종별 :

수 신 : 주 오스트리아   대사. 총영사

발 신 : 장 관 (국기)

제 목 : IAEA의 대유엔 보고서 제출

　　　IAEA는 ~~IAEA~~ 헌장 제3조 B.4에 의거 자체활동 내역을 매년 유엔총회에 보고

하고 국제평화와 안전유지에 관련한 활동에 관하여는 유엔 안보리에 통보하도록

되어 있는바 IAEA가 최근 유엔총회와 안보리에 보고한 문서를 구득하여 10.14한

(FAX 진급) 송부 바람. (45차끝 46차L)

　　　　　　　　　　　　　　　　　(국제기구국장 문 동 석)

일반문서로 재분류('91. 12. 31)

보안통제	ß

앙고재	91년 10월 12일 국제기구과	기안자 성명 신용이	과장 신의호	국장 전결	차관	장관	외신과통제

0020

IAEA와 유엔을 통한
핵 안전협정체결촉구 방안

1991. 10.

외 무 부
국 제 기 구 국

0021

목   차

1. 관련사항

    가. IAEA의 대북한 핵사찰 실시 문제

    나. 유엔 차원에서의 핵사찰 문제 거론

        (1) 법적근거

        (2) 이스라엘 핵개발관련 유엔 총회 결의 채택

        (3) 유엔 안보리의 대이라크 핵사찰 실시

        (4) 유엔 안보리의 대이라크 핵사찰과 IAEA 특별사찰과의 차이점

2. 유엔에 의한 대이라크 핵사찰 실시 사례의 대북한 적용 문제 검토

3. 향후대책

첨 부 : 1. 유엔의 대이라크 핵사찰 실시 배경 및 내용

      2. 안보리 비공식 협의시(91.10.8) IAEA 사무국장의 핵사찰 강화관련

         보고 내용

0022

1. 관련사항

가. IAEA의 대북한 핵사찰 실시 문제

(1) <u>IAEA에 의한 대북한 핵사찰</u> 은 북한이 1991.9월
IAEA 이사회에서 기승인된 안전조치 협정에 서명
하고 <u>협정을 비준, 발효시킨 후에만 가능</u> 함.

(2) IAEA 특별사찰(special inspection) 제도의 문제점

o IAEA의 특별사찰은 특별보고서상의 정보의 검증과
일반사찰을 통해 획득한 정보에 의심이 갈 경우
실시
- 동 사찰 실시를 위해서는 협정당사국과 사전
협의를 요함
o IAEA가 의혹이 있다고 판단되는 핵시설등에 대하여
특별사찰을 실시하고자 하더라도 <u>당사국의 동의가
있어야 함</u>

- 1 -

0023

나. 유엔 차원에서의 핵사찰 문제 거론

(1) 법적 근거

o 유엔 회원국은 국제적 마찰이나 분쟁을 야기 할 우려가
  있는 어떠한 사태에 관하여도 안보리나 총회의 주의를
  환기할 수 있음 (유엔 헌장 제35조)

o 유엔 총회 는 유엔 회원국이나 안보리에 의하여 회부된
  국제평화와 안전의 유지에 관한 어떠한 문제도 토의 할
  수 있으며, 관계국이나 안보리에 권고할 수 있음.
  - 조치를 필요로 하는 것은 총회에 의하여 안보리에
    회부됨 (유엔헌장 제11조)

o 안보리는 평화에 대한 위협, 평화의 파괴 또는 침략
  행위의 존재를 결정, 국제평화와 안전을 유지 하거나
  이를 회복하기 위하여 권고하거나, 비군사적 또는 군사
  적 조치를 취할것을 결정 함 (유엔헌장 제39, 41, 42조)

- 2 -

0024

(2) 이스라엘 핵개발 관련 유엔 총회 결의 채택

ㅇ 1979년 제34차 유엔 총회시 제기된 이스라엘의 핵개발
위협 문제는 제35차 유엔 총회에서 부터 매년 총회 결의
로 채택, 이스라엘의 모든 핵 시설을 IAEA 안전조치하에
둘 것을 촉구

ㅇ 특히 81년 에는 NPT 체제를 위협하는 이스라엘의 이라크
에 대한 공격 행위를 규탄하고, 이스라엘에 대해 즉각
적인 IAEA와의 안전조치협정 체결을 촉구 하는 안보리
결의(487호) 채택

※ IAEA도 1981년 제25차 총회부터 이스라엘의 핵무기
제조능력 및 위협에 관한 IAEA 총회 결의 를 채택

(3) 유엔 안보리의 대이라크 핵사찰 실시

(가) 관련 결의(91. 4. 3. 채택 유엔안보리 결의 687호)내용

ㅇ 이라크의 핵, 생.화학무기 및 미사일 파괴, 제거
확인 및 현장사찰을 위한 특별위원회(Special
Commission)설치 결정

- 3 -

0025

o 이라크는 핵무기 사용물질, 개발시설 및 연구활동
  관련 정보를 안보리 결의(687호) 채택후 15일내
  안보리와 IAEA에 제출, 모든 핵물질과 시설을 특별
  위원회와 IAEA 감시하에 두고 긴급현장사찰(urgent
  on-site inspection)을 수락 할 것

o IAEA 사무국장 에게 특별위원회의 도움을 받아
  이라크가 신고한 핵시설과 특별 위원회가 추가 지정
  한 장소에 대해 즉각적인 현장 사찰 (immediate
  on-site inspection)을 실시할 것과 45일 이내 에
  이라크 내 상기 핵시설을 파괴 , 제거하기 위한
  계획서를 안보리에 제출 할 것을 요청

o 또한 IAEA 사무국장에게 상기 계획서의 안보리 승인
  후 45일 이내 동 계획을 이행 하고, 향후 이라크가
  핵시설과 물질을 IAEA 안전조치 하에 두고 IAEA의
  검증과 사찰을 계속 받을 수 있도록 계획을 수립 할
  것을 요청

- 4 -

0026

(나) 유엔의 대이라크 핵사찰 실시내용 (별첨1 참조)

(4) 유엔 안보리의 대이라크 핵사찰과 IAEA 특별사찰과의 차이점

o 유엔 안보리의 대 이라크 핵사찰은 IAEA 안전조치협정
  (73-78조)상 특별사찰의 전제조건인 당사국 과의 사전
  협의 없이 , 안보리 결의에 의거 당사국의 사찰수락강요
  - 안보리 결의에 따라 패전국에 대한 핵사찰 강제 실시
    로 국제법상 주권 침해문제는 크게 제기되지 않았음

o IAEA 특별사찰의 경우와는 달리 이라크내 사찰관의
  이동과 사찰대상에 대하여 완전한 자유보장
  - 따라서 이라크 파견 사찰관들은 미신고 핵시설에
    대해서도 사찰 실시

o IAEA 사찰시 당사국은 특정 사찰관의 입국에 대하여
  거부할 수 있도록 되어있으나 (협정 9조), 안보리에
  의한 핵사찰의 경우, 사찰관에 대해서 는 이라크 정부
  가 입국을 거부할 수 없도록 함 .

- 5 -

0027

2. 유엔에 의한 대이라크 핵사찰 실시 사례의 대북한 적용 문제 검토

> 유엔 안보리에 의한 대북한 강제 핵 사찰추진은 현실
> 적으로 분쟁이나 전쟁이 발발하지 않은 상황이므로
> 현단계에서는 큰 난관이 있을 것으로 전망

가. 이라크에 대한 강제핵사찰 을 위한 안보리 결의 채택은
   이라크가 걸프전에 패배, 다국적군의 종전안을 모두
   수락하는 가운데 가능하였던 것으로 이라크에 대한 주권
   침해 문제가 크게 제기되지 않았음.
   반면, 현단계에서 북한에 대한 강제 핵사찰 추진 의 경우,
   이는 전쟁도발국이 아닌 국가에 대한것으로 그 선례가
   없는 바, 국가 주권침해라는 북한등 일부 국가의 저항과
   국제법상 문제 제기

- 6 -

0028

나. 북한이 핵활동을 하고 있긴 하나 NPT 당사국이면서 IAEA 안전조치 협정에 상금 서명하지 않은 국가가 47개국 임에도 불구하고 <u>유독 북한에 대하여서만 NPT 의무 위반에 따른 제재를 가한다는 것은 법적용 형평상 문제제기</u>

다. 이라크는 IAEA 안전조치협정 체결국이었기 때문에 유엔 강제사찰 결과, 핵 활동을 IAEA에 사실대로 보고하지 않은 기만 책임이 있으나 <u>북한의 경우는 안전조치협정 미체결국으로 핵개발 은닉 사실이 밝혀지더라도 기만을 이유로 비난을 받을 소지는 없음</u>

라. <u>안보리 결의 채택</u> 추진 관련, 특히 아직 NPT에 가입하지 않고 있는 <u>중국의 태도가 미지수</u> 이며 또한 NPT 체제에 대해 불만을 갖고 있는 인도등의 반발도 예상
   - 이라크에 대한 군사적 제재 결의(678호) 채택시 중국은 기권

- 7 -

0029

공   란

공 란

공 란

공   란

<첨 부 1>

유엔의 대이라크 핵사찰 실시배경 및 내용

1. 대이라크 핵사찰 실시배경

o 91.4.3. 유엔안보리는 결의 제687호를 채택하여 4.17. 이라크의 군비통제를
위한 특별위원회(Special Commission)를 설치하고, 이라크내 핵무기 및 생
화학 무기 관련 정보 제공을 요청
- 동 결의는 또한 대이라크 경제제재 조치 해제 이전에 이라크 보유 대량
파괴무기 (핵무기, 생.화학무기)를 완전히 폐기토록 규정
o 이에 따라 IAEA 사찰관과 안보리 특별위원으로 구성된 핵사찰반이 이라크가
제출한 핵물질 및 시설관련 정보를 바탕으로 91.5월부터 9월까지 6차례
핵사찰을 실시
o 동 핵사찰은 이라크제제 안보리 결의에 의거한 사찰명령을 이라크가 수락
함으로써 실시한것으로, IAEA 안전조치 규정상 특별사찰과 달리 무제한
사찰권한을 행사하는 강제사찰임

2. 핵사찰 실시 내용

가. 제1차 핵사찰 (91.5.14-22)

o 91.4.27. 이라크가 제출한 핵관계 정보내용을 확인하기 위해 Al Tuwaitha
핵연구 시설과 Tarmiya 지역내 핵시설을 사찰
o 사찰결과 고농축 우라늄(HEU)등의 핵물질 존재와 많은 핵시설 장비등이
타지역으로 이전되었음이 확인되어, 사찰단은 이라크측에 이전된 핵시설
장비의 완전한 리스트를 요청

- 1 -

0034

나. 제2차 핵사찰 (91.6.22-7.4)

　o 제2차 사찰은 Tuwaitha 핵 연구시설외에 6개지역 핵시설에 대해 실시,
　　이중 Al Ghraib와 Falluja 에서는 이라크 당국에 의해 사찰반의 접근이
　　금지, 제한됨
　　- 이에 따라 유엔 안보리는 의장성명을 통해 이라크의 사찰불응을
　　　규탄한후, IAEA 사무국장, 특위위원장등의 고위급 대표단을 추가파견
　　　함으로써 사찰을 재개

　o 사찰결과 이라크가 전자 동위원소 분리기술(EMIS)을 사용한 우라늄
　　농축 시설을 보유하고 있음을 확인
　　- 이라크는 IAEA에 밝히지 않은 우라늄 농축 계획 일부가 있었음을
　　　시인하고 91.7.7. 핵시설 장비 추가 리스트를 안보리에 제출

다. 제3차 핵사찰 (91.7.7-18)

　o 91.7.7. 이라크 제출 추가 정보내용을 확인하기 위해 제3차 핵사찰을
　　실시하였고, 7.12. 유엔 안보리는 이라크가 모든 핵개발 계획과 핵
　　시설 물질을 공개할 것을 요구하면서 이에응하지 않으며 중대한 결과에
　　직면할 것이라고 경고
　　- 미국, 영국등은 이라크가 핵무기 개발내용을 완전 공개하지 않을경우
　　　군사력 사용 재개 경고

　o 91.7.18. IAEA는 특별이사회를 소집, 이라크가 IAEA와 체결한 핵 안전
　　협정상의 의무 불이행을 규탄하고, 이라크 영토내 모든핵 물질을 IAEA
　　감시하에 둘것을 촉구하는 결의 채택

- 2 -

0035

라. <u>제4차 핵사찰</u> (91.7.27-8.11)

o 제4차 핵사찰반은 사찰결과 핵농축 및 재처리 시설 내용을 포함한 이라크
의 비밀핵개발 계획을 확인하고, 원심분리법을 이용한 고농축 우라늄(HEU)
생산 시설을 발견

o 동 사찰결과, <u>91.8.15. 유엔안보리</u>는 이라크의 안보리 결의(687호) 불
이행을 규탄하고, 이라크가 동안보리 결의와 IAEA 안전조치 협정을 완전히
준수할때까지 모든 핵 활동을 중지할 것을 요구하는 <u>결의(707호)채택</u>

마. <u>제5,6차 핵사찰</u> (91.8,9월)

o 상기 이라크의 의무 불이행규탄 안보리 결의(707호) 채택후, 유엔 사찰
반은 9월중 2회에 걸쳐 이라크내 핵 시설을 정밀 사찰하였으나, 이라크
측은 사찰반의 헬기사용거부 및 사찰단원을 억류하는등 사찰반의 활동을
계속 방해

o 이에대해, 미국은 이라크에 군사력 사용재개를 경고하였고 이라크는
안보리 의장의 요청에 따라 유엔 사찰반 헬기의 무제한 이라크 영공통과
허용 서한을 9.24. 제출하고, 억류했던 사찰단원을 석방함

o 상기사찰결과 이라크가 핵무기개발 계획하에 그간 핵농축은 물론 핵무기
운반체제, 핵탄두등을 개발하고 있었음이 밝혀짐
 - 이라크가 다시 핵무기제조를 추진할 경우 <u>90년대중반까지 2-3개의</u>
  <u>핵무기를 생산할것</u>으로 평가

o 91.10.11. 유엔 안보리는 6차 핵사찰 결과에 따라 이라크의 안보리 결의
(687, 707호) 무조건 이행촉구 및 대이라크 핵사찰 무기한 실시를 결의
(715호)

- 3 -

0036

<첨 부 2>

안보리 비공식 협의시 (91.10.8) IAEA 사무국장의
핵사찰 강화관련 보고내용

o 핵사찰 강화를 위한 하기 구체적 방안을 준비중

   ① IAEA 회원국들이 NPT 당사국내 미신고 핵시설의 존재 가능성에 관한 정보를 IAEA내 특별반(special secretariat unit)에 제출 할수 있는 장치(mechanism)와 절차(procedure)

   ② IAEA 사무국은 입수된 정보가 신빙성이 있다고 판단되는 경우 동 정보의 사실여부 확인을 위해 특별사찰 을 실시

   ③ 문제의 당사국이 특별사찰 접수를 계속 거부할 경우 IAEA 이사회는 최후 방법으로 동문제를 유엔 안보리에 제기

o 범 세계적으로 군축이 가속화되고 NPT 체제가 보편화되고 있는 시점에서, NPT 체제에 대한 신뢰 강화 가 중요하며, 이를 위해서는 효과적인 검증(effective verification) 이 필수적임

o 상기 특별사찰 강화방안 은 IAEA의 기존권능 과 이라크에 대해 성공적으로 시행한 사찰 경험을 바탕으로 마련될 것인 바, 이는 안전조치협정에 따라 실시하는 사찰권한에 근거하지만 최후의 수단으로 안보리의 지원을 받아 실시할 수 있을 것임.   끝.

공   란

공 란

공 란

공   란

공 란

외 무 부

종 별 : 긴 급

번 호 : AVW-1333　　　　　　　　일 시 : 91 1015 1600

수 신 : 장 관(국기)

발 신 : 주 오스트리아 대사

제 목 : IAEA 대유엔 보고서

　　　대:WAV-1109

　　　연: 오스트리아 20332-614(91.6.26)

　　1.IAEA 는 헌장 제 3 조 B.4 에 따른 대유엔 총회 연차보고서로서, 연호로기송부한 IAEA 연차보고서(THE ANNUAL REPORT FOR 1990, GOV/2497 또는 GC(XXXV)/193)를 유엔에 제출하였다함. 따라서 금 제 46 차 유엔총회에서는 상기 보고서가 심의될 것임.

　　2. 또한 상기 1 항 IAEA 헌장 규정(제 3 조 B.4)에 의하여 IAEA 가 (최근) 유엔 안보리에 보고한 사안은 없으며, 대이락핵사찰에 관한 보고는 안보리 결의 6781 및 IAEA 헌장 제 12 조 C 에 따른것이며, IAEA 는 현재 이락의 핵무기 개발시설 파괴계획에 대한 대유엔안보리 보고서를 현재 준비하고 있다하는바, 동보고서를 입수되는대로 송부 위게임.끝.

　　　예 고:91.12.31 까지.

국기국	장관	차관	1차보	외정실	분석관	청와대	안기부

PAGE 1　　　　　　　　　　　　　　　　　　91.10.16　01:29
　　　　　　　　　　　　　　　　　　　　　　외신 2과 통제관 DE

0043

	분류번호	보존기간

발 신 전 보

WAV-1140   911016 1109 BX

번   호 :   종별 :

수   신 : 주 오스트리아   대사. 총영사

발   신 : 장   관   (국기)

제   목 : IAEA 대유엔 보고서

대 : AVW-1333

대호 2항관련, IAEA가 헌장 제3조 B.4에 의거 유엔 안보리에 보고한 과거 사례가 있는지도 확인 보고 바람.   끝.

(국제기구국장   문 동 석)

일반문서로 재분류(1991. 12. 31.)

		보 안 통 제	

앙고재	91년 10월 16일	국제기구과	기안자 성명 신		과 장		국 장		차 관	장 관	외신과통제

0044

공 란

공 란

Urgent for Mrs. SHICK
from Mike DAVIES

1/2

ACTION.CC

Forty-sixth session
Agenda item....

UNW(R)-655 11015 2130
(연일.국가.정안)

REPORT OF THE INTERNATIONAL ATOMIC ENERGY AGENCY

Argentina, Australia and Bulgaria: draft resolution

The General Assembly,

Having received the report of the International Atomic Energy Agency to the General Assembly for the year 1990, 1/

Taking note of the statement of the Director General of the International Atomic Energy Agency of ... October 1991, 2/ which provides additional information on the main development in the Agency's activities during 1991,

Recognizing the importance of the work of the Agency to promote further the application of atomic energy for peaceful purposes, as envisaged in its Statute,

Also recognizing the special needs of the developing countries for technical assistance by the Agency in order to benefit effectively from the application of nuclear technology for peaceful purposes as well as from the contribution of nuclear energy to their economic development,

Conscious of the importance of the work of the Agency in the implementation of safeguards provisions of the Treaty on the Non-Proliferation of Nuclear Weapons 3/ and other international treaties, conventions and agreements designed to achieve similar objectives, as well as in ensuring, as far as it is able, that the assistance provided by the Agency or at its request or under its supervision or control is not used in such a way as to further any military purpose, as stated in Article II of its Statute,

Further recognizing the importance of the work of the Agency on nuclear power, applications of nuclear methods and techniques, nuclear safety, radiological protection and radioactive waste management, including its work directed towards assisting developing countries in planning for the introduction of nuclear power in accordance with their needs,

Again stressing the need for the highest standards of safety in the design and operation of nuclear plants so as to minimize risks to life, health and the environment, and

---

1/ International Atomic Energy Agency, The Annual Report for 1990, (Austria, July 1991), (GC(XXXV)/953)); transmitted to the members of the General Assembly by a note of the Secretary-General (.......).

2/ See ......

3/ Resolution 2373 (XXII), annex.

(x) *The only addition to the "traditional" resolution*

5 -/

- 2 -

HD1028 2

Bearing in mind resolutions GC(XXXV)/RES/551 on revision of the basic
Safety Standards for Radiation Protection, GC(XXXV)/RES/552 on education and
training in radiation protection and nuclear safety, GC(XXXV)/RES/553 on
measures to strengthen international co-operation in matters relating to
nuclear safety and radiological protection, GC(XXXV)/RES/554 on the Agency's
contribution to sustainable development, GC(XXXV)/RES/555 on the Convention on
the Physical Protection of nuclear material, GC(XXXV)/RES/562 on
strengthening of the safeguards system, GC(XXXV)/RES/563 entitled "Plan for
producing potable water economically", GC(XXXV)/RES/567 on South Africa's
nuclear capabilities, GC(XXXV)/RES/568 on Iraq's non-compliance with its
safeguards obligations, GC(XXXV)/RES/569 on strengthening of the Agency's
main activities, GC(XXXV)/RES/570 on Israeli nuclear capabilities and threat
and GC(XXXV)/RES/571 on the application of IAEA safeguards in the Middle East,
adopted on 20 September 1991 by the General Conference of the Agency at its
thirty-fifth regular session,

1.   Takes note of the report of the International Atomic Energy Agency; 1/

2.   Affirms its confidence in the role of the Agency in the application of
nuclear energy for peaceful purposes;

3.   Urges all States to strive for effective and harmonious international
co-operation in carrying out the work of the Agency, pursuant to its Statute;
in promoting the use of nuclear energy and the application of the necessary
measures to strengthen further the safety of nuclear installations and to
minimize risks to life, health and the environment; in strengthening technical
assistance and co-operation for developing countries; and in ensuring the
effectiveness and efficiency of the Agency's safeguards system; and

4.   Requests the Secretary-General to transmit to the Director General of the
Agency the records of the forty-sixth session of the General Assembly relating
to the Agency's activities.

5-2

0048

A S

**UNITED
NATIONS**

General Assembly   Security Council

Distr.
GENERAL

A/46/509
S/23088
30 September 1991

ORIGINAL: ENGLISH

GENERAL ASSEMBLY
Forty-sixth session
Agenda item 46
CONSEQUENCES OF THE IRAQI OCCUPATION OF
AND AGGRESSION AGAINST KUWAIT

SECURITY COUNCIL
Forty-sixth year

<u>Note by the Secretary-General</u>

    The Secretary-General has the honour to transmit to the members of the
General Assembly and of the Security Council a letter dated 27 September 1991
addressed to him by the Director General of the International Atomic Energy
Agency concerning the resolution adopted on 20 September 1991 by the General
Conference of the Agency entitled "Iraq's non-compliance with its safeguards
obligations" (see annex).

91-31883   2752d (E)   5 - 3   /...

0049

A/46/509
S/23088
English
Page 2

ANNEX

Letter dated 27 September 1991 from the Director General of the International Atomic Energy Agency addressed to the Secretary-General

At its meeting on 12 September 1991 the Board of Governors of the International Atomic Energy Agency took note of the Government of Iraq's further non-compliance with its obligations under its safeguards agreement with the Agency, reaffirmed the requests and demands made in the resolution passed on 18 July 1991 (GOV/2532) and requested the Director General to report this as required by Article XII of the Statute.

Article XII.C of the Agency's Statute and Article III.2 of the Agreement Governing the Relationship between the United Nations and the International Atomic Energy Agency require the Board to report non-compliance with safeguards obligations to the Security Council and General Assembly of the United Nations. I would, therefore, appreciate it if you could bring this action by the Board to the urgent attention of the Security Council and of the General Assembly. A copy of the records of the Board's meeting will be sent to you as soon as they are available.

In accordance with Article VII of the Relationship Agreement, I am at the disposal of the Security Council should the Council so desire.

Further, the Agency's General Conference, at its 341st plenary meeting, on 20 September 1991, adopted resolution GC (XXV)/RES/568 - "Iraq's non-compliance with its safeguards obligations" - in which it, among other things, requested the Director General to report the views of the General Conference to the Secretary-General of the United Nations. A copy of that resolution, adopted by 71 votes to 1, with 7 abstentions, is attached. A copy of the records of the General Conference relating to this issue will be sent to you as soon as they are available.

(Signed) Hans BLIX
Director General

5-4

/...

0050

A/46/509
S/23088
English
Page 3

APPENDIX

Iraq's non-compliance with its safeguards obligations

Resolution adopted by the General Conference of
the International Atomic Energy Agency at its
341st plenary meeting, on 20 September 1991

The General Conference,

(a) Noting United Nations Security Council resolution 687 (1991) and
707 (1991),

(b) Deploring Iraq's non-compliance with its safeguards obligations with
the International Atomic Energy Agency and violation of its obligations under
the Treaty on the Non-Proliferation of Nuclear Weapons and Security Council
resolution 687 (1991),

(c) Recalling with approval the statements and actions of the Director
General and the Board of Governors concerning Iraq's non-compliance with its
nuclear non-proliferation obligations, including the Board resolution of
18 July 1991 and the report by the Board to the General Conference dated
13 September 1991,

(d) Deeply concerned by the continuing Iraqi efforts to obstruct
implementation of Security Council resolution 687 (1991) and 707 (1991),

1.   Supports the above-mentioned actions taken by the Board of Governors;

2.   Strongly condemns Iraq's non-compliance with its nuclear
non-proliferation obligations, including its safeguards agreements with the
International Atomic Energy Agency;

3.   Demands that Iraq immediately and fully comply with all of its
nuclear non-proliferation obligations;

4.   Commends the Director General and his staff for their strenuous
efforts in the implementation of Security Council resolutions 687 (1991) and
707 (1991), in particular the detection and destruction or otherwise rendering
inoffensive equipment and material which could be used for nuclear weapons;

5.   Requests the Director General to report the views of the General
Conference to the Secretary-General, and to report to the Board of Governors
and to the thirty-sixth General Conference on his efforts to implement
Security Council resolutions 687 (1991) and 707 (1991), and decides to remain
seized of this issue.

5-5 -----

0051

발 신 전 보

번   호 : WUN-3580   911016 1919   등별 :

수   신 : 주   유엔   대사. 총영사.

발   신 : 장   관   (연일)

제   목 : IAEA 이사회 북한관련 결의

대 : UNW - 3346

대호자료 별첨 FAX 송부함.

첨부 : 1. IAEA 이사회결의 Full Text (9.10자로 되어있으나
            동일한 내용이 9.12 통과됨)

        2. 동이사회에서의 이장춘대사 연설문.   끝.

보 안
통 제

앙고재	91년10월16일	유엔1과	기안자 성명		과 장	심의관	국 장		차 관	장 관

외신과통제

0052

AUW-1100 의 별첨

GOV/2543
10 September 1991

RESTRICTED Distr.
Original: ENGLISH

International Atomic Energy Agency

BOARD OF GOVERNORS FO

For official use only

Sub-item 1(a) of the provisional agenda
(GOV/2537)

SAFEGUARDS

(a) The conclusion of safeguards agreements

Draft resolution submitted by Australia, Austria,
Belgium, Canada, Czechoslovakia, Japan, Poland, Portugal and Sweden

The Board of Governors,

Noting that a safeguards agreement in connection with the Treaty on the Non-Proliferation of Nuclear Weapons (NPT) has been negotiated between the Democratic People's Republic of Korea and the International Atomic Energy Agency in accordance with doucment INFCIRC/153 (Corrected),

1. Welcomes the safeguards agreement between the Democratic People's Republic of Korea and the International Atomic Energy Agency contained in document GOV/2534 and authorizes the Director General to conclude and subsequently implement the agreement;

2. Looks forward to the early signature, ratification and full implementation of the agreement; and

3. Requests the Director General to report to the Board of Governors in February 1992 on the status of implementation of the agreement.

4097206

0053

AVW(п)-020 10912 1504
수신: 국기. 과기처
AVW-1119 의 별첨 그때

Remarks made by HE Amb Chang-Choon Lee of the Rep of Korea
at the Board of Governors Meeting, IAEA
on 12 September 1991, Vienna

My delegation would like to express its sincere appreciation to the
Director General and members of his staff for the untiring efforts
they have made to table an NPT safeguards agreement with the DPRK before
this Board for approval. My delegation also appreciate earnest endeavours
of all Governors who have pursued an earlier conclusion of the questioned
agreement with the DPRK over the last two and a half years. My delegation
also commend the DPRK for compliance with its commitments made at the time
of the June Board meeting. Indeed, approval by this Board of the much delayed
agreement between IAEA and the DPRK is a significant step toward putting
unsafeguarded nuclear facilities in North Korea under international inspections.

My delegation takes this opportunity to urge the DPRK to promptly and
fully fulfil all the legal obligations that the DPRK undertook nearly six
years ago under the Treaty on the Non-Proliferation of Nuclear Weapons.
The next immediate step the DPRK has to take is to sign the approved agreement
without delay.

My delegation would like the DPRK to further verify that it is becoming
a responsible member of the international community by abiding by its legal
commitments faithfully. Linking its obligations under international law to
other irrelevant issues is counterproductive to a normal international life
which the DPRK is bound to live in the wake of the fundamental changes taking
place in the world's political climate. In a world becoming transparently
real and revealing at an unprecedented tempo, old patterns of manipulation
have no ground to stand. North Korea should know a threatening gesture
as shown in the DPRK's intervention this morning is not condusive to
improving its international standing.

0054 -1-

My delegation appeals to the DPRK to fulfil its international obligations in the normal way. The remaining procedures to be taken now by the DPRK under the NPT obligations are to sign promptly the safeguards agreement approved by today's Board, ratify it without delay and implement it in good faith. By taking these procedures in the normal way, the DPRK will be able to provide a proof that it deserves to normalize its relations with the outside world.

In the meantime, my delegation attaches paramount importance to strenthening the IAEA safeguards system. My delegation fears for a recurrence of violation of an NPT safeguards agreement similar to the case of Iraq which has given rise to the question of the effectiveness and credibility of the Agency's safeguards system. My delegation believes that it is vitally important to restore confidence in the IAEA safeguards system by taking an urgent action with regard to statutory as well as operational deficiencies and incompleteness. In the view of my delegation, the system of special inspections can be developed and reinforced by prescribing unequivocal mandate and procedures for the competent organs of the Agency and setting up a separate standing unit within the Secretariat to take charge of special inspections. My delegation is also of the opinion that the system of IAEA special inspections should be coupled with the action of the Security Council of the United Nations. My delegation pledges to cooperate with the other members of the Agency toward a firm establishment of the system of special inspections.

0055 -2-

공   란

공   란

공   란

공   란

공 란

관리 번호	91-1005

외 무 부

종   별 :

번   호 : AVW-1360   일   시 : 91 1018 1930

수   신 : 장 관(국기,정특,구이)

발   신 : 주 오스트리아 대사

제   목 : 북한의 기자회견

연:AVW-1355

1. 연호에 언급된 기자회견은 당지 북한대표부 대사가 별전(FAX)과 같이 당지의 기자단을 상대로 핵안전협정에 관한 문제를 다룬다는 것임.

2. 당지 상주 최맹호 동아일보 특파원에 대해서는 상기 초청이 금일 현재 배제되어있고, 주로 일본 기자단을 상대로 북한이 기자회견을 가진다고 알려져 있음.

별첨:AVW(F)-040 2 매.끝.

예 고:91.12.31 일반.

일반문서로 재분류(09 91.12.31.차)

국기국   차관   1차보   구주국   외정실   분석관   청와대   안기부

10/19 신
Watch 하여 요요리

EMBASSY OF THE REPUBLIC OF KOREA

Praterstrasse 31, Vienna
Austria 1020 (FAX : 2163438)

```
| No : ANW(五)-040      | Date : 11618  1930     |
|-----------------------|------------------------|
| To : 장 관 (국기,정특,구이)                       |
|    (FAX No :                )                  |
|------------------------------------------------|
| Subject :                                      |
|                                                |
|                                                |
```

10, 23
1AEA
IAEA
박사 대사
기재배포

본지토함·· 2매

2-1

<u>Total Number of Page :</u>

16 October 1991

I N V I T A T I O N

The Permanent Mission of the Democratic People's
Republic of Korea to the International Organizations in Vienna
presents its compliments to the Press Representatives
accredited in Vienna and has the honour to invite them
to the Press Interview of the Resident Representative of
the Dem. PR of Korea H.E. Mr. CHON In Chan

Date: 23 October 1991
Time: 10 a.m.
Place: Beckmanngasse 10-12, A1140 Vienna
Subject: NPT Safeguards Agreement of the DPR of Korea.

Please be kind to inform us on your intention to
participate.

With best regards,

To
Press Representatives in Vienna

1 - 2

0063

공   란

공		란

공   란

공   란

공   란

공   란

공   란

공　　　란

공　　란

공 란

공 란

공 란

공 란

공   란

공 란

공　　란

核사찰 特別기구 추진

IAEA 北韓등 불응국에 대응

국제원자력기구 (IAEA) 는 북한을 포함한 핵무기개발국가를 대상으로 핵사찰을 강화하는 사찰개선안을 내년 2월까지 마련키로한데이어 최근에는 IAEA가 자체적으로 핵무기개발이 의심되는 국가에대한 관련정보를수집, 적극적으로 대처해야한다는 의견이 회원국간에 제기되고있다고 밝혔다.

IAEA 개발 관련정보를 수집·분석 하기 위한 특별기구의 설치 점부의 한관계자는 「IA EA가 지난9월 핵감제사단」고 접토중인 것으로 20일 알려졌다.

외 무 부

종 별 : 긴 급

번 호 : **AVW-1371**   일 시 : 91 1021 1150

수 신 : 장 관(연일,국기) 사본:주유엔대사-중계필

발 신 : 주 오스트리아 대사

제 목 : 북한의 핵안전 협정 체결 촉구

연:AVW-1367

대:AVW-1164

1. 본직과 GLEISSNER 부차관간의 금 10.21(월) 오전 11:25 분 통화에 의하면, 대호 1 항은 전적으로 잘못된것으로서 대호에 언급된 담당자가 훈령을 잘 읽지못한 부주의에 비롯되었을 것이라고 동 부차관은 말하였음.

2. 그는 금일 다시 표제에 관해 주유엔대표부의 주의를 환기하겠다고 하였으니, 아국 대표부의 관계관이 다시 오스트리아 대표부 직원과 접촉하기 바라며,오스트리아 방언후의 결과를 당관에 알려주기바람. 끝.

국기국	장관	차관	1차보	구주국	국기국	상황실	외정실	분석관
청와대	안기부	중계						

발 신 전 보

번 호 : WUN-3661   911021 1343 BX 종별 : 지급

WAV -1167

수 신 : 주   유엔   대사. 총영사   (사본: 국도과한대사)
스트라.ㄷ

발 신 : 장 관 (연일, 국기)

제 목 : IAEA 보고서 승인결의안

대 : UNW - 3408

귀건의대로 대호 표제 결의안의 공동제안국에 가담하고,
표결시 찬성바람. 끝.

(장   관)

예고 : 1991.12.31.일연 예고문에
의거 일반문서로 재분류됨

송동아중2움

보 안 통 제	내내

앙고재	91년 10월 21일	기안 책임		과 장	심의관	국 장	차보	차 관	장 관
		1과							

외신과통제

0082

외 무 부

종 별 : 지급

번 호 : UNW-3443

일 시 : 91 1022 0100

수 신 : 장관(연일,국기,정북)사본:주오지리대사:중계필

발 신 : 주 유엔 대사

제 목 : 제45차 총회 본회의(IAEA 보고서)

연:UNW-3409 (1),3408 (2)

대:WUN-3661 (1), 3652 (2)

1. 총회 본회의는 금 10.21(월) 오후 의제 14 항 국제원자력 위원회(IAEA) 보고에 관하여 토의한바, HANS BLIX IAEA 사무총장의 IAEA 연례활동보고 및 알젠틴(외상)의 의제 발언겸 연호(1) 결의안 제안설명등에 이어, 아래 10 개국의 발언을 청취하였음.

0. 발언국:(알젠틴), 백러시아, 화란(EC 대표), 파키스탄, 오지리, 폴란드,브라질, 중국, 미국, 이락, 호주

2. 상기 발언국중 화란(EC), 오지리, 폴란드, 미국, 호주등 5 개국이 모두 북한을 거명하여 북한의 핵안전협정 조기서명, 비준 및 이행을 촉구하였음.(북한관련 발언문 텍스트 별첨)

가. 화란(EC 대표): R.J. VAN SCHAIK 주유엔대사

0. 북한은 핵안전협정 문안을 수락하였음.

0. EC 는 지난 IAEA 총회시 북한과 IAEA 간의 핵안전협정 서명, 발효 및 이행이 오래 지연되고 있는 것에 대해 우려를 표명한바 있음.

0. 핵안전 협정의 체결이 이미 상당히 지연되었다(LONG OVERDUE) 는 점을 유념해야 할것임.

나. 오지리(P.HOHENFELLNER 주유엔대사)

0.NPT 체제는 신뢰할수 있는 안전협정 제도를 필요로 하며, 아직 안전협정을 체결하지 않은 NPT 당사국들은 당연한 의무로서 동 협정을 체결할것을 촉구함.(APPEAL)

0. 오지리는 북한이 이미 취한 조치의 후속조치로서 IAEA 와의 안전협정을 가까운 장래에 서명 및 이행하기를 희망함.

국기국	장관	차관	1차보	2차보	미주국	국기국	외정실	분석관
정와대	안기부	중계						

PAGE 1

91.10.22   15:18

외신 2과 통제관 CH

0083

다. 폴란드(R.MROZIEWICZ 주유엔대사)

0. IAEA 와 북한간의 표준 핵안전협정이 곧 발효되기를 희망함.

라. 미국(OSCAR PADILLA 대표)

0. IAEA 가 북한과의 핵안전협정 문안을 승인한 사실을 환영함.

0. 그러나 북한은 NPT 가 요구하는 바에 따라 동 협정을 서명, 비준 및 발효시킬 의무를 이행해야함.

마. 호주(RON MORRIS 주제네바 CD 부대표)

0. 호주는 핵안전협정을 북한에 적용시키는데 있어 상당한 시간이 소요되고있음에 매우 우려하고 있음.

0. 북한은 안전조치의 적용을 받지 않은 원자론 1 기를 상당기간동안 가동하고 있으며, 여타 핵시설을 건설하고 있다는 보도도 있음.

0. 북한은 NPT 협약가입후 안전조치없이 핵시설을 끈질기게 가동하고 있는 협약사상 유일한 비핵무기 국가이며, 따라서 핵무기계획을 추구하고 있지 않는가하는 의문을 제기시키고 있음.

0. 91.9. IAEA 이사회는 북한과의 핵안전협정에 관한 결의를 채택하면서 동 협정의 조기서명, 비준 및 완전한 이행을 고대한다는 입장을 표명함. 따라서 호주는 북한이 더이상 지체없이 동결의를 이행할 것을 촉구함

0. 북한이 최근 제반 성명에서 핵안전협정의 서명 및 이행에 관해 조건을 붙이고자 하는데 우려함. 북한이 NPT 를 자유의사로 가입시 행한 서약에 비추어볼때 이는 전적으로 수락할수 없는 것이며, 이러한 태도는 여타 국가로 하여금 북한의 의도를 더욱 의심하게 할뿐임.

3. 알젠틴은 제안 설명시 금번 결의안이 예년결의안과 기본적으로 동일하나, 이락의 핵확산방지 의무 불이행에 관한 IAEA 의 역할을 치하하는 조항을 본문4 항에 추가하였으며,   아래 국가들이 공동제안국으로 가담하였음을 밝히고, 대다수 회원국들의 지지가 있기를 기대함.

0. 공동제안국 (아국포함 36 개국)

-알젠틴, 호주, 바하마, 백러시아, 불가리아, 칠레, 체코, 덴마크, 에쿠아돌, 핀랜드, 불란서, 독일.그리스, 헝가리, 이태리, 화란, 뉴질랜드, 놀웨이, 폴랜드, 루마니아, 스웨덴, 우크라이나, 소련, 영국, 미국, 한국, 벨지움, 볼리비아, 카나다, 일본, 룩셈브르크, 미얀마, 사모아, 스페인, 우루과이

PAGE 2

0084

0. 한편, 중국대표(HOU ZAHITONG 대사)는 발언말미에 동 결의안을 지지한다고 말함.(연호관련, 상금 중국은 공동제안국에 서명하지는 않음.)

4. 금일 본회의시 BLIX IAEA 사무총장(별첨 발언문)은 걸프사태 관련 IAEA 가 안보리 결의에 따라 취한 조치와 동 사태가 핵확산문제에 주는 교훈에 역점을두면서, 일개국(북한인지 이락인지 분명하지 않음)의 NPT 에 대한 저항에도 불구하고 최근들어 중국, 불란서, 남아공 및 기타국가들의 NPT 가입내지 동의사 표명등 핵확산 방지부분에서 현저한 진전이 있었다고 강조함.

5. 한편 대부분의 발언국들이 이락의 핵안전 협정의무 위반에 강한 우려를 표명하고 안전협정 제도강화 필요성을 역설한바, 이락대표는 맨마지막 발언을 통해 BLIX 사무총장 보고 및 일부 대표발언 관련 아래 요지로 반박함.

0. 이락은 유엔 핵사찰반에 모든 핵계획 및 장비를 충실히 공개하였음.

0. 이락이 핵사찰반에 전적으로 협력하였음을 사찰반 스스로가 밝혀야 할것임.

0. 소위 이락의 핵안전 협정위반 이라고 하는것들은 지극히 기술적인 것에 불과하며, 정치적 목적에서 이를 매우 과장하였음.

0. 이락에 대하여는 핵안전협정 준수를 강조하면서 81 년 안보리가 이스라엘에게 모든 핵시설을 안전조치하에 둘것을 촉구한데 대하여는 (안보리 결의 487) 전혀 이행하지 않고 있음은 이중기준적용임.(10.20 자 NYT 의 이스라엘 핵능력 기사인용)

0. 91.1.16 이래 이락은 모든 핵활동을 중지하였으며, 핵무기 개발은 불가능하게 되었음.

0. 일부 사찰반원들의 활동에 비추어, 이는 미국과 그동맹국들의 조직적인 책동임.

0. 작년, IAEA 결의안의 콘센서스 채택에 가담했지만, 상기 이유로 동 결의안 채택을 수락할수 없음.

6. 명일 발언예정국은 아국포함 아래 15 개국임.

0. 멕시코, 핀랜드, 헝가리, 소련, 리비아, 일본, 루마니아, 불가리아, 우크라이나, 칠레, 뉴질랜드, 체코, 쿠바, 한국, 방글라데쉬

0. 상기 발언 예정국중 대북한 핵안전협정 조기체결 이행 촉구문제 관련 추가진전 사항 아래와 같음.(기보고 사항 제외)

-일본:북한을 직접 거명키로 확정함.

-불가리아: 거론예정임.

-칠레: 본부 훈령 접수한바, 대표단과 협의 적의 반영하겠음.

PAGE 3

0085

-핀랜드: 긍정적으로 검토하겠음.

0. 카나다는 1 위에서 기발언한바 있어, 본회의에서는 발언하지 않기로 하였다고 함.

7. 북한은 금일현재 발언신청하지 않았음.(박대사 자신이 16:00 경 명일 발언자 명단을 체크하였으나, 아측이 16:30 경 발언신청한 관계로 북측이 현재 아국의 발언 신청사실을 모를 가능성이 있다고 보여짐.). 금일 본회의장에는 박길연 대사등 대표단 4 명이 참석한바, 특히 호주대표 발언시 대표단간에 서로 대책을 상의하는 듯한 모습을 보임.

첨부:1.우방국의 대북한관련 발언문,2.BLIX 사무총장 발언문:UNW(F)-695 끝

(대사 노창희-국장)

예고:91.12.31. 일반

┌─────────────────────┐
│   예고문에   │
│ 의거 일반문서로 재분류됨 │
└─────────────────────┘

The Democratic People's Republic of Korea has accepted the text of a safeguards agreement with the Agency. However, the Twelve have expressed concern during the General Conference over the long delays in the signing, entry into force and implementation of the safeguards agreement between the DPRK and the Agency. It should be borne in mind that the conclusion of a safeguards agreement was already long overdue.

2. Austria

The NPT regime needs a safeguards system to be credible and we appeal to NPT members which have not yet done so to conclude safeguards agreements as they are obliged to do.

We express our hope that the Democratic People's Republic of Korea will sign and implement its agreement with the IAEA in the near future as a consistent follow-up of the steps it has already taken.

We also appeal to all states that are not yet members of the non-proliferation regime to assist in the global effort to curb the danger of the spread of nuclear weapons by joining.

3. Poland

1. Poland welcomes recent positive developments in the domain of non-proliferation such as declarations of France and China on their accession to the Non-Proliferation Treaty.

It is difficult to overestimate the significance of such accession for the future of the non-proliferation regime. It is also with satisfaction that my country notes the adherence to the NPT of the Republic of South Africa. It means that a first stone for the foundation of a nuclear-free zone in Africa has been laid down.

We also hope that the standard NPT-type agreement between the IAEA and the Democratic People's Republic of Korea will soon enter into force. Those are heartening events.

24-1

4. U.S.A

o We welcome the fact that a safeguards agreement with the DPRK has been approved by IAEA.

o However, that country has yet to carry out its obligation to sign, ratify and bring the agreement into force, as required by the NPT obligation.

5. Australia

FIRSTLY WITH RESPECT TO SAFEGUARDS, AUSTRALIA IS MOST CONCERNED ABOUT THE TIME IT IS TAKING TO HAVE NPT SAFEGUARDS APPLIED IN THE DEMOCRATIC PEOPLE'S REPUBLIC OF KOREA. NORTH KOREA HAS OPERATED FOR SOME TIME AN UNSAFEGUARDED REACTOR AND HAS, REPORTEDLY, BEEN BUILDING OTHER NUCLEAR FACILITIES. IT IS THE ONLY NON-NUCLEAR WEAPONS STATE IN THE HISTORY OF THE NPT TO HAVE PERSISTED IN OPERATING AN UNSAFEGUARDED FACILITY AFTER ACCESSION TO THE TREATY. IT HAS THUS LEFT OPEN THE QUESTION OF WHETHER IT IS PURSUING A NUCLEAR WEAPONS PROGRAM.

AT ITS GENERAL CONFERENCE IN SEPTEMBER THE IAEA BOARD OF GOVERNORS ADOPTED A RESOLUTION ON THE SAFEGUARDS AGREEMENT BETWEEN THE DEMOCRATIC PEOPLE'S REPUBLIC OF KOREA AND THE IAEA. IN WELCOMING THIS AGREEMENT THE BOARD OF GOVERNORS LOOKED FORWARD TO THE EARLY SIGNATURE, RATIFICATION AND FULL IMPLEMENTATION OF THE AGREEMENT

. ACCORDINGLY, AUSTRALIA CALLS UPON THE DPRK TO COMPLY FULLY WITH THIS RESOLUTION WITHOUT DELAY.

IN THIS REGARD, I MUST SAY THAT AUSTRALIA REMAINS CONCERNED THAT THE DPRK IN ITS RECENT STATEMENTS CONTINUES TO ATTACH CONDITIONALITY WITH REGARD TO SIGNATURE AND IMPLEMENTATION OF ITS NPT SAFEGUARDS AGREEMENT WITH THE AGENCY. THIS IS COMPLETELY UNACCEPTABLE WHEN SET AGAINST THE COMMITMENT THE DPRK MADE WHEN IT FREELY JOINED THE NPT. ITS ATTITUDE CAN ONLY SERVE TO REINFORCE SUSPICIONS OTHER COUNTRIES HAVE OF ITS INTENTIONS.

0088

STATEMENT TO THE FORTY-SIXTH SESSION
OF THE UNITED NATIONS GENERAL ASSEMBLY

HANS BLIX

DIRECTOR GENERAL

INTERNATIONAL ATOMIC ENERGY AGENCY

NEW YORK, 21 OCTOBER 1991

91-34480

24-3

It is my privilege to present the Annual Report of the International Atomic Energy Agency for 1990 to the General Assembly and to describe the activities of the Agency up to the present moment. I think it is true to say that at no time have the wheels of Agency machinery spun faster than during the year that has passed since I last reported to the Assembly in October 1990. I propose to report today on our activities under six different headings:

The Agency's work in Iraq on the basis of Security Council resolutions;

The lessons of Iraq and the progress in the non-proliferation regime;

The Agency's work in the field of nuclear safety;

Environment, development and energy;

The transfer of nuclear techniques for development;

The role of the IAEA in the medium term.

/...

24-4

0090

IAEA's work in Iraq on the basis of Security Council Resolutions

In resolution 687 (1991) the Security Council requested the Director General of the IAEA to undertake three tasks:

- To carry out immediate on-site inspection of Iraq's nuclear capabilities;

- To develop a plan for the destruction, removal or rendering harmless of nuclear-related items which Iraq was not permitted to retain;

- To develop a plan for future ongoing monitoring and verification of Iraq's compliance with its obligations in the nuclear sphere under the Security Council resolutions.

The tasks thus laid upon the Agency have proved to be much larger, more complex and more dramatic than first expected. Even though the Agency is operating the world's first on-site inspection system and is able to draw on decades of experience in the field of nuclear inspections and utilize many inspectors of its own as well as expertise, equipment and laboratories of its own, the work is very exacting.

/...

24-5

- 3 -

Iraq is a party to the Non-Proliferation Treaty and has pledged under that Treaty not to develop or acquire any nuclear weapons. It has also pledged under a safeguards agreement with the IAEA to place all its nuclear material under safeguards. To the regret and shock of the world community, Iraq has been found not to have respected these pledges. The Board of Governors of the IAEA has twice declared Iraq in non-compliance with its safeguards obligations and the General Conference of the IAEA last month condemned Iraq's non-compliance with its nuclear non-proliferation obligations, including its safeguards agreement with the IAEA (GC(XXXV)/RES/568).

In performing the tasks laid upon it, the Agency has the assistance and co-operation of the Special Commission which has been set up by the Secretary-General as requested by the Security Council and which - on the basis of information made available to it by Member States - designates sites for nuclear inspection in addition to such sites as have been declared by Iraq. The Commission, which in the fields of biological and chemical weapons and missiles has tasks similar to those entrusted to the Agency under the Security Council resolution 687, also provides the Agency with logistics and some expertise.

Iraq expressly accepted resolution 687 and thereby obtained a cease-fire ending the armed action authorized by the Security Council.

/...

24-6

- 4 -

Had Iraq disclosed the whole of its nuclear programme within the time specified by the Council, the inspection task laid upon the IAEA would still have been large but not so difficult. As it is, Iraq has reluctantly made disclosures and then only when enough evidence had become available through inspections to allow conclusions about the existence of previously undeclared activities. This, indeed, is a painful and laborious way of having the programmes disclosed. Moreover, as no one feels confident that everything has been revealed, close future monitoring is a necessity to preclude new surprises.

As of now the IAEA has sent seven inspection teams which have spent altogether over 2000 person-days on mission. Our Action Team in Vienna has devoted many man-months directing the activities and large numbers of samples have been taken and been analysed in the Agency's own laboratories. Many items are now under Agency seal in Iraq.

What has been disclosed through the missions sent by the IAEA has stunned the world: vast undeclared and unknown programmes in the billion dollar range for the enrichment of uranium and - recently - documentary evidence of an advanced nuclear weapons development programme. The reports which I have from the seventh team sent by the IAEA and which has just concluded its mission, is that although Iraq asserts that no political decision was taken to make a nuclear bomb, the scientific and technical programme for weapons development is

24-7

/...

affirmed and information is given about it.

The immediate further tasks before the IAEA in Iraq are to remove some quantities of highly enriched uranium fuel, which were under safeguards and to plan the destruction or neutralization of nuclear-related items which Iraq is not allowed to retain. Lastly the Agency is to organize and maintain future ongoing monitoring as a check against any possible revival of the clandestine programme. The Agency plan in this regard was approved recently by Security Council resolution 715 (1991).

The lessons of Iraq and the non-proliferation regime

How is it that the large nuclear programme that has been mapped through half a dozen inspection teams sent by the IAEA escaped the Agency's regular NPT inspections in past years? What lessons are we to draw to avoid any further surprises of this kind?

The first lesson is the crucial importance of information. The safeguards system is expected to discover the diversion of a significant quantity of nuclear material in installations which are under safeguards but no inspectorate can comb through the territory of a State in blind search of nuclear installations and material that should have been placed under safeguards. If the State itself fails to

/...

declare nuclear installations - as Iraq did - the inspectorate must learn through other sources where to look. The nuclear inspection teams sent to Iraq this year have been provided such information by Member States, through the Special Commission, designating suspected sites for inspection.

The second lesson is the importance of an unequivocal right of inspectors to go anywhere unimpeded and the third lesson is the value of powerful support when this right of access is not respected. Resolution 687 and the Security Council provide these two elements.

What we can learn from these lessons is that the ability of the regular IAEA inspections under the NPT, Tlatelolco and Rarotonga Treaties to uncover possible undeclared nuclear installations and material would increase drastically if the IAEA were to be routinely provided with relevant information available to Member States, e.g. through satellites. The right which exists under IAEA NPT-type safeguards agreements to perform so-called "special inspections" - and which has so far been used only with regard to declared installations - might then be used to request inspection of undeclared installations and material which, it is reasonably believed, should have been declared. If such a request were to be rejected, the Board of Governors of the IAEA might submit the matter to the Security Council. In this manner a procedure would be in place to uphold obligations

24-9

/...

under non-proliferation treaties and safeguards agreements. Within the
IAEA, discussions about a procedure of this kind have already begun.

Some additional comments are warranted on this important matter.
First, the further nuclear disarmament advances among nuclear-weapon
States and the closer non-proliferation commitments approach
universality, the more important becomes full compliance with the
non-proliferation commitments. Second, it may be assumed that the very
existence of a verification system with more teeth would have a certain
deterrent effect on potential violators. Thirdly, although another
case like Iraq may not occur again in a world moving toward nuclear
disarmament and non-proliferation - whether under global or regional
treaties - the eventuality cannot be excluded and effective procedures
must be in place to meet it.

The defiance of the Non-Proliferation Treaty by one State should
not lead us to overlook that significant progress has recently been
made in the field of non-proliferation. Argentina and Brazil agreed to
open up their nuclear sectors to each other and are in the process of
concluding a comprehensive safeguards agreement with the IAEA. South
Africa has adhered to the NPT and concluded a full-scope safeguards
agreement with the IAEA. Several other States in Southern Africa have,
likewise, recently joined the NPT, making the objective of a
nuclear-weapon-free African continent seem attainable. I should also

/...

24-16

mention that Lithuania has acceded to the Treaty, and the Ukraine has
declared its intention to do the same. This means that many nuclear
installations not previously covered by IAEA safeguards will, in
future, be safeguarded. In addition, China and France have made it
clear that they will adhere to the NPT, thus including among the
parties to the treaty all declared nuclear-weapon States.

In the Middle East a nuclear-weapon-free zone, although a
difficult objective, is on everyone's agenda and could be a realistic
possibility with the convening of the peace conference. There is
already a recognition among the States of the region that in such a
zone with a legacy of fear and suspicion there is a need for a
comprehensive verification regime. Concepts such as mutual inspection
between the parties and challenge inspections are already being
discussed as important features of such a regime. Last month, the
General Conference of the IAEA decided by consensus to request the
Director General of the Agency "to take such measures as are necessary
to facilitate the early application of full-scope Agency safeguards to
all nuclear activities in the Middle East, and in particular to prepare
a model agreement taking into account the views of the States in the
region, as a necessary step towards the creation of a
nuclear-weapon-free zone." While it is obvious that a
nuclear-weapon-free zone in the Middle East will have to be negotiated
between the parties, a technical input provided by the Agency with its

24—11

/...

broad experience of verification measures, could be a useful contribution to the negotiating process.

Considering all these facts, it does not seem too daring, in the present international climate, to aim at and hope for both accelerated nuclear disarmament by nuclear-weapon States and universal commitment to non-proliferation on the part of non-nuclear-weapon States by 1995, when the extension of the NPT is to be examined. This should be our ambition.

The Agency's work in the field of nuclear safety

Next I should like to make some comments on the activities of the IAEA in the field of nuclear safety. Anti-nuclear critics of the Agency sometimes urge that the Agency should not "promote" the peaceful uses of nuclear energy. Maybe this criticism is based on a misunderstanding. The principal means through which the IAEA "promotes" nuclear energy are through international measures to strengthen the safety in the operation of nuclear power plants and in the disposal of radioactive waste. This type of "promotion", one would think, should be acceptable to all.

Although the operators and owners of nuclear plants and the authorities of the States in which they are located carry the

/...

24-12

responsibility for the safety of the plants, there is more and more international co-operation, harmonization and even legislation relating to nuclear safety. The IAEA is the centre of many of these activities.

The Chernobyl accident in 1986 was subjected within months to an international inquiry at the IAEA in Vienna to enable nuclear scientists and engineers from all over the world to understand the causes of and the course of the accident. Since then the Agency has assisted Soviet, Ukrainian and Belarussian institutions in organizing a permanent international research centre in the Chernobyl area, where scientific institutes from all over the world can undertake joint research. At the request of the Soviet Government the Agency has also helped in the last two years to organize an international assessment of the radiological and health consequences of the accident. Together with six other international organizations, including the WHO, FAO and the Commission of the European Communities, the Agency sent nearly 40 technical missions involving about 200 independent experts to the areas affected by the accident to obtain data for scientifically based conclusions in these controversial matters. Thousands of persons were examined and thousands of samples of food, soil and water were analysed.

An international scientific committee, headed by Professor Itsuzo Shigematsu, Director of the Radiation Effects Research Foundation in

24-13

/...

Hiroshima, Japan, was responsible for the working plan and for the report, which was subjected to discussion at a conference in Vienna in May this year. Although the psychological consequences of the accident were found to be grave - with much anxiety, fear and lack of confidence in authorities, and although the general health situation showed deficiencies, significant differences were not found in the health of people living in villages with relatively high radiation contamination and those living in villages with low contamination. This conclusion is not accepted by everyone and it is at variance with the images that some of the media have transmitted - but it is consistent with prior, more limited, reports by the United Nations Scientific Committee on the Effects of Atomic Radiation (UNSCEAR), WHO and the League of Red Cross Societies. Follow-up studies are needed of many people who took part in the clean-up operations and of people who were evacuated. Long-term national and international studies of the health of the population and of the areas most affected by the accident are organized and will eventually give the world a full and hopefully final picture of the health and environmental consequences of the accident.

The study undertaken in 1990 and 1991 left no doubt about the very difficult social and economic situation of the people living in the area affected by the Chernobyl accident and the IAEA supports the work undertaken by the Inter-Agency Task Force on Chernobyl established following consideration of the consequences of the accident by ECOSOC

/...

24-14

0100

and the General Assembly last year.

The developments in Eastern and Central Europe, including the Soviet Union, have led to a strong interest - not only within the countries in the region but also internationally - in examining and upgrading nuclear power safety in the region. The Agency is intensely engaged as a focal point for and as an instrument of efforts in this regard. A special project was set up to examine the safety of the oldest type of Soviet-designed reactors, the WWER 440/230. Some reactors of this type were closed in Germany following the reunification of the country. Particular attention has been given to the reactors of this type at Kozloduy in Bulgaria. Following a report by the IAEA that the safety of this plant was unsatisfactory, broad international efforts, involving the Commission of the European Communities as well as individual European countries, the United States and others were initiated.

Recently the Soviet Union proposed that the IAEA should undertake another special project - examining safety questions relating to the RBMK-type - or Chernobyl type - of reactor. I am confident that the Agency can bring together nuclear experts to analyse, assess and advise on the safety problems of this type of reactor, which is found in the Russian Federation, in the Ukraine and in Lithuania.

The Chernobyl accident in 1986 triggered a broad IAEA programme

/...

24-15

aimed at the gradual creation of an international nuclear safety regime. Basic principles of nuclear safety have been worked out, nuclear safety standards have been updated and many new services using international experts have been offered to Member States - often against payment. This year a special conference of government policy makers in the field of nuclear safety met in Vienna and charted the next leg of the journey to an international nuclear safety regime.

Among the many proposals from the Conference was one aimed at the elaboration of a binding framework convention on nuclear safety. While individual countries will no doubt continue to assert their exclusive responsibility for the safety of nuclear installations on their territories - and nothing should be done to relieve them of that responsibility - a framework convention, in my judgement, may mark the beginning of a recognition that some standards and rules in the field of nuclear safety must be defined internationally and must be made mandatory, e.g. relating to basic principles of nuclear safety, incident reporting and the transboundary movement of radioactive waste. The range of rules and standards included in a framework convention may be limited at the beginning and may expand as experience is gained. They would be based on the awareness that it is unacceptable to the international community that nuclear safety is substandard anywhere in the world.

/...

24-16

Environment, development and energy

In response to a request by the General Assembly following the so-called Brundtland Report a few years ago, the IAEA surveyed its programmes and reported on the extent to which they were relevant to the subject of Environment and Development. A follow-up of this survey is being prepared in time for the UN conference in Rio next year. A large number of the Agency's development co-operation programmes, especially in agriculture and industry, are directly beneficial not only for development but also for the environment. For instance, nuclear techniques frequently offer the best means of monitoring the presence and concentration of pollutants. The IAEA's Marine Laboratory in Monaco which has much experience in monitoring pollution in the Persian Gulf and possesses an important data base from this work, is now playing an important role in the international efforts regarding the Gulf. Continued emphasis on environmental monitoring and protection is being maintained in our programme.

Most interesting – but also most controversial – is the question of the potential importance of nuclear power to help reduce the emissions of CO_2 which result from the burning of all fossil fuels and which are believed to contribute to global warming.

The summit meetings of industrialized States have repeatedly

24-17

/...

recognized that "nuclear energy can play a significant role in reducing
the growth of greenhouse gas emissions". Such a role is so far
vehemently opposed by various anti-nuclear groups which usually
recommend energy saving and a wider use of renewable sources of
energy. The adequacy of these methods to reduce greenhouse gas
emissions is doubted by others. No consensus has yet emerged.

There is no intergovernmental organization which deals with all
sources of energy and which is capable of studying and comparing the
health and environmental impacts of various sources and uses of
energy. Therefore a number of organizations, including the IAEA, the
World Bank, WHO, UNEP and the Commission of the European Communities
decided to organize a joint comparative study of the environmental and
health effects of different energy systems for electricity generation
and of the prospects of increasing efficiency in the energy use or of
forgoing energy services. The study was discussed last May in Helsinki
at a Senior Expert Symposium. Several of the important conclusions
reached at the Symposium have been submitted to the Preparatory
Committee for the Rio Conference. Among these I might mention:

- That the global demand for electricity will continue to
  increase, subject only to constraints on economic growth;

- That efficiency improvements have a substantial potential

/...

24-1β

to reduce environmental impacts and should be pursued
vigorously. However, such improvements will not eliminate
the need for new plants to meet the growing demand; and

- That nuclear power is the most likely non-fossil source
  which can be deployed on a large scale and with costs
  competitive with fossil fuels for base load generation.
  Nuclear energy has therefore the potential to make a
  significant contribution toward a reduction in carbon
  emissions, but its social acceptability remains in
  question.

The possible greenhouse effect and the ways which are open to the
world to counter it are among the most important topics on the global
agenda. It would be desirable that dispassionate studies be made as
input to this discussion. The conclusions of the Helsinki Symposium
are intended to constitute such an input. The IAEA is following up on
this study by examining how health and environmental consequences of
various sources and uses of energy can be factured into the energy
planning process of Member States.

The transfer of nuclear techniques for development

A few developing countries are successfully making use of nuclear

24-19

/...

power and this source of energy is of potential future interest in the developing world especially where there is a lack of indigenous sources of energy or a need to desalinate sea-water. However, the primary interest of most developing countries in the IAEA lies in non-power related nuclear techniques: in medicine, agriculture and industry. Let me mention only two examples among many to give an idea of the type of technical co-operation activities that are currently pursued in the field of nuclear energy.

The sterilization of insects through the irradiation of pupae has proved to be a very effective way to eradicate some insect pests. When released in overwhelming numbers in a particular zone, sterilized males mate with fertile females but no offspring are produced. This technique - the so-called Sterile Male Technique - has been championed by the IAEA. In a large programme led by the FAO, the Agency recently helped to eradicate the New World Screwworm in Libya with the help of this technique. In 1990, over 12,000 livestock were found infested with this lethal pest in Libya. This year, only six cases were recorded and, since April, not one single case! It is certainly a relief that this pest, which might have spread and affected livestock and wildlife in the whole African continent, has been eradicated - and this without an extensive use of chemical pesticides.

A second current example of the Agency helping to transfer a

24-20

/...

nuclear technique relates to the removal of sulphur dioxide and nitrogen oxides from flue gases in coal power stations. Through the use of electron beams those gases are transformed into fertilizers. In April this year, a pilot plant, installed at a thermal power station in Warsaw, started up. It is the largest demonstration plant of its kind in the world. Approximately 90% of the sulphur dioxide and nitrogen oxides in flue gases can be removed by two electron beam machines of 50kW. This project will show how promising the technique may be to clean up exhaust gases from commercial power stations, incineration plants and other industrial plants.

The role of the IAEA in the medium term

A few comments summing up the Agency's principal tasks in the medium term. The central task of the Agency has always been to contribute to the "taming" of nuclear power: to promote nuclear arms control and confidence in such control by safeguards verification and to promote the peaceful uses of nuclear energy by the transfer of technology and by co-operation.

In today's international climate new challenges and opportunities arise and the IAEA and other intergovernmental organizations must adapt their programmes to meet these challenges.

Effective verification of the peaceful uses of nuclear energy is

/...

becoming increasingly needed for regional and global confidence and for
nuclear disarmament. In a new international order, a much strengthened
safeguards system is required to give assurance that non-proliferation
pledges are respected - whether globally or in nuclear-weapon-free
zones. Perhaps also to verify that nuclear material released through
nuclear disarmament and transferred to peaceful uses, remains in such
uses.

An international nuclear safety regime must evolve to give
confidence that the safety of nuclear operations and of nuclear waste
disposal is high everywhere in the world. The Agency is the natural
birthplace for such a regime, which is also required for nuclear power
to become a viable option to meet a substantial part of the world's
future energy needs.

The Agency must further increasingly assist developing countries
in making use of nuclear techniques in their efforts to catch up with
the industrialized countries. To take a few examples: they can use
irradiation techniques to produce new useful mutants of many plants.
They can employ nuclear techniques for medical diagnosis and for the
combat of cancer and they can adopt nuclear techniques for
non-destructive testing to achieve quality control in the industrial
sphere.

In addressing squarely new issues concerning safeguards, nuclear

/...

24-22

0108

safety and the transfer of technology, the IAEA is adapting to face the problems of a continuously changing world.

— — —

A political readiness to identify and meet new challenges, regrettably, is not enough to achieve results. Adequate resources in personnel and money are also crucial. I shall conclude with a brief comment on each of these two matters:

If, during the past seven years, the Agency has been able to deliver an increased programme with a zero real growth budget and to respond promptly to unforeseen important tasks, it is in great part due to the enthusiasm, dynamism and versatility of our staff. The way in which we recruit and remunerate staff is important for our ability to accomplish our objective. We pursue in the Agency a policy of staff rotation. The majority of professional staff serve five to seven years. This has enabled us to have a continuous inflow of fresh talent and a corresponding outflow into the national nuclear communities of professionals who know how the Agency's functions can best be used by their countries. We have every intention to continue this policy, but I must report that we find it increasingly difficult to attract highly technical specialists in some sectors of our work. The pay and conditions of service offered by the United Nations Common System are

24-23

/...

no longer attractive for such specialists. If we are to remain highly
effective a way must be found to allow for some flexibility in the
conditions of employment of professional staff.

As to financial resources, let me say it cannot be a rational
order for major contributors, who eventually do pay their dues, to do
this so late in the budgetary year that international organizations
which receive the dues - including the IAEA - are perennially on the
brink of economic disaster. Nor can it be a rational order to be so
wedded to the concept of zero budgetary growth that vital international
needs are inadequately looked after.

A new international order must have effective international
organizations. This requires effective co-operation between Member
States, skilled and motivated Secretariat staff and adequate and timely
financing.

Lastly, I should like to express in this forum the thanks of the
IAEA to the Government of Austria, which is an excellent host to all
the international organizations which are located in Vienna.

* * * * *

24-24

0110

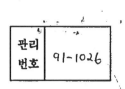

외 무 부

원 본

종   별 : 지 급

번   호 : UNW-3451   일   시 : 91 1022 2000

수   신 : 장관(연일,국기,정특,기정)사본:주오지리대사중계필

발   신 : 주 유엔 대사

제   목 : 제46차 총회 본회의(IAEA 보고서)

연:UNW-3443

1. 총회 본회의는 금 10.22(화) 오전 IAEA 보고서에 관한 토의를 속개한바, 아국등 15 개국이 발언한후 북한대표의 답변권 행사가 있었음.

   0. 발언국

멕시코, 핀랜드, 헝가리, 소련, 리비아, 일본, 루마니아, 불가리아, 우크라이나, 뉴질랜드, 체코, 칠레, 한국, 나이제리아, 이집트

   2. 상기 발언국중 일본, 뉴질랜드, 루마니아, 체코는 북한을 거명, 핀랜드, 헝가리, 불가리아는 북한을 지칭하여 핵안전협정 조기서명 및 이행을 촉구함.

   (발언문 텍스트 별첨)

   가. 일본(하타노 주유엔대사)

   0.NPT 미가입국가의 조기가입 촉구

   0. 북한(DPRK) 이 NPT 서명국이며 상당한 핵활동에 종사하고 있음에도불구 하고 조약상의 안전협정 수락의무를 계속 이행하지 않고 있음에 유감

   0. 이는 회원국 상호간의 신뢰관계에 영향을 줄뿐 아니라 NPT 체제의 중요성을 감소시킴.

   0. 북한은 무조건 더이상 지체없이 동 협약을 서명, 비준, 이행하기 위해 필요한 조치를 즉각 취할것을 요구함.(REQUEST)

   0. 북한이 최근 동 협정 서명에 부정적인 태도를 보인데 대해 깊은 유감을 표명

   나. 뉴질랜드(P.RIDER)

   0. 핵안전협정이 조기에 체결되고 있음에도 불구, 일부 국가의 경우 시일이소요되고 있음에 실망

   0.NPT 의 당사국인 북한(DPRK) 이 안전조치를 받지않은 현저한 핵시설을 계속

국기국	장관	차관	1차보	2차보	미주국	국기국	외정실	청와대
안기부	통일원	중계						

PAGE 1

가동하고 있어 심각한 문제가 제기되고 있음. NPT 협약 당사국이 양자간의 문제를 이유로 NPT 모든 당사국에 대하여 부담하는 의무를 존중하지 않는것은 수락곤란함.

0. 이문제가 오래동안 미해결 상태로 남아 있을수록 핵 계획의 성격에 대한우려도 더욱 증대됨.

0. 최근 주요 핵강대국들의 조치는 북한이 안전협정을 서명 이행할수 있는 추가적인 유인을 제공함.

0. 북한이 더이상 지체없이 이러한 조치를 취하도록 촉구함.

다. 루마니아

0. 북한(DPRK) 과 IAEA 간의 핵안전협정 체결을 위한 조치가 가까운 장래에긍정적으로 이루어지기를 희망함.

라. 체코

0. 북한(DPRK) 의 조기서명을 촉구함.

마. 핀랜드(KARHILO 외무차관)

0. 핵안전협정의 체결은 NPT 하의 법적이고 무조건적인 의무임. 안전협정을 관계없는 (EXTRANEOUS) 문제와 조건부로하여 수락하는 것은 용납할수 없음.

바. 헝가리(ERDOS 대사)

0. NPT 의 모든 당사국들이 조약상의 모든 의무를 완전히 이행해야 함.

0. 가장 중요한 의무의 하나는 바로 지난 91.9 IAEA 이사회에서 올바로 강조된바와 같이 안전협정을 체결하고 지체없이 비준하며 무조건적으로 이행하는 것임.

사. 불가리아(SOTIROV 주유엔차석)

0. (안전조치 강화와 관련하여) 불가리아는 해당국가들, 특히 한반도 및 중동등 정치적으로 민감한 지역국가들과 안전협정을 체결하려는 IAEA 의 노력을 지지함.(SOTIROV 차석은 발언후 아측 대표단에게 당초, 보다 강경한 발언을 포함하였으나, 북한측의 요청도 있어 다소 표현을 완화시킨 것이라고 함.)

3. 본직은 대호 문안을 부분적으로 수정 별첨 FAX 와 같이 발언한바 대북한관련 부분 요지 아래와같음.

가. 중국, 불란서 및여타 국가들의 NPT 가입의사 표명내지 가입환영

0. 보편성 강화에 기여

나. 협약 당사국들의 안전협정 체결의무 강조

다. 현저한 핵활동에 종사하고 있음에도불구하고 협정에 서명하지 않고 있는

PAGE 2

0112

국가들, 특히 북한에 대해 우려 표명

라. 북한은 안전조치를 받지않고 있는 핵시설을 상당기간동안 가동중인바, IAEA 이사회는 북한의 안전협정 체결 장기 지연에 커다란 우려를 표명코, 북한에 대해 동 협정을 서명, 비준, 이행토록 촉구한바 있음.

마. 북한이 유엔에 회원국으로 가입하고 헌장상의 의무를 수락하겠다고 서약하였으며 안전협정문안도 이미 IAEA 이사회에서 승인된바 있으므로 우리는 북한이 더이상 지체없이 국제적 의무를 이행할것을 촉구하는 바임.

4. 한편 북한대표(본부간부로 보이나 상금 신원이 파악 안되고 있음)는 답변권 행사를 통해 아래요지 발언함.

0. 호주, 일본, 남한(SOUTH KOREA 로 일관)의 발언과 관련 발언하겠음.

0. 핵안전 협정에 관한 북한의 입장은 10.2. 연형묵 총리 유엔연설시 및 기타 다양한 기회에 밝힌바 있음.

0. 북한은 핵무기를 개발할 의사도 능력도 없음

0. 북한은 미국의 핵위협을 제거코자 하는 기대를 갖고 NPT 에 가입한 것이나 여전히 핵위협은 감소하지 않고있음.

0. 북한이 IAEA 와의 안전협정 문안에 합의한 것도 미국이 상응하는 조치를취할수 있도록 하기 위한 것이었음.

0. 유감스럽게도 IAEA 이사회는 호주, 일본등이 주동이되어 전례도 없는 일방적인 결의를 채택하므로써 북한의 권위를 손상하고 압력을 가하였음.

0. 북한은 소국이지만 주권에 대한 침해를 용납할수 없으며, 이러한 압력하에서는 안전협정을 서명할수도 없음.

0. 북한은 핵위협에 직면하고 있는 지구상의 유일한 국가임.

0. 북한은 서명에 조건을 내세우는 것이 아니라 핵보유국이 NPT 상의 의무를 이행할 것을 요구하는 것임.

0. 남한은 핵문제에 관해 말할 자격도 없음. 남한은 그간 핵무기가 없다고 주장해왔으나 최근 남한에 핵무기가 있다는 사실은 보도등으로 널리 알려지게 되었음. 남한은 북한을 파괴하기 위한 이러한 무기를 도입토록 한데 대해 그리고 반민족적 처사에 대해 책임을 져야함.

0. 남한내 핵무기가 철수되어 핵위협이 제거되는 것이 핵안전협정의 선결요건(PREREQUISITE) 인바, 최근 미국의 핵무기 철수 발표를 주목(TAKE NOTE)

PAGE 3

0113

하며,핵무기가 남한에서 조속 철수되기를 희망함.

5. 상기 북한대표 발언관련, 본직은 대호지시 및 회의장 분위기등을 감안 답변권을 행사하지 않았음. 당관 관찰및 평가는 별전 보고예정임.

6. 한편 , 연호 IAEA 보고서 승인 결의안이 별첨(3)과 같이 아국등 36개국공동제안으로 배포되었으며, 이에대해 이락도 별첨(4)와 같이 수정안을 제출한바, 공동제안국측 요청에 따라 동 결의안 처리를 명일 오후로 연기한바, 동 관련동향 및 청훈사항을 별첨보고 예정임.

첨부:상기 발언문 및 결의안:UNW(F)-701 끝

(대사 노창희-차관)

예고:91.12.31. 일반

일반문서로 재분류(19 91. 12. 31)

PAGE 4

0114

〈첨부 ()〉   UNIV(FI)-70/   11022 2000

1. *Japan*   (년일.국기 , 정독.기정)   총 1104

                              사본: 주 오스트리아대사

        Japan continues to appeal to those Member States which are

not parties to the NPT to join the NPT as soon as possible. From

the point of view of maintaining the reliability of the NPT

regime, it is quite regrettable that the Democratic People's

Republic of Korea continually fails to fulfill its obligation,

the acceptance of IAEA full-scope Safeguards, although it has

already signed the NPT and is engaging in considerable

nuclear-related activities. This affects the relationship of

mutual trust among Member States, and it severely reduces the

prestige of the NPT, which a large number of countries have

joined. Japan requests that the DPRK take prompt action to put

into effect the agreement: namely, to sign, ratify, and implement

the agreement without any conditions and without further delay.

In this respect, Japan wishes to express its deep regret that the

DPRK has recently indicated its negative attitude toward signing

the Safeguard agreement with the IAEA.

2. *New Zealand*

        While nuclear safeguards agreements under the NPT have
been concluded quickly in at least one instance recently,
it is discouraging to note the time it has taken for other
countries to meet their obligation under the NPT.

        The continued operation by a Party to the NPT, the
Democratic People's Republic of Korea, of significant
unsafeguarded nuclear facilities has raised serious
issues. It is unacceptable for one Party to use a
bilateral dispute as an excuse for not honouring
obligations it has undertaken in respect of all other
Parties to the NPT. The longer this matter remains
unresolved, the greater are anxieties about the nature of
the nuclear programme involved. Clearly the recent
initiatives by the major nuclear-weapon states provide
further impetus for the DPRK to sign and implement a
safeguards agreement. We urge it to do so without further   //—/
delay.

                                                        0115

3. Finland

We note with appreciation the work that the IAEA, in co-operation with the United Nations Special Commission, has already done in uncovering Iraq's non-compliance with its nuclear non-proliferation commitments. It is in recognition of that role that Finland joined as co-sponsor of this year's draft resolution on the report of the IAEA.

In this context, it is important to stress once again that the conclusion of a safeguards agreement is a legal - and unconditional - obligation under the NPT. Acceptance of safeguards should not made conditional on the handling of extraneous issues.

4. Hungary

We are also glad to note that a number of States in Southern Africa have signed the Non-Proliferation Treaty, and wish to call again on those States that have not yet done so to follow their suit. Hungarian delegations at various fora have repeatedly expressed the view that all States Parties to the Treaty should fully implement all the obligations undertaken through their adherence to the Treaty. One of the most important obligations for signatories is the conclusion - including also undelayed ratification - and unconditional implementation of a safeguards agreement, as was rightly emphasized in September by the Board of Governors of the Agency.

5. Bulgaria

Recent events, notably those related to dangers for world peace and security, have once again highlighted the need for the IAEA to direct its efforts towards establishing such procedures and mechanisms that would rule out non-compliance. It is necessary to enhance further the safeguards system for averting the abuse of nuclear energy for military purposes. We are glad to note that the last General Conference of the Agency adopted a resolution providing for such an upgrading of the safeguards system. In this connection, Bulgaria supports the efforts of the Agency to conclude safeguards agreements with individual countries, especially those in politically sensitive areas such as the Korean Peninsula and the Middle East.

6. Romania

Nous espérons aussi que le processus visant à la conclusion d'un accord de garanties entre DPRK & IAEA va s'achever positivement dans un proche avenir

11-2

0116

〈첨부 2〉

REPUBLIC OF KOREA

PERMANENT MISSION TO THE UNITED NATIONS
866 UNITED NATIONS PLAZA, SUITE 300, NEW YORK, N.Y. 10017. TEL: 371·1280

(Check against delivery)

Statement

by

H.E. Ambassador Chang Hee ROE

Representative of the Republic of Korea

to the 46th Session of the

United Nations General Assembly

on

the Agenda Item 14,

"Report of the International Atomic Energy Agency"

22 October 1991
New York

//-3

0117

Mr. President,

On behalf of the Government of the Republic of Korea, my delegation wishes to express its deep appreciation to Dr. Hans Blix, Director-General of the International Atomic Energy Agency, for his presentation of the annual report of the IAEA, as well as for his comprehensive statement on the activities of the Agency.

We commend Dr. Blix and his staff for their untiring efforts, particularly during the course of the last year, in undertaking and fulfilling the important yet daunting tasks put before them.

We also firmly believe that the IAEA will continue to strengthen its pivotal role in promoting the peaceful use of nuclear energy and in preventing the proliferation of nuclear weapons.

During the two decades since our accession to the Nuclear Non-Proliferation Treaty and subsequent conclusion of the safeguards agreement with the Agency, we have benefitted greatly from the invaluable assistance provided by the Agency in promoting the peaceful uses of nuclear energy.

As of last year, our country is ranked as the ninth largest producer of nuclear energy in the world. Approximately 50% of our electricity is generated by nuclear plants within Korea. With such a strong dependence on nuclear energy, my government attaches great importance to the ever-growing cooperation between the Republic of

- 1 -

11-4

0118

2

Korea and the IAEA. As a member of the Board of Governors, we are ever-committed to the noble objectives of the IAEA.

Mr. President,

Today, my delegation wishes to focus on nuclear non-proliferation and the safeguards regime, as the Nuclear Non-Proliferation Treaty and the IAEA's safeguards system are so vital for international security.

As Dr. Blix elaborated in his statement yesterday, significant progress has recently been made in the field of non-proliferation. We welcome the fact that two declared nuclear weapon states, France and the People's Republic of China, have announced their intention to accede to the Treaty. We are also gratified to note that several other non-nuclear weapon states have recently joined, or intend to join, the NPT. These developments will mark an important step toward the achievement of universality of the NPT.

Since safeguards agreements are an integral part of the NPT regime, states parties to the NPT are obliged to conclude safeguards agreements incumbent upon them under the Treaty. Our particular concern lies with those countries which, despite being engaged in significant nuclear activities, have not yet signed the agreements.

This fact explains, in large part, my government's

- 2 -   //-5

3

preoccupation with one such state, the Democratic People's Republic of Korea. It is known that the DPRK has been for a considerable time operating un-safeguarded nuclear facilities. The IAEA Board of Governors, during its meeting last month, expressed great concern over the DPRK's long-overdue conclusion of the safeguards agreement with the IAEA and adopted a resolution which calls on the DPRK to sign, ratify, and fully implement the agreement.

Now that the DPRK has become a member of this august world body, declaring its commitment to discharge the obligations under the United Nations Charter, and also because the text of the agreement has already been approved by the IAEA Board, we appeal to the DPRK to fulfill its international obligations without further delay.

Mr. President,

As many delegations have noted on various occasions since the opening of the current session of the General Assembly, the Gulf Crisis clearly highlighted the urgent need to further strengthen the safeguards system of the IAEA. We fully share with Dr. Blix the view that we should learn important lessons from our recent experience and that effective procedures must be put into place to prevent and, if necessary meet, any eventuality.

In this regard, my delegation is very pleased to note the

- 3 -

11-6

0120

4

efforts already undertaken by the IAEA to devise measures intended to reinforce its nuclear safeguards system.

In fact, the last session of the Board of Governors and the General Conference of the IAEA resolved to consider, as a matter of priority, ways to solve this problem.

In this connection, we look forward with great expectation to the report of the Director-General, during the forthcoming session of the IAEA Board of Governors, on the new mechanism of special inspection. We believe that this report could provide added momentum to this endeavor.

Mr. President,

Last but not least, my delegation is pleased to co-sponsor the draft resolution on the report of the IAEA.

Thank you.

-4-

11-7

0121

(첨부3)

UNITED NATIONS

General Assembly

Distr.
LIMITED

A/46/L.10
21 October 1991

ORIGINAL: ENGLISH

Forty-sixth session
Agenda item 14

REPORT OF THE INTERNATIONAL ATOMIC ENERGY AGENCY

Argentina, Australia, Bahamas, Belarus, Belgium, Bolivia,
Bulgaria, Canada, Chile, Czechoslovakia, Denmark, Ecuador,
Finland, France, Germany, Greece, Hungary, Italy, Japan,
Luxembourg, Myanmar, Netherlands, New Zealand, Norway, Poland,
Portugal, Republic of Korea, Romania, Samoa, Spain, Sweden,
Ukraine, Union of Soviet Socialist Republics, United Kingdom of
Great Britain and Northern Ireland, United States of America
and Uruguay: draft resolution

The General Assembly,

Having received the report of the International Atomic Energy Agency to the
General Assembly for the year 1990, 1/

Taking note of the statement of the Director General of the International
Atomic Energy Agency of 21 October 1991, 2/ which provides additional information
on the main developments in the Agency's activities during 1991,

Recognizing the importance of the work of the Agency to promote further the
application of atomic energy for peaceful purposes, as envisaged in its statute,

---

1/   International Atomic Energy Agency, The Annual Report for 1990 (Austria,
July 1991) (GC(XXXV/953)); transmitted to the members of the General Assembly by a
note of the Secretary-General (A/46/353).

2/   See A/46/PV.33.

91-34504   3672Z (E)   /...

11-8

0122

A/46/L.10
English
Page 2

Also recognizing the special needs of the developing countries for
technical assistance by the Agency in order to benefit effectively from the
application of nuclear technology for peaceful purposes as well as from the
contribution of nuclear energy to their economic development,

Conscious of the importance of the work of the Agency in the
implementation of safeguards provisions of the Treaty on the Non-Proliferation
of Nuclear Weapons 3/ and other international treaties, conventions and
agreements designed to achieve similar objectives, as well as in ensuring, as
far as it is able, that the assistance provided by the Agency or at its
request or under its supervision or control is not used in such a way as to
further any military purpose, as stated in article II of its statute;

Further recognizing the importance of the work of the Agency on nuclear
power, applications of nuclear methods and techniques, nuclear safety,
radiological protection and radioactive waste management, including its work
directed towards assisting developing countries in planning for the
introduction of nuclear power in accordance with their needs,

Again stressing the need for the highest standards of safety in the
design and operation of nuclear plants so as to minimize risks to life, health
and the environment,

Bearing in mind resolutions GC(XXXV)/RES/551 on revision of the Basic
Safety Standards for Radiation Protection, GC(XXXV)/RES/552 on education and
training in radiation protection and nuclear safety, GC(XXXV)/RES/553 on
measures to strengthen international cooperation in matters relating to
nuclear safety and radiological protection, GC(XXXV)/RES/554 on the Agency's
contribution to sustainable development, GC(XXXV)/RES/555 on the Convention on
the Physical Protection of Nuclear Material, GC(XXXV)/RES/559 on strengthening
of the safeguards system, GC(XXXV)/RES/563 entitled "Plan for producing
potable water economically", GC(XXXV)/RES/567 on South Africa's nuclear
capabilities, GC(XXXV)/RES/568 on Iraq's non-compliance with its safeguards
obligations, GC(XXXV)/RES/569 on strengthening of the Agency's main
activities, GC(XXXV)/RES/570 on Israeli nuclear capabilities and threat, and
GC(XXXV)/RES/571 on the application of IAEA safeguards in the Middle East,
adopted on 20 September 1991 by the General Conference of the Agency at its
thirty-fifth regular session;

1. Takes note of the report of the International Atomic Energy
Agency; 1/

2. Affirms its confidence in the role of the Agency in the application
of nuclear energy for peaceful purposes;

3. Urges all States to strive for effective and harmonious
international cooperation in carrying out the work of the Agency, pursuant to

———

3/ Resolution 2373 (XXII), annex.

/...

11-9

0123

its statute; in promoting the use of nuclear energy and the application of the
necessary measures to strengthen further the safety of nuclear installations
and to minimize risks to life, health and the environment; in strengthening
technical assistance and cooperation for developing countries; and in ensuring
the effectiveness and efficiency of the Agency's safeguards system;

    4.   <u>Notes with appreciation</u> the statements and actions of the Agency
concerning Iraq's non-compliance with its non-proliferation obligations and
commends the Director General and his staff for their diligent and effective
efforts in the implementation of Security Council resolutions 687 (1991) of
8 April 1991 and 707 (1991) of 15 August 1991;

    5.   <u>Requests</u> the Secretary-General to transmit to the Director General
of the Agency the records of the forty-sixth session of the General Assembly
relating to the Agency's activities.

11-10

0124

UNITED NATIONS

General Assembly

PROVISIONAL

A/46/L.12
22 October 1991

ORIGINAL: ENGLISH

Forty-sixth session
Agenda item 14

REPORT OF THE INTERNATIONAL ATOMIC ENERGY AGENCY

Iraq: amendment to draft resolution A/46/L.10

Replace operative paragraph 4 by the following text

"4. Notes with appreciation resolution GC(XXXV)/RES/570 on Israeli
nuclear capabilities and threat; and expresses deep concern at Israel's
non-compliance with Security Council resolution 487 (1981) of
19 June 1981;"

3657E

//-//

0125

대안! (서명)

長官報告事項

1991. 10. 22.
國際機構局
國際聯合1課(70)

題 目 : IAEA 報告書 유엔總會 本會議 審議

유엔總會 本會議는 10.21(월) 오후(뉴욕시간) 國際原子力委員會
(IAEA) 報告書를 審議한 바, 總 10個 發言國中 화란(EC), 오지리,
폴란드, 미국, 호주등 5개국이 모두 北韓을 거명하여 北韓의 核安全
協定 早期署名, 批准 및 履行을 促求하였음을 報告합니다.

---

1. 10.21(月) 發言國(10국)

   ○ 백러시아, 화란(EC 대표), 파키스탄, 오지리, 폴란드, 브라질, 중국,
     미국, 이락, 호주

2. 對北韓 促求發言 內容 (별첨)

3. 10.22(화) 우리나라 포함 15國이 發言豫定인 바, 이중 7-8國이 北韓의
   核安全 措置協定 締結, 批准, 履行促求 發言을 행할 것으로 豫想됨.
   가. 北韓 直接擧名 : 일본
   나. 直接 또는 一般的內容 : 헝가리, 체코, 루마니아, 불가리아, 칠레, 핀란드

4. 北韓動向 : 10.21. 현재 發言申請치 않음.

5. 其 他 : IAEA 報告書 總會決議案 共同제안국으로 미, 소, 영, 불, 독
             한국등 36國이 가담함.

6. 措置豫定事項 및 言論對策 : 해당없음.

첨 부 : 對北韓 促求 發言內容. 끝.

심의관 : (서명)

양고재	담 당	과 장	국 장
1991 10월 22일 (서명)		(서명)	

0126

대북한 촉구 발언내용

1. 화란(EC 대표) : R. J. Van Schaik 주유엔대사

   o EC는 지난 IAEA 총회시 북한과 IAEA간의 핵안전협정 서명, 발효 및
     이행이 오래 지연되고 있는 것에 대해 우려를 표명한 바 있음.

   o 핵안전협정의 체결이 이미 상당히 지연되었다(Long Overdue)는 점을
     유념해야 할 것임.

2. 오지리 : P. Hohenfellner 주유엔대사(91년도 유엔군축위원회 의장)

   o 오지리는 북한이 이미 취한 조치의 후속조치로서 IAEA와의 안전
     협정을 가까운 장래에 서명 및 이행하기를 희망함.

3. 폴란드 : R. Mroziewicz 주유엔대사(1위 의장)

   o IAEA와 북한간의 표준 핵안전협정이 곧 발효되기를 희망함.

4. 미 국 : Oscar Padilia 대표

   o IAEA가 북한과의 핵안전협정 문안을 승인한 사실을 환영함.

   o 그러나 북한은 NPT가 요구하는 바에 따라 동 협정을 서명, 비준
     및 발효시킬 의무를 이행해야 함.

5. 호 주 : Ron Morris 주제네바 CD 부대표

   o 북한은 NPT 협약가입후 안전조치 없이 핵시설을 끈질기게 가동하고
     있는 협약사상 유일한 비핵무기 국가이며, 따라서 핵무기 계획을
     추구하고 있지 않는가 하는 의문을 제기시키고 있음.

0127

o 91.9. IAEA 이사회는 북한과의 핵안전협정에 관한 결의를 채택
   하면서 동 협정의 조기서명, 비준 및 완전한 이행을 고대한다는
   입장을 표명함. 따라서 호주는 북한이 더이상 지체없이 동 결의를
   이행할 것을 촉구함.

o 북한이 최근 제반 성명에서 핵안전협정의 서명 및 이행에 관해
   조건을 붙이고자 하는데 우려함. 북한이 NPT를 자유의사로 가입시
   행한 서약에 비추어 볼때 이는 전적으로 수락할 수 없는 것이며,
   이러한 태도는 여타 국가로 하여금 북한의 의도를 더욱 의심하게
   할 뿐임.

0128

북한의 핵안전조치 협정 체결 촉구

91. 10. 23.
국제연합1과

o 주유엔대사는 ~~본부 훈령에 따라~~ 10.22. 유엔총회 본회의에서 국제원자력
   기구(IAEA) 연례보고서 심의시 북한의 핵안전조치 협정 조기서명, 비준,
   이행을 촉구하는 발언을 행하였는 바, 관련사항은 아래임.

  - ~~2일간 계속된~~ 보고서 심의시 대북한 촉구발언 국가는 다음과 같음.

    · ~~북한을 직접 거명 (9)~~ : 화란(EC 대표), 오지리, 폴란드, 미국,

      호주, 일본, 뉴질랜드, 루마니아, 체코

    · ~~북한을 지칭 (3)~~ : 핀랜드, 헝가리, 불가리아

  - 한편, 북한측대표는 답변권 행사를 통해 핵개발 의사없음과 남한내
    핵무기 철수 주장등 종래의 입장을 되풀이 함.

o 한편 10.15-30간 계속되는 총회 제1위원회의 각국 기조연설시 현재까지
   북한의 핵안전조치 협정체결 및 이행을 촉구한 국가는 아래와 같음.

  - 북한 직접거명(4) : 카나다, 뉴질랜드, 핀랜드, 호주

  - ~~북한을 지칭 (3)~~ : 스웨덴, 헝가리, 일본

양고제	담 당	과 장	국 장

0129

유엔 총회에서 북한의 핵 안전협정체결 촉구

91.10.21-22 양일간 진행된 유엔총회 본회의(의제 14항, IAEA 보고에 관한 토의)에서 아국을 포함한 13개국이 북한을 지칭하여 핵 안전협정체결을 촉구하는 발언을 행함.

1. 북한거명, 협정체결 촉구 국가

   화란(EC 대표),오스트리아,폴란드,미국,호주,일본,뉴질랜드,루마니아,

   체코,한국(10국)

   * 핀랜드, 헝가리, 불가리아는 북한을 간접 지칭하여 협정체결 촉구

2. 아국대표(주유엔 대사) 발언 요지

   o 북한은 안전조치를 받고 있지 않는 핵시설을 상당기간 가동중인 바,
     IAEA 이사회는 북한의 핵안전협정체결 장기 지연에 심각한 우려를 표명,
     북한의 협정서명, 비준, 이행을 촉구한 바 있음

   o 북한이 유엔 회원국으로서 헌장상 의무를 수락하겠다고 서약한 이상,
     우리는 북한이 더이상 지체없이 국제적 의무를 이행할 것을 촉구

3. 북한대표 답변권 행사 내용

   o IAEA 이사회는 호주, 일본등이 주동이 되어 전례없이 일방적인 결의를
     채택함으로써 북한의 권위를 손상하고 압력을 가하였음

   o 북한은 소국이지만 주권에 대한 침해를 용납할 수 없으며, 이러한
     압력하에서는 안전협정을 서명할 수도 없음

   o 남한내 핵무기가 철수되어 핵위협이 제거되는 것이 핵안전협정의 선결
     요건인 바, 최근 미국의 핵무기 철수발표를 주목, 남한내 핵무기가
     조속 철수되기를 희망

4. IAEA 보고서 승인 결의안

   o 예년 결의안 내용에 이라크의 핵확산 방지 의무 불이행에 관한 IAEA의
     역할을 치하하는 조항(4항)을 추가

   o 동 결의안은 아국을 포함한 36개국이 공동제안 하였으며, 10.23(수)중
     처리될 예정.   끝.

0130

발 신 전 보

번   호 : WAV-1176   911023 1110 DU 종별 :

수   신 : 주 오스트리아   대사. 총영사

발   신 : 장 관 (국기)

제   목 : 제 45차 유엔총회 IAEA 사무국장 보고

연 : UNW-3443

연호, 표제사무국장 보고서 7페이지 14번째줄에 표현되있는 NPT 위반국 (one State)이 북한을 지칭하는것인지 여부를 귀관에서 IAEA 사무국에 적의 확인 보고 바람.

(국제기구국장   문 동 석)

예고: 일반 91. 12. 31.

일반문서로 재분류(19 91. 12. 31)

| | | | 보 안 통 제 | Q 山 |

앙 고 재	91 년 10 월 23 일	국제기구과	기안자 성명 신정		과 장 신대우	국 장 전개	차 관	장 관	외신과통제

0131

외 무 부

종 별 :

번 호 : AVW-1391 일 시 : 91 1023 1930

수 신 : 장 관(국기,미안,정북)

발 신 : 주 오스트리아 대사

제 목 : 북한의 기자 회견

연:AVW-1355

1. 당지 북한 대표부는 금 10.23(수) 오전 연호 기자회견을 갖고 별전(FAX)배포하였음.

2. 금일 기자회견에는 일본의 아사히, 요미우리, 마이니찌, 니혼게자이, 교도봉신, 지지봉신, 크르스탄 싸이언스 모니터, 주재국의 APA 봉신및 한국의 동아일보 특파원등 13 명이 참석하였다고함.

별첨:AVW(F)-041 4 매(표지포함). 끝.

국기국	차관	1차보	미주국	외정실	분석관	정와대	안기부

기 ^신
사본 배부연
143

EMBASSY OF THE REPUBLIC OF KOREA

Praterstrasse 31, Vienna
Austria 1020 (FAX : 2163438)

No : AVW(方)—041 | Date : 1023 1830

To : 장 관 (국기. 미안. 정특)

(FAX No :   )

Subject :

✓   나10

배부처	장관실	차관실	一차보	二차보	기획실	외경실	분석관	외전장	아주국	미주국	구주국	중아국	국기국	경제국	동상국	문화국	영교국	총무과	감사단	공보관	외연원	청와대	총리실	안기부	공보처
	/	/	/	/	/							○								/		/			

표지포함 4 매

Total Number of Page : _____

4-1

0133

Mr. Moriguchi   ←   IAEA   =Mr. KIM
Mr. Shinotsuka   TAKASHINA   Secretary
                                       Republic of Korea

From: Shinotsuka
Permanent mission
of Japan

The most important problem in ensuring the world
peace is to realise nuclear disarmourment.

On Sep. 27, US president George Bush announced that
the United States would unilaterally remove short-range
nuclear arms in its ground and naval bases and would take
fundamental steps for its abolition.

U.S. Secretary of Defense Ministry Cheyny announced
that the nuclear arms deployed in south Korea were also
included in the subject of US nuclear arms to be withdrawn.

In this regard, the spokesman for the Foreign Ministry
of DPR of Korea welcomed Bush's announcement through its
statement issued on Sep. 28 and declared that if the United
States withdrew all its nuclear weapons from south Korea and
remove the nuclear threat against us, the way of its signing
the Nuclear Safeguard Agreement with IAEA would be opened,
. thus contributing to the denuclearization of the Korean
peninsula.

So far, the United States has insisted that our signing
of the Nuclear Safeguard Agreement and the withdrawal of
its nuclear arms from south Korea are different matters,
denying to confirm the presence of its nuclear arms deployed
in south Korea.

But this time, the United States recognized itself the
presnece of US nuclear arms in south Korea and the neccesity
of its removal.

This clearly testifies that we are right to hold that
the questions of the Nuclear Safeguard Agreement and the
withdrawal of US nuclear arms from south Korea are linked
inseparably and that, for our signing of the Nuclear Safeguard
Agreement, the United States should withdraw its nuclear
weapons and remove nuclear threat and the nuclear inpections
should be done simultaneously in the north and south.

We have declared on several opportunities that we had
neither intention nor ability to develop nuclear weapons.

1

4-2

0134
1/3

It was proceeding form our intention not to develop
nuclear weapons but to remove the nuclear threat of the
United States that we _ . joined the NPT.

However, ever since our joining the NPT, the nuclear
threat of the United States has been increased far beyond
our expectations.

The United States has deployed more than 1,000 nuclear
weapons of various kinds in south Korea and is waging large-
scale "Team-Spirit" military exercise every year against us,
thus threatening the north.

In the world, it is only our country which, as a non
nuclear weapon state that has joined the NPT, is directly
threatened by a nuclear state.

The main purpose of the NPT is to prevent nuclear
proliferation, remove nuclear threat, realise nuclear dis-
armourment and achieve world peace.

Therefore, it is quite natural that we, a non nuclear
weapon state demands the United States which is a nuclear
weapon state to remove its nuclear threat. It also conforms
with the spirit of the NPT.

Since the United States announced that it would withdraw
its nuclear weapons, we hold that it should start the with-
drawal from the Korean peninsula where the danger of a
nuclear war exists most heavily and that it sould be conducted
not partially but completely in a wholesale way from ground,
sea and air.

At the same time, any attempt to impose unilateral
pressure upon us in regard of signing the Nuclear Safeguard
Agreement should be stopped. It is a matter of right of an
independent sovereign state to sign an international treaty.
It cannot be settled by any outside pressure.

Yet, we do not oppose the Nuclear Safeguard Agreement
but intend to sign it. What we merely insist on is the
clearance of threat by a nuclear state upon a non nulcear
weapon state like our country and the total safety assurances.
This is a quite lawful demand for a non nuclear weapon
state.

4-3 2

2/3

0135

          We can never accept any unilateral pressure put upon
a non nulcear weapon state,in disregard of its lawful demand and
turning away the nuclear threat by a nuclear state.

          We have no idea at all to sign the Nuclear Safeguard
Agreement even at the cost of our sovereign right being
violated.

          If the United States takes a step for the complete
withdrawal of all its nuclear weapons from south Korea and
the unilateral pressure against us is removed, the way of our
signing the Nuclear Safeguard Agreement with the IAEA will
be opened.

          Availing myself of this opportunity, I would like to
give you a short account for the south Korean authorities.

          So far, they have denied the presence of nuclear weapons
doployod in south Korea. This time when the United States
admitted the presence of the nuclear weapons in south Korea
and announced the proposal of nuclear reduction, it was the
south Korean authorities themselves who were mostly embarrased
by it.

          If they are really concerned with our signing of the
Nuclear Safeguard Agreement and the creation of a nuclear
weapon free zone on the Korean peninsula, they must give up
their previous attitude, demand and promote the withdrawal
of not only the US nuclear weapons but also its troops out
of south Korea and come out positively to the talk with us
for the denuclearization of the Korean peninsula.

          Only when the withdrawal of nuclear weapons and troops
of the United States from south Korea be realised and the
Korean peninsula be turned into a nuclear weapon-free zone,
can the peace of the Korean peninsula and furthermore of
Asia be ensured.

          Thank you.

                              3

                                    CHON In Chan

                                                          0136
                    4-4   3/3

외 무 부

종 별 :

번 호 : AVW-1392   일 시 : 91 1023 1930

수 신 : 장 관(국기,미안,정특)

발 신 : 주 오스트리아 대사

제 목 : 북한의 핵안전 협정 체결 무망

연:AVW-1391

1. 부시대통령의 9.27 핵무기 정책발표 이래, 북한의 연호 기자회견문과 금10.23 북한총리 연설문을 포함하여, 북한이 취하고 있는 태도를 분석할때 북한과 IAEA 간의 핵안전협정은 체결될 전망이 없다는 심증을 굳게함.

2. 따라서 본건은 외교적으로 볼때 한. 미간의 비상협의를 거쳐 유엔 안보리를 통한 조치 밖에 없다는 전제하에, 최우선의 국가안보 차원에서 관련 대책을검토해야 할것으로 생각됨을 보고함. 끝.

예고:91.12.31 일반.

일반문서로 재분류(1991. 12. 31.)

국기국   장관   차관   1차보   미주국   외정실   분석관   청와대   안기부

PAGE 1   91.10.24   07:35
                                                 외신 2과 통제관 BD
                                                        0137

관리번호 │ 91 -1318

외 무 부

종 별 :

번 호 : UNW-3471

일 시 : 91 1023 1740

수 신 : 장 관(연일,국기,정특) 사본:주오지리대사(중계필)

발 신 : 주 유엔대사

제 목 : 제46차 총회 본회의 (IAEA 보고서)

연: UNW-3451

연호 발언국중 체코(주유엔대사) 의 북한관련 언급 부분을 별첨 FAX 타전함. 끝.

(대사 노창희-국장)

예고:91.12.31. 까지 고문에
의거 일반문서로 재분류함
첨부:FAX-(UNW(F)-708)

국기국 중계	장관	차관	1차보	국기국	외정실	분석관	청와대	안기부

91.10.24 07:11

외신 2과 통제관 BS

0138

〈 체코 〉　UNW(F)-708 · 11023 1740　첨부볼 UNW-3471 이

홍1매

(연일 · 축기 · 정흥, 시원: 주오지리 대사)

In expanding the system of safeguard agreements with the
IAEA, on which the regime of non-proliferation is based, minor
progress was made last year. We expect a speedy signing,
ratification and implementation of the agreement, the text of
which was approved by the IAEA Council of Governors in early
September of this year, by the People's Democratic Republic of
Korea. On the other hand we appreciate that the Republic of South
Africa has already concluded such an agreement, and that it has
done so in a very short time after it has signed the NPT. We
are also expecting an early successful conclusion of
negotiations between the IAEA on one hand and Argentina and
Brazil on the other on signing a safeguard agreement.

0139

공　　　란

공   란

공 란

공   란

공   란

외교문서 비밀해제: 북한 핵 문제 7
북한 핵 문제 IAEA 핵안전조치협정 체결 3

초판인쇄 2024년 03월 15일
초판발행 2024년 03월 15일

지은이 한국학술정보(주)
펴낸이 채종준
펴낸곳 한국학술정보(주)
주 소 경기도 파주시 회동길 230(문발동)
전 화 031-908-3181(대표)
팩 스 031-908-3189
홈페이지 http://ebook.kstudy.com
E-mail 출판사업부 publish@kstudy.com
등 록 제일산-115호(2000. 6. 19)

ISBN 979-11-7217-080-6 94340
        979-11-7217-073-8 94340 (set)